DE KROONPRINSES

*In POEMA-POCKET verschenen

Danielle Steel

DE KROONPRINSES

SIJTHOFF

ISBN 978 90 218 0095 0
NUR 343

www.boekenwereld.com

Voor mijn dierbare kinderen,
Beatrix, Trevor, Todd, Nick, Samantha,
Victoria, Vanessa, Maxx, Zara,
met mijn hartelijke dank en liefde omdat jullie
zulke fantastische mensen zijn,
met intense dankbaarheid voor het feit dat jullie
zo goed voor me zijn, zo attent en liefdevol,
zo ruimhartig en gul met jullie tijd.
Ik hoop dat jullie leven soepel en waardig zal verlopen,
dat vreugde, vrede en liefde jullie deel zullen zijn
en dat alles waarvan jullie dromen bewaarheid zal mogen worden.
Ik wens dat 'nog lang en gelukkig' voor geen van jullie een sprookje zal blijken,
dat vrienden, partners en echtgenoten jullie zullen koesteren en met tederheid, liefde en respect zullen behandelen, en dat jullie kinderen zullen krijgen die net zo bijzonder en fantastisch zijn als jezelf.
Als jullie net zulke kinderen hebben als ik, zijn jullie waarlijk gezegend.

Met oneindig veel liefs,
Mam/d.s.

HOOFDSTUK 1

*C*hristianna stond voor haar slaapkamerraam met uitzicht op de heuvels in de stromende regen. Ze keek naar een grote witte hond die met zijn doornatte vacht uitgelaten in de modder aan het woelen was. Van tijd tot tijd keek hij naar haar omhoog, en dan kwispelde hij met zijn staart, waarna hij verder ging met graven. Dat was de Pyrenese berghond die ze acht jaar geleden van haar vader had gekregen. Hij heette Charles en hij was in menig opzicht haar beste vriend. Ze moest lachen toen ze hem jacht zag maken op een konijn, dat hem te slim af was en plotseling verdween. Charles blafte als een bezetene, waarna hij weer vrolijk verder spitte, op zoek naar iets anders waar hij achteraan kon zitten. Hij amuseerde zich kostelijk, net als Christianna terwijl ze hem gadesloeg. De zomer liep op zijn einde, maar toch was het nog warm. Ze was in juni in Vaduz teruggekomen, na vier jaar in Berkeley te hebben gestudeerd. De thuiskomst was nogal een schok geweest, waarbij Charles haar grootste troost was. Afgezien van haar familie in Engeland en Frankrijk en kennissen in alle uithoeken van Europa, was Charles haar enige vriend. Ze leidde een beschermd, geïsoleerd bestaan en dat was altijd zo geweest. Het zag er niet naar uit dat ze haar vrienden uit Berkeley ooit zou terugzien.
Toen ze de hond in de richting van de stallen zag verdwijnen, haastte Christianna zich haar kamer uit, met het voor-

7

nemen hem achterna te gaan. Ze pakte haar waterdichte jas en de regenlaarzen die ze altijd aantrok om de paardenstal uit te mesten, en rende de trap af. Ze was blij dat niemand haar opmerkte, en even later rende ze buiten, glibberend door de modder, op jacht naar de grote witte hond. Toen ze zijn naam riep, sprong hij tegen haar op, waarbij hij haar bijna omvergooide. Hij kwispelde met zijn staart, waardoor het water alle kanten op spatte, en stak een modderige poot naar haar uit. Toen ze zich bukte om hem te aaien, strekte hij zich uit om haar gezicht te likken en toen ze in lachen uitbarstte, rende hij weer weg. Samen holden ze naast elkaar over het ruiterpad. Het was die dag te nat om paard te rijden.

Als de hond van het pad afweek en ze hem riep, aarzelde hij telkens heel even voor hij naar haar terugkwam. Gewoonlijk vertoonde hij goede manieren, maar vanwege de regen was hij uitgelaten en rende hij er blaffend op los. Christianna had evenveel schik als de hond. Na bijna een uur hield ze, enigszins buiten adem, op met rennen, terwijl de hond zwaar hijgend bij haar kwam staan. Daarna nam ze een sluipweg, en een halfuur later waren ze weer terug op de plaats waar ze waren begonnen. Voor zowel de hond als zijn bazin was het een heerlijk uitje geweest, en ze liepen er allebei even haveloos en verwaaid bij. Christianna's lange, bijna witblonde haar zat aan haar hoofd geplakt, haar gezicht was nat en zelfs haar wimpers klitten aan elkaar. Ze gebruikte nooit make-up, tenzij ze de deur uit moest en de kans liep gefotografeerd te worden. Ze had de spijkerbroek aan die ze uit Berkeley had meegenomen. Die was een aandenken aan het leven dat ze miste. Ze had van elk moment genoten van haar vier jaar op de universiteit van Berkeley. Ze had er hard voor gevochten om erheen te mogen. Haar broer was naar Oxford gegaan, en haar vader had haar de Sorbonne voorgesteld. Omdat Christianna voet bij stuk had gehouden dat ze in de Verenigde Staten wilde gaan studeren, had haar vader uiteindelijk toegegeven, zij het niet van harte. Zo ver van huis te gaan had haar het summum van vrijheid geleken, en elke dag waren daar werelden voor haar opengegaan. Ze had het vreselijk gevonden dat ze weer naar huis moest toen ze in juni afstudeerde. Ze had vrienden gemaakt die ze nu ontzettend miste en die deel uitmaakten van een ander leven waar ze hevig naar terugverlangde. Ze was teruggekomen om haar verplichtingen te vervullen en te doen wat er van haar werd verwacht. Het voelde voor Christianna aan als een zware last, die slechts werd verlicht door momenten als deze, waarop ze met haar hond door het bos rende. Voor de rest had ze sinds haar terugkeer het gevoel dat ze een levenslange gevangenisstraf moest uitzitten. Er was niemand tegen wie ze dat had kunnen zeggen, want dan zou het lijken alsof ze ondankbaar was voor alles wat ze had. Haar vader was uitermate lief voor haar. Hij had aangevoeld, zo niet gezien, hoe treurig ze zich sinds haar terugkeer uit de Verenigde Staten voelde. Maar er was niets wat hij daaraan kon doen. Christianna wist net zo goed als hij dat haar jeugd en de vrijheid die ze in Californië had genoten nu ten einde waren.

Toen ze aan het eind van het ruiterpad waren gekomen, keek Charles zijn bazin bedachtzaam aan, alsof hij haar wilde vragen of ze echt terug moesten.

'Ik weet het,' zei Christianna zachtjes, terwijl ze hem op zijn vacht klopte. 'Ik heb er eigenlijk ook geen zin in.' De regen voelde aangenaam op haar gezicht en ze vond het net zomin erg om doornat te worden en met natte haren rond te lopen als de hond. Ze was beschermd door de regenjas, en haar laarzen zaten onder de modder. Ze moest lachen toen ze naar hem keek, terwijl ze bedacht dat het moeilijk te geloven was dat deze bemodderde bruine hond eigenlijk wit was.

Ze had evenveel behoefte aan wat beweging als de hond. Hij kwispelde met zijn staart toen hij haar aankeek, waarna ze met iets meer decorum in hun tred naar huis liepen. Ze hoopte via de achterdeur binnen te kunnen sluipen, maar het zou een nog grotere uitdaging zijn om Charles in zo'n toestand het huis in te krijgen. Omdat hij te smerig was om mee naar boven te nemen, wist ze dat ze via de keuken moesten gaan.

Hij was na hun modderige wandeling hoognodig aan een bad toe.

Ze deed stilletjes de keukendeur open, in de hoop zo lang mogelijk aan de aandacht te kunnen ontsnappen, maar zodra ze dat had gedaan, sprong de hond langs haar heen en stormde, blaffend van enthousiasme, pardoes de kamer in. Daar ging hun stiekeme entree, bedacht Christianna gelaten, en ze keek verontschuldigend naar de vertrouwde gezichten om haar heen. De mensen die bij haar vader in de keuken werkten, waren altijd zo aardig voor haar dat ze soms zou willen dat ze nog altijd bij hen kon komen zitten om van hun gezelschap en de vriendschappelijke sfeer te genieten, zoals ze als kind altijd had gedaan. Maar ook die tijd was voorbij. Ze behandelden haar allang niet meer zoals toen zij en haar broer Friedrich nog klein waren. Friedrich was tien jaar ouder dan zij en hij maakte een reis van zes maanden door Azië. Christianna was die zomer drieëntwintig geworden.

Charles blafte en had, toen hij fanatiek het water uit zijn vacht schudde, bijna iedereen om hem heen met modder bespat, terwijl Christianna nog vergeefs had geprobeerd hem te kalmeren.

'Het spijt me verschrikkelijk,' zei ze toen Tilde, de kokkin, met haar schort haar gezicht afveegde, haar hoofd schudde en vriendelijk glimlachte naar de vrouw die ze al vanaf haar geboorte kende. Snel wenkte ze een jongeman, die toeschoot om de hond weg te brengen. 'Ik vrees dat hij vreselijk vuil is geworden,' zei Christianna met een glimlach tegen de jongeman, terwijl ze zou willen dat ze het beest zelf in bad kon stoppen. Dat deed ze graag, maar ze wist dat ze dat waarschijnlijk niet zouden toelaten. Charles jankte klaaglijk toen hij werd weggeleid. 'Ik wil hem best in bad stoppen...' zei Christianna nog, maar de hond was al verdwenen.

'Natuurlijk niet, Hoogheid,' zei Tilda, terwijl ze haar fronsend aankeek en vervolgens met een schone handdoek ook Christianna's gezicht afveegde. Als Christianna nog een kind zou zijn geweest, had ze haar een standje gegeven en zou ze tegen haar hebben gezegd dat ze er nog erger uitzag dan de hond. 'Wilt u misschien lunchen?' vroeg ze. Christianna had er niet eens aan gedacht en ze schudde haar hoofd. 'Uw vader zit nog in de eetzaal. Hij heeft net zijn soep op. Ik zou iets voor u naar boven kunnen laten brengen.' Christianna aarzelde even, maar toen knikte ze.

Ze had hem de hele dag nog niet gezien, en ze genoot altijd van de rustige momenten samen als hij niet aan het werk was en een paar momenten voor zichzelf had, wat een zeldzaamheid was. Meestal werd hij omringd door diverse leden van zijn staf en had hij haast om naar de zoveelste vergadering te gaan. Voor hem was het een genot om in afzondering te mogen eten, vooral als zij erbij was. Ze koesterde elke minuut die ze samen waren. De enige reden dat ze bereid was geweest om uit Berkeley terug te keren, was hij. Er was geen andere keus geweest, al had ze graag verder willen studeren zodat ze in de Verenigde Staten kon blijven. Ze had het niet durven vragen. Ze wist dat het antwoord 'nee' geweest zou zijn. Haar vader wilde dat ze naar huis kwam. Ze wist dat ze dubbel zoveel verplichtingen zou moeten vervullen, omdat haar broer het finaal liet afweten. Als Friedrich bereid zou zijn geweest zijn verantwoordelijkheden op zich te nemen, zou dat de last op haar schouders verlicht hebben. Maar daarop hoefde ze niet te hopen.

Ze hing haar regenjas op aan een haakje bij de keuken en trok haar laarzen uit. Die waren aanmerkelijk kleiner dan de andere die daar al stonden. Ze had heel kleine voeten, en ze was zo klein dat ze bijna een miniatuur leek. Op platte schoenen, merkte haar broer altijd plagend op, leek ze net een klein meisje, vooral met haar lange blonde haar, dat nu nog altijd nat op haar rug hing. Ze had kleine, sierlijke handen, een volmaakt figuur dat absoluut niet kinderlijk was, en een gezicht als een camee. Iedereen zei dat ze op haar moeder leek, maar ook ietsje op haar vader, die net zo blond was als zij, hoewel hij en haar broer heel lang waren: een eind boven de een meter tachtig. Christianna's moeder was net zo klein geweest als zij. Ze was overleden toen Christianna vijf was en Friedrich vijftien. Hun vader was nooit hertrouwd. Christianna was de vrouw des huizes, die haar vader tegenwoordig bijstond als gastvrouw bij belangrijke diners en evenementen. Dat was een van de verplichtingen die van haar werden verwacht, en hoewel ze dat niet leuk vond, was dat een taak die ze met liefde voor hem vervulde. Hij was zich er altijd van bewust geweest hoe moeilijk het voor haar was om zonder moeder op te groeien. En in weerwil van al zijn plichten had hij alle moeite gedaan om voor haar een vader en een moeder tegelijk te zijn – niet altijd een eenvoudige opgave.

Christianna huppelde de trap op in een spijkerbroek, een trui en op kousenvoeten. Enigszins buiten adem kwam ze in de provisiekamer aan, knikte de mensen toe die daar aan het werk waren en sloop stilletjes de eetzaal binnen. Daar zat haar vader alleen aan tafel, gebogen over een stapel paperassen. Hij had zijn bril op en trok een ernstig gezicht. Hij hoorde Christianna niet binnenkomen. Hij keek op en glimlachte toen ze zwijgend op de stoel naast hem neerstreek. Hij was duidelijk blij om zijn dochter te zien, zoals altijd.

'Wat heb jij uitgevoerd, Cricky?' Zo noemde hij haar al toen ze nog klein was. Toen ze zich vooroverboog om hem een kus te geven, klopte hij zachtjes op haar hoofd en zag toen pas haar natte haren. 'Je hebt in de regen gelopen. Heb je met dit weer soms paardgereden?' Hij was bezorgd om haar, meer nog dan om Freddy. Omdat Christianna altijd zo klein was geweest, maakte ze op hem een ontzettend broze indruk. Sinds hij achttien jaar geleden zijn vrouw aan kanker had verloren, was hij met zijn dochter omgesprongen als met het kostbare geschenk dat ze al voor hem was geweest toen ze werd geboren. Ze leek ontzettend veel op haar moeder. Zijn vrouw was precies zo oud als Christianna nu was toen hij met haar trouwde. Ze was Française – haar voorouders stamden af van de koningshuizen van Orléans en Bourbon, die voor de Franse Revolutie het land hadden geregeerd. Christianna was een rasechte koninklijke nazaat. De voorouders van haar vader waren voornamelijk Duits, met verwanten in Engeland. De moedertaal van haar vader was Duits, al had hij met Christianna's moeder altijd Frans gesproken, net zoals zij met haar kinderen had gedaan. Toen ze was overleden was Christianna's vader, ter nagedachtenis aan haar, met zijn kinderen Frans blijven spreken. Dat was nog altijd de taal waarin Christianna zich het gemakkelijkst uitdrukte en die ze het liefste sprak, al sprak ze ook Duits, Italiaans, Spaans en Engels. Haar Engels was er in haar studietijd in Californië aanzienlijk op vooruitgegaan, en ze sprak het nu vloeiend.

'Je moet eigenlijk niet in de regen paardrijden,' berispte hij haar vriendelijk. 'Je vat nog kou, of iets ergers.' Hij was altijd bang dat ze ziek zou worden – overdreven bang, daar kwam hij eerlijk voor uit, sinds de dood van zijn vrouw.

'Ik heb niet paardgereden,' legde ze uit. 'Ik ben alleen maar met de hond gaan rennen.' Terwijl ze dat zei, zette een lakei soep voor haar neer, in een sierlijk, tweehonderd jaar oud Limoges-bord met een gouden randje. Het servies was van haar grootmoeder geweest, en Christianna wist dat er ook nog heel wat niet minder fraaie porseleinen serviezen uit China waren, van de voorouders van haar vader. 'Hebt u het vandaag erg druk, papa?' vroeg Christianna zachtjes. Hij schudde zijn hoofd, terwijl hij met een zucht de paperassen opzijschoof.

'Niet meer dan anders. Er zijn zoveel problemen in de wereld, zoveel zaken waarvoor geen oplossing is. Menselijke problemen zijn tegenwoordig zo gecompliceerd. Niets is meer eenvoudig.' Haar vader stond erom bekend dat hij zich het lot van de mensheid aantrok. Dat was een van de vele dingen die ze in hem bewonderde. Hij verdiende alle respect en hij was zeer gezien bij eenieder die hem kende. Compassie, integriteit en moed stonden hoog in zijn vaandel, waarmee hij een krachtig voorbeeld had gesteld voor haar en haar broer. Christianna had ervan geleerd en luisterde naar wat hij zei. Freddy was veel egocentrischer en sloeg geen acht op de voorschriften van zijn vader, of op zijn wijsheid en smeekbeden. Freddy's onverschilligheid voor wat er van hem werd verwacht gaf haar het gevoel dat zij daardoor dubbel zo hard moest werken om verplichtingen te vervullen en tradities in stand te houden. Omdat ze wist hoe teleurgesteld haar vader in zijn zoon was, vond ze dat zij dat voor hem moest compenseren. In feite leek Christianna veel meer op haar vader, waardoor ze altijd geïnteresseerd was in zijn projecten, vooral waar het minder bedeelden in ontwikkelingslanden betrof. Ze had verscheidene keren vrijwilligerswerk gedaan in arme streken in Europa, en ze was toen gelukkiger geweest dan ooit.

Hij legde haar zijn recentste projecten uit, terwijl ze geboeid naar hem luisterde en af en toe een opmerking maakte. Haar ideeën over het onderwerp waren intelligent en weldoordacht. Hij had altijd groot respect voor haar mening. Alleen zou hij willen dat zijn zoon haar hersens en inzet had. Bovendien wist hij dat zij het gevoel had dat ze al die tijd dat ze weer thuis was haar tijd verdeed. Hij had haar kortgeleden aangeraden om in Parijs rechten of politicologie te gaan studeren. Dat was een manier om haar bezig te houden en haar hersens te gebruiken, en Parijs was dicht bij huis. Ze had daar familie, van moeders kant, bij wie ze zo lang zou kunnen wonen en dan kon ze vaak naar huis om hem op te zoeken. Hoewel ze dat graag zou hebben gewild, was het, zelfs op haar leeftijd, absoluut onmogelijk dat ze er een eigen appartement op na zou mogen houden. Ze had zijn plan nog steeds in overweging, maar haar interesse lag meer in het bezig zijn met nuttige zaken, om andere mensen te helpen, dan in de schoolbanken terug te keren. Op aandringen van zijn vader had Freddy een studie in Oxford afgerond en hij had in Harvard een *master's degree* behaald in handelswetenschappen, wat gezien het leven dat hij leidde geen enkel nut voor hem had. Haar vader zou goed hebben gevonden dat Christianna een meer esoterische studie zou volgen, mocht haar keus daarop vallen. Maar omdat ze een uitnemende studente en zeer serieus was, vond hij rechten of politicologie heel geschikt voor haar.

Zijn assistent kwam, toen ze net hun koffie op hadden,

schuldbewust de eetzaal binnen en glimlachte naar Christianna. Hij was bijna als een oom voor haar en hij werkte al sinds haar geboorte voor haar vader. De meeste mensen uit hun entourage werkten al jarenlang voor hem. 'Neem me niet kwalijk dat ik stoor, Hoogheid,' zei de bejaarde man aarzelend. 'U hebt over twintig minuten een afspraak met de minister van Financiën, en we hebben wat nieuwe verslagen over de Zwitserse valuta die u misschien wilt lezen voordat u een gesprek met hem hebt. En onze ambassadeur bij de Verenigde Naties zal hier om halfvier zijn om u te spreken.' Christianna wist dat haar vader tot het avondeten bezet zou zijn en dat zijn aanwezigheid dan hoogstwaarschijnlijk gewenst zou zijn bij een staats- of andere officiële aangelegenheid. Soms ging ze met hem mee, als hij daarom vroeg. Anders bleef ze thuis, of maakte ze zelfstandig haar opwachting bij vergelijkbare gebeurtenissen. In Vaduz was er geen sprake van ongedwongen bezoekjes aan vrienden, zoals in Berkeley het geval was. Nu bestond het leven slechts uit verplichtingen en werk.

'Dank je, Wilhelm. Ik kom over een paar minuten naar beneden,' zei haar vader kalm.

Zijn assistent maakte een discrete buiging naar hen beiden en verliet geruisloos het vertrek, terwijl Christianna hem met haar kin in haar handen nakeek en zuchtte. Ze zag er jonger uit dan ooit, en ook enigszins bedrukt, zag haar vader, terwijl hij haar glimlachend aankeek. Ze was ontzettend mooi en een heel goede dochter. Hij wist dat haar officiële verplichtingen sinds ze terug was zwaar op haar schouders drukten, precies zoals hij had gevreesd. De verantwoordelijkheden en de belasting die daarmee gepaard ging, waren niet gemakkelijk voor een meisje van drieëntwintig. De onvermijdelijke restricties waarmee ze moest leven, konden niet anders dan ergernis wekken, net als dat bij hem het geval was geweest toen hij zo oud was als zij. Die zouden ook een hele belasting zijn voor Freddy als hij in het voorjaar terugkwam, al was Freddy veel creatiever in het ontduiken van zijn verplichtingen dan zijn vader of zijn zusje. Pleziertjes waren op dit moment het enige waar hij zich mee bezighield en waar hij een complete carrière in opbouwde. Sinds hij Harvard had verlaten, was hij zich constant aan het uitleven. Dat was het enige wat hij uitvoerde, en hij had geen enkele behoefte om volwassen te worden of te veranderen. 'Wordt u nou nooit moe van wat u doet, papa? Ik raak al uitgeput als ik alleen maar kijk naar waar u elke dag mee volpropt.' Het leek wel of zijn tijd eindeloos rekbaar was, al klaagde hij nooit. Zijn verantwoordelijkheidsgevoel zat hem ingebakken.

'Ik doe het graag,' zei hij naar waarheid. 'Maar op jouw leeftijd was dat anders.' Hij was altijd eerlijk tegen haar. 'In het begin had ik er een hekel aan. Ik geloof dat ik eens tegen mijn vader zei dat ik het gevoel had dat ik in een gevangenis zat, en dat hij toen gechoqueerd was. Je groeit er met de jaren in. Dat zul je merken, lief kind.' Natuurlijk was er voor geen van beiden een alternatief voor de taak die hun al bij hun geboorte op de schouders was gelegd, zoals dat al eeuwenlang ging. Net als haar vader schikte Christianna zich in haar lot.

Christianna's vader, prins Hans Jozef, was de regerend vorst van Liechtenstein, een prinsdom van 160 vierkante kilometer met drieduizend inwoners, dat wordt begrensd door Oostenrijk en Zwitserland. Het land was volkomen onafhankelijk en sinds de Tweede Wereldoorlog neutraal. Die neutraliteit had in de prins de weg geplaveid voor zijn interesse in mensenrechten van verdrukten en verworpenen der aarde. Van alle bezigheden die haar vader deed, was Christianna het meest geïnteresseerd in wat hij voor de mensheid deed. Wereldpolitiek trok haar minder, maar was – uit noodzaak – een des te grotere passie van haar vader. Freddy had voor geen van beide enige belangstelling, al was hij de kroonprins van het land en zou hij op een dag in de voetsporen van zijn vader treden. Hoewel Christianna in andere Europese landen derde zou zijn in de lijn van troonopvolging, mochten vrouwen in Liechtenstein niet op de troon komen. Dus zelfs als haar broer besloot niet zijn plaats als regerend vorst in te nemen, zou zij nooit over haar land regeren. Niet dat ze dat zou willen, maar haar vader zei graag vol trots dat ze die taak best zou aankunnen, beter dan haar broer. Christianna benijdde hem niet om de rol die hij op een dag van hun vader zou erven. Ze vond het al moeilijk genoeg om haar eigen rol te aanvaarden. Ze wist al vanaf de dag dat ze uit Californië was teruggekeerd dat haar leven zich voor altijd hier zou afspelen, ze zou het vervullen van haar plichten weer oppakken en aan de aan haar gestelde verwachtingen voldoen. Haar werd niets gevraagd en ze had geen keus. Ze was net een volbloed renpaard dat maar één koers hoefde te rennen: het ondersteunen van haar vader, hoe futiel en onbelangrijk haar bijdrage ook was. Meestal was het werk dat ze verrichtte in haar ogen uiterst onbetekenend. Ze had het gevoel dat in Vaduz het leven aan haar voorbijging.

'Ik vind het soms vreselijk wat ik doe,' zei ze eerlijk, maar daarmee vertelde ze haar vader niets wat hij al niet wist. Hij had niet veel tijd om haar van het tegendeel te overtuigen, omdat hij over een paar minuten zijn gesprek zou hebben met de minister van Financiën, maar de gekwelde blik in de ogen van zijn dochter raakte hem tot in zijn ziel. 'Ik voel me hier zo nutteloos, papa. Zoals u al zei: er zijn zoveel problemen in de wereld. Wat doe ik hier dan, met de bezoeken aan weeshuizen en het openen van ziekenhuizen, terwijl ik ergens anders iets belangrijks zou kunnen doen?' Ze klonk zo klaaglijk en treurig dat hij zijn hand op de hare legde.

'Wat je doet is belangrijk. Je helpt mij ermee. Ik heb geen tijd voor de dingen die jij voor me doet. Het betekent heel wat voor ons volk om jou in hun midden te zien. Dat is precies wat je moeder zou hebben gedaan als ze nog had geleefd.'

'Dat deed ze uit vrije keuze,' wierp Christianna tegen. 'Toen ze met u trouwde, wist ze wat voor leven ze zou krijgen. Ze had niet anders gewild. Ik heb altijd het gevoel dat ik alleen maar mijn tijd zit uit te zitten.' Ze wisten allebei dat ze, wanneer ze aan haar vaders wensen zou voldoen, uiteindelijk zou trouwen met een man van gelijke afkomst. En dat, als hij net als haar vader een regerend prins zou zijn – of een kroonprins, zoals haar broer – dit haar op dat leven voorbereidde. Er bestond de vage mogelijkheid dat ze met iemand van lagere afkomst zou trouwen, maar als Koninklijke Hoogheid van moederskant en Doorluchtige Hoogheid die ze van vaderskant was, lag het minder voor de hand dat ze zou trouwen met iemand die niet van koninklijken bloede was. Dat zou haar vader nooit goedvinden. De geslachten van De Bourbon en Orléans van haar moeders kant bestonden alleen maar uit Koninklijke Hoogheden. De moeder van haar vader was zelf ook van koninklijken bloede. De regerende prins van Liechtenstein was een Doorluchtige Hoogheid, evenals Christianna. Ze waren gerelateerd aan de Engelse Windsors. De koningin van Engeland was een achternicht en de familie van prins Hans Jozef waren Habsburgs, Hohenlohe, en Thurn und Taxis. Het prinsdom onderhield nauwe banden met Oostenrijk en Zwitserland, ook al waren daar geen familieleden aan het bewind. Maar de familieleden van prins Hans Jozef, Christianna en Freddy waren, net als hun voorouders, allemaal van koninklijken bloede. Van kinds af aan had haar vader haar verteld dat ze, wanneer ze trouwde, gehouden zou zijn aan de regels die in haar wereld golden. Het kwam niet in haar op zich daartegen te verzetten.

De enige periode dat Christianna niet dagelijks met hun koninklijke status werd geconfronteerd was in Californië, waar ze samen met een mannelijke en vrouwelijke lijfwacht een appartement in Berkeley had bewoond. Ze had de waarheid alleen opgebiecht aan haar beste vrienden, die als het graf hadden gezwegen over haar geheim, net als de leiding van de universiteit, die er eveneens van op de hoogte was. De meeste mensen die ze had gekend, hadden geen idee wie ze was, en dat had ze heerlijk gevonden. Ze bloeide op in die zeldzame anonimiteit, bevrijd van alle restricties en verplichtingen die ze van jongs af aan al zo bezwarend had gevonden. In Californië was ze 'bijna' net zo'n studente als alle anderen. Bijna. Met twee lijfwachten en een regerende prins als vader. Ze had het altijd vaag gehouden wanneer iemand vroeg wat voor werk haar vader deed. Op het laatst leerde ze te zeggen dat hij zich bezighield met mensenrechten, of public relations, soms met politiek, wat allemaal in wezen klopte. Daar had ze nooit haar eigen titel gebruikt. Weinig mensen die ze ontmoette, bleken trouwens te weten waar Liechtenstein lag, of dat men er een eigen taal sprak. Nooit vertelde ze iemand dat haar thuis een koninklijk paleis in Vaduz was, dat in de veertiende eeuw werd gebouwd en in de zestiende was gerestaureerd. Christianna had genoten van het onafhankelijke, anonieme bestaan tijdens haar studietijd. Nu was alles anders. In Vaduz was ze weer de Doorluchtige Hoogheid en moest ze zich alles laten aanleunen wat daarbij hoorde. Voor haar gevoel was het een vloek om prinses te zijn.

'Zou je het leuk vinden om vandaag met me mee te gaan naar de afspraak met de VN-ambassadeur?' vroeg haar vader, in een poging haar op te vrolijken. Ze zuchtte en schudde haar hoofd, terwijl hij van tafel opstond en zij zijn voorbeeld volgde.

'Ik kan niet. Ik moet een lint doorknippen in een ziekenhuis. Ik heb geen idee waarom we zoveel ziekenhuizen hebben.' Ze glimlachte spottend. 'Ik heb het gevoel alsof ik elke dag zo'n lint doorknip.' Natuurlijk was dat overdreven, maar soms voelde het gewoon zo.

'Ik ben ervan overtuigd dat het veel voor hen betekent je daar te mogen begroeten,' zei hij, en ze wist dat het waar was. Alleen zou ze willen dat er wat nuttigers voor haar te doen was: met mensen werken, ze helpen, op een tastbare manier hun bestaan verbeteren, in plaats van een mooie hoed op te zetten, een Chanel-pakje aan te trekken met de juwelen van haar moeder – of andere, uit de officiële staatskluis. De kroon die haar moeder droeg bij de inwijding van haar vader was er nog steeds. Haar vader zei altijd dat Christianna die op haar trouwdag zou dragen. Maar zelf had ze, toen ze hem ooit voor de grap opzette, tot haar schrik ontdekt hoe verschrikkelijk zwaar die was. 'Zou je vanavond soms met me mee willen naar het diner voor de ambassadeur?' vroeg Hans Jozef, terwijl hij zijn paperassen bij elkaar zocht. Hij wilde haar niet haasten, ellendig als ze zich duidelijk voelde, maar hij was zelf op dat moment al aan de late kant.

'Hebt u me daar nodig?' informeerde Christianna beleefd. Als hij ja had gezegd, was ze met genoegen meegegaan. 'Niet echt. Alleen als je het leuk had gevonden. Het is namelijk een interessante man.'

'Vast wel, papa, maar als u me er niet bij nodig hebt, houd ik liever mijn spijkerbroek aan en ga naar boven om wat te lezen.'

'Of om op je computer te spelen,' zei hij plagerig. Ze e-mailde graag met haar vrienden in de VS, met wie ze nog vaak contact had, ook al wist ze dat die vriendschappen uiteindelijk zouden verwateren. Haar leven verschilde gewoonweg te veel van het hunne. Ze was een uiterst moderne prinses en ook een pientere jonge vrouw, voor wie de last van wat er van haar werd verwacht van tijd tot tijd een blok aan haar been was. Ze wist dat Freddy dat ook zo voelde. Hij had de afgelopen vijftien jaar min of meer de playboy uitgehangen, die vaak in de boulevardpers figureerde met actrices en modellen uit heel Europa, en ook wel eens met een jonge prinses. Vandaar dat hij op dat moment in Azië was, om te ontsnappen aan de niet-aflatende aandacht van het publiek en de pers. Zijn vader had hem aangemoedigd om er een poosje tussenuit te gaan. Het werd tijd dat hij aan zijn toekomst ging werken. De prins verwachtte nou eenmaal minder van zijn dochter, aangezien zij de troon niet zou erven. Maar hij wist ook dat ze zich doodverveelde. Vandaar dat hij wilde dat ze naar de Sorbonne in Parijs ging. Zelfs hij wist dat ze meer om handen moest hebben dan linten doorknippen. Liechtenstein was een klein land, met Vaduz als piepklein hoofdstadje. Hij had kortgeleden nog gesuggereerd dat ze naar Londen zou kunnen gaan om haar familie en vrienden op te zoeken. Nu ze van school was en nog niet getrouwd, was er te weinig om haar tijd mee te vullen.

'Ik zie je straks nog wel voor het diner,' zei haar vader, terwijl hij een kus op haar voorhoofd drukte. Haar haar was nog vochtig en ze keek met haar enorme blauwe ogen naar hem omhoog. De triestheid ging hem aan het hart. 'Papa, ik wil iets anders te doen hebben. Waarom mag ik niet weg, zoals Freddy?' Ze zei het smekend, zoals alle meisjes van haar leeftijd die een grote gunst van hun vader willen, of toestemming voor iets waar hij zo goed als zeker geen goedkeuring aan zou hechten.

'Omdat ik je hier bij me wil hebben. Ik zou je veel te erg missen als je voor een halfjaar wegging.' Er kwam plotseling een ondeugende vonk in zijn ogen. Hij was op zijn best geweest toen haar moeder nog leefde, en sindsdien waren verplichtingen en gezin altijd de spil geweest waar zijn leven om draaide. Er was sindsdien ook geen vrouw in zijn leven geweest, al waren er vaak toenaderingspogingen gedaan. Hij had zich volledig gewijd aan zijn gezin en zijn werk. Zijn leven bestond louter uit offers, oneindig veel meer dan het hare. Maar ze wist ook dat hij net zoveel van haar verwachtte. 'Wat je broer betreft' – hij glimlachte naar zijn dochter – 'is het soms een enorme opluchting dat hij weg is. Je weet wat een losbol hij is.' Christianna moest er hartelijk om lachen. Freddy had er een neus voor om in allerlei pikante situaties verzeild te raken, om zich vervolgens door de pers te laten betrappen. Hun persattaché had er al sinds Freddy's studietijd een dagtaak aan om alles voor hem recht te breien. Op zijn drieëndertigste had hij al vijftien jaar de pers op zijn hielen. Christianna verscheen alleen in de bladen ter gelegenheid van staatsaangelegenheden, samen met haar vader, of als ze ziekenhuizen of bibliotheken opende.

Er had tijdens haar hele studietijd maar één keer een foto van haar in het tijdschrift *People* gestaan, genomen toen ze met een Engelse neef een rugbywedstrijd bijwoonde, plus een handjevol foto's in *Harper's Bazaar* en *Vogue*. En nog één heel mooie in *Town and Country*, in een galajapon, bij een artikel over jonge prinsentelgen. Christianna stelde zich bescheiden op, wat haar vader deugd deed. Freddy was een heel ander verhaal, maar hij was dan ook een jongen, zoals prins Hans Jozef altijd benadrukte. Toch had hij hem wel gewaarschuwd dat als hij uit Azië terug was, het uit moest zijn met de avontuurtjes met supermodellen en schandaaltjes met aspirant filmsterretjes en dat zijn vader, mocht hij dan de aandacht op zich blijven vestigen, anders zijn toelage zou intrekken. Freddy had de boodschap begrepen en hij had beloofd zich te gedragen. Hij had absoluut geen haast om naar huis te gaan.

'Tot vanavond, lieve kind,' zei prins Hans Jozef, waarna hij haar hartelijk omhelsde en de eetzaal verliet, en de lakei een diepe buiging voor hem maakte toen hij langsliep.

Christianna ging terug naar haar eigen vleugel op de tweede verdieping van het koninklijke paleis. Ze beschikte over een fraaie, ruime slaapkamer, een kleedkamer, een riante zitkamer en een kantoor. Haar secretaresse zat op haar te wachten en Charles lag op de grond. Doordat hij een bad had gehad en verzorgd en geborsteld was, leek hij nauwelijks nog op de hond waarmee ze die ochtend door de bossen had lopen rennen. Zo te zien voelde hij zich hoogst opgelaten en was hij enigszins gedeprimeerd door wat men hem had aangedaan om hem schoon te krijgen. Christianna glimlachte toen ze naar hem keek, terwijl ze zich meer verbonden voelde met de hond dan met wie ook in het paleis, of misschien wel in het hele land. Ze had er net zo'n hekel aan om gekapt, opgedirkt en betutteld te worden als hij. Ze klopte hem op zijn vacht en ging aan de andere kant van het bureau zitten, terwijl de secretaresse opkeek, glimlachte en haar vervolgens haar vermaledijde programma aanreikte. Sylvie de Maréchal was een Zwitserse uit Genève van in de veertig, die de afgelopen zes jaar alles voor Christianna regelde. Haar kinderen waren volwassen en uitgevlogen. Twee van hen woonden in de Verenigde Staten, een in Londen en de andere in Parijs. Nu de prinses weer thuis was, vond ze haar werk een heel stuk prettiger. Ze had een hartelijke, moederlijke manier van doen en ze was tenminste iemand met wie Christianna kon praten en bij wie ze zo nodig haar hart kon luchten over de verveling die haar parten speelde. 'U opent vandaag om drie uur een kinderziekenhuis, Hoogheid, en om vier uur brengt u een bezoek aan een bejaardenoord. Dat kan een heel kort bezoek worden, en u hoeft nergens een toespraak te houden. Slechts enkele woorden van bewondering en dank. Van de kinderen in het ziekenhuis krijgt u een boeket.' Ze had een lijst met namen van mensen die met haar zouden meelopen en van de drie kinderen die waren uitverkoren om haar het boeket te overhandigen. Ze was uitermate efficiënt en ze verstrekte Christianna altijd alle essentiële details. Indien nodig reisde ze met haar mee. Thuis hielp ze bij het organiseren van dineetjes voor belangrijke lieden die ze op verzoek van haar vader ontving, of grotere banketten voor staatshoofden. Ze had jarenlang een onberispelijk huishouden gevoerd en leerde Christianna nu hoe zij dat moest aanpakken, met alle details en aandacht voor kleinigheden waardoor zo'n gebeurtenis zo goed verliep. Haar aanwijzingen waren feilloos, ze had een verfijnde smaak en haar sympathie voor haar werkgeefster kende geen grenzen. Ze was de volmaakte assistente voor een jonge prinses en ze beschikte over een heerlijk gevoel voor humor, waarvan Christianna een beter humeur kreeg in tijden dat haar verplichtingen zwaar op haar drukten. 'Morgen opent u een bibliotheek,' zei ze vriendelijk, wetend hoe genoeg Christianna ervan had om dergelijke dingen te moeten doen, terwijl ze pas drie maanden thuis was. 'Dan moet u een toespraak houden,' voegde ze er als waarschuwing aan toe, 'maar vandaag blijft dat u bespaard.' Christianna keek bedachtzaam, haar gesprek met haar vader indachtig. Ze wist nog niet waarnaartoe, maar ze wist dat ze weg wilde. Misschien als Freddy terug was, zodat haar vader zich dan niet zo alleen zou voelen. Ze wist dat hij het vreselijk vond wanneer ze er niet was. Hij hield en genoot van zijn kinderen en, prins of geen prins, hij was het liefst te midden van zijn familie, net zoals hij zijn huwelijk heerlijk had gevonden met de vrouw die hij nog altijd miste. 'Wilt u dat ik uw toespraak voor morgen schrijf?' bood Sylvie aan. Dat had ze al eerder gedaan en ze was er goed in. Maar Christianna schudde haar hoofd. 'Dat zal ik zelf wel doen. Ik kan hem vanavond schrijven.' Dat deed haar denken aan haar huiswerk, toen ze nog op school zat. Niet alleen miste ze dat nu; het gaf haar ook iets te doen.

'Dan leg ik de bijzonderheden over de bibliotheek wel op een vel papier op uw bureau,' zei Sylvie. Toen keek ze op haar horloge, geschrokken dat het al zo laat was. 'U kunt zich beter gaan verkleden. U moet over een halfuur weg. Kan ik nog iets doen voor u vertrekt?'

Christianna schudde haar hoofd. Ze wist dat Sylvie haar aanbood om juwelen voor haar uit de kluis te halen, maar de enige sieraden die Christianna altijd droeg, waren het parelsnoer met de bijpassende oorknopjes van haar moeder, die een geschenk aan haar moeder waren geweest van prins Hans Jozef. Ze hechtte er veel waarde aan om die te dragen. Bovendien deed het haar vader altijd plezier om Christianna met haar moeders juwelen te zien. Met een knikje naar Sylvie ging ze zich verkleden. Charles kwam overeind en liep met haar mee de kamer uit.

Een halfuur later was Christianna terug in het kantoor. Nu zag ze er op en top uit als een prinses, in een lichtblauw Chanel-pakje met een witte corsage en een zwarte strik bij de hals. Aan haar arm had ze een zwart tasje van krokodillenleer dat haar vader in Parijs voor haar had gekocht, passend bij haar schoenen van hetzelfde materiaal. In de zak van haar jasje had ze een paar korte witte handschoenen gestoken. Ze oogde elegant en jong, nu ze haar haar in een lange, wapperende paardenstaart uit haar gezicht had getrokken. Ze zag eruit om door een ringetje te halen, zoals ze voor het ziekenhuis uit de Mercedes stapte, en ze was hartelijk en hoffelijk toen ze de directeur en zijn staf begroette. Ze sprak enkele woorden van dank, waarmee ze erkentelijkheid betuigde voor het werk dat ze hadden verzet. Ze nam de tijd om een babbeltje te maken en handen te schudden met alle mensen die de trap van het voorportaal af stroomden om haar te kunnen zien. Er klonken bewonderende kreten over haar schoonheid en over het feit dat ze er zo jong en fris uitzag, over haar elegante pakje, haar ongedwongen optreden en hoe eenvoudig ze überhaupt was. Zoals altijd, wanneer ze in het openbaar verscheen en zowel haar vader als het paleis vertegenwoordigde, sloofde Christianna zich uit om een goede indruk te maken op eenieder die ze ontmoette. En toen ze wegreed, wuifde iedereen die buiten stond – net als zij, nu met de witte korte handschoenen aan. Haar bezoek aan het ziekenhuis was voor iedereen een onverdeeld succes geweest. Terwijl ze naar het bejaardenoord reden, liet ze haar hoofd even tegen de leuning van de achterbank rusten, terwijl ze dacht aan de gezichten van de kinderen die ze zojuist had gekust. Zo had ze, sinds ze in juni haar verplichtingen had hervat, al honderden anderen gekust. Het was moeilijk te geloven, en nog moeilijker te aanvaarden, dat dit het enige was wat ze de rest van haar leven zou doen – linten doorknippen, ziekenhuizen, bibliotheken en bejaardenoorden openen, kinderen en oude dames kussen, tientallen mensen een handje geven, om vervolgens weg te rijden en te wuiven. Ze wilde niet ondankbaar zijn voor haar gezegende positie, of tegenover haar vader, maar ze verafschuwde er elk moment van.

Ze besefte maar al te goed hoe bevoorrecht ze in menig opzicht was. Maar als ze erover nadacht hoe betekenisloos haar leven aan het worden was, en dat het er met de jaren niet beter op zou worden, raakte ze in een diepe depressie. Ze had nog steeds haar ogen gesloten toen de auto bij het bejaardenoord voorreed. En toen de lijfwacht het portier voor haar opende, zag hij twee tranen traag over haar wangen rollen. Met een glimlach naar hem en naar de mensen die met een enthousiast gezicht vol verwachting op haar stonden te wachten, veegde ze met een in een witte handschoen gestoken hand de tranen weg.

HOOFDSTUK 2

$\mathcal{D}$ie avond, na zijn diner voor de VN-ambassadeur, ging prins Hans Jozef nog even bij Christianna langs. Het was een chique partij geweest, veertig mensen in de eetzaal van het paleis, en hoewel hij graag had gezien dat ze erbij was geweest, had niemand haar gemist. Hij had een oude vriendin uitgenodigd om voor de gelegenheid als gastvrouw op te treden. Jaren geleden hadden ze samen op school gezeten. Ze was weduwe, en hij beschouwde haar als een soort zusje. Ze was de peetmoeder van Freddy en al heel lang een vriendin van de familie. Deze Oostenrijkse barones had hem geholpen de conversatie geanimeerd te houden, wat bij officiële gelegenheden niet altijd eenvoudig was.

Toen hij voor Christianna's appartement stond, ontdekte haar vader dat de deur openstond. Hij zag haar in de zitkamer op de grond liggen, met de hond in haar armen, terwijl ze de muziek die ze uit Amerika had meegebracht keihard had opgezet. Ondanks het lawaai was de hond in diepe slaap. De prins glimlachte toen hij die twee zag en liep stilletjes de kamer binnen. Christianna keek op en glimlachte toen ze zag dat hij haar gadesloeg.

'Hoe was het diner?' vroeg ze. Hij zag er voornaam en rijzig uit in zijn smokingjasje. Ze was altijd ontzettend trots geweest op het feit dat hij er zo goed uitzag. Hij was werkelijk de belichaming van de knappe prins, en bovendien een werkelijk wijze en vriendelijke man die zo veel van haar hield dat hij zijn leven voor haar zou geven.

'Niet half zo interessant als wanneer jij er zou zijn geweest, lieve kind. Ik vrees dat jij het oersaai had gevonden.' Daar waren ze het volkomen over eens. Ze was blij dat ze niet was gegaan. Haar twee officiële taken van die middag vond ze wel genoeg geweest. 'Wat ga je morgen doen?'

'Een bibliotheek openen, en daarna ga ik blinde kinderen voorlezen, in een weeshuis.'

'Lief van je om zoiets te doen.'

Ze keek hem een hele tijd aan zonder daar iets op te zeggen. Ze wisten allebei dat ze het eigenlijk stomvervelend vond. Geen van tweeën had verwacht hoe moeilijk het haar zou vallen om zich weer aan te passen als ze eenmaal weer thuis was. Hij kreeg er spijt van dat hij haar naar Californië had laten gaan. Misschien had Freddy gelijk gehad. Hij had het altijd gezegd dat hij het geen goed idee vond. Hoe extravagant het bestaan ook was dat hij zelf leidde, met haar was Freddy altijd veel voorzichtiger omgesprongen. En hij wist heel goed wat voor gevolgen meer vrijheid voor haar zou kunnen hebben. Uiteindelijk was dat bewaarheid geworden. Ze had niet langer het gevoel dat ze geschikt was voor het leven waarvoor ze in de wieg was gelegd. Ze was net een schitterend renpaard, opgesloten in een stal die te klein voor haar was. Nu haar vader haar zo zag liggen, drong het plotseling tot hem door dat ze in niets verschilde van alle andere jonge meisjes die hun stereo te hard zetten wanneer ze muziek beluisterden. Maar ze wisten allebei maar al te goed dat zij geen gewoon meisje wás. Het enige wat Hans Jozef kon doen, was hopen dat ze de bedwelmende smaak van vrijheid, waaraan ze in Amerika verslaafd was geraakt, snel zou vergeten. Dat was zijn enige hoop. Zo niet, dan zou ze zich nog heel lang ellendig voelen. Misschien zelfs haar hele verdere leven, wat een afschuwelijk lot voor haar zou zijn.

'Zou je vrijdagavond met me mee willen naar een balletvoorstelling in Wenen?' vroeg haar vader met een ernstig gezicht, in een wanhopige poging dingen te bedenken die ze leuk zou kunnen vinden, om haar eenzaamheid enigszins te verlichten. Liechtenstein onderhield sterke banden met zowel Zwitserland als Oostenrijk, en de prins ging regelmatig naar Wenen voor opera of ballet. Tot vlak voor de Tweede Wereldoorlog woonden de heersende prinsen van Liechtenstein in Wenen. Toen de nazi's in 1938 Oostenrijk annexeerden, was Hans Jozefs vader met zijn gezin en hofhouding terug verhuisd naar de hoofdstad van Liechtenstein om over 'Eer, Moed en Welzijn' van het land te waken, overeenkomstig de prinselijke 'huisregels'. Daar waren ze sindsdien gebleven. Christianna's vader was de belichaming van de familiecode en -ethiek en van de heilige eed die hij bij zijn kroning had gezworen.

'Dat lijkt me leuk,' zei Christianna glimlachend. Ze wist hoe hij zijn best deed om haar leven weer glans te geven. Hoeveel hij ook van haar hield, zijn handen waren gebonden. Hij deed wat in zijn macht lag om haar pijn te verzachten. Voor anderen zou hun bestaan wellicht een sprookje lijken, maar Christianna was in feite letterlijk de vogel in de gouden kooi. En haar vader begon het gevoel te krijgen dat hij haar cipier was. Hij had geen soepele oplossing voorhanden. Het zou allemaal plezieriger voor haar worden wanneer haar broer thuiskwam van zijn langdurige verblijf in Japan, maar als Freddy er weer was, doken er steevast problemen van andere aard op. Het leven in het paleis was een heel stuk rustiger zolang de jonge prins er niet was. Ze hadden sinds zijn vertrek geen enkel schandaal hoeven glad te strijken, tot grote opluchting van haar vader.

Hans Jozef opperde vervolgens een ander idee. 'Waarom ga je volgende week je nicht Victoria in Londen niet eens opzoeken?' Het zou haar goed doen om even weg te zijn. De jonge markiezin van Ambester was een volle nicht van de koningin en op de kop af even oud als Christianna. Ze zat vol ondeugende streken en grappen, en ze was net verloofd met een Deense prins. Christianna's gezicht klaarde op toen hij het idee ter tafel bracht.

'Dat zou ontzettend leuk zijn, papa. Zou u dat erg vinden?'

'Natuurlijk niet.' Hij keek haar glunderend aan. De gedachte dat ze dan misschien wat pret zou hebben, deed hem deugd. In Liechtenstein viel voor haar weinig opwindends te beleven. 'Ik zal het mijn secretaris morgen in orde laten brengen.'

Christianna kwam vliegensvlug overeind en sloeg haar armen om zijn hals, terwijl Charles gromde, zich op zijn rug draaide en met zijn staart kwispelde.

'Blijf gerust zo lang als je wilt bij haar.' Hij was niet bang dat ze in Londen uit de band zou springen, zoals hij van zijn zoon zou vrezen. Christianna was een heel gedisciplineerde jongedame, die zich altijd bewust was van de verplichtingen die haar positie met zich meebracht en van de verantwoordelijkheid ten opzichte van hem. In Berkeley had ze vier jaar lang plezier gemaakt, maar dat was nooit ook maar even uit de hand gelopen – althans, voor zover haar vader wist. De twee toegewijde lijfwachten die met haar waren meegereisd, hadden maar een paar keer hoeven in te grijpen. Niets ernstigs, maar zoals iedereen van haar leeftijd, zelfs iemand van koninklijken bloede, was er een paar keer sprake geweest van een korte verliefdheid en enkele avondjes waarop het feestvieren onder invloed van iets te veel wijn een tikkeltje de spuigaten uit dreigde te lopen. Maar ze had de schade weten te beperken en ze had nooit de aandacht van de pers gewekt.

Haar vader gaf haar een nachtzoen, waarna ze nog een poosje op de grond ging liggen om naar de muziek te luisteren. Even later keek ze voor ze naar bed ging nog even haar e-mail na. Ze had post van haar twee studievriendinnen, die informeerden hoe haar prinsessenleven verliep. Ze plaagden haar er graag mee. Ze hadden op internet Liechtenstein opgezocht en waren verbijsterd geweest toen ze zagen waar ze woonde. Zoiets hadden ze zich nooit kunnen indenken. Ze had beloofd dat ze hen ooit zou komen opzoeken, maar voorlopig had ze geen plannen om dat daadwerkelijk te doen. Bovendien wist ze dat het nu anders zou zijn. Hun periode van onschuld en loltrappen was voorbij. Een van hen werkte al in Los Angeles en de andere was de hele zomer met vrienden op reis. Ze had geen andere keus dan zich neerleggen bij haar eigen leven en er het beste van te maken. Ze was blij met haar vaders voorstel om haar nichtje in Londen te gaan opzoeken.

Vrijdagochtend reed ze samen met haar vader naar Wenen. Ze moesten de Alpen over, wat een rit van zes uur was naar het voormalige familieverblijf: paleis Liechtenstein in Wenen. Het was van een spectaculaire schoonheid en, in tegenstelling tot het paleis in Vaduz, waren delen van het paleis opengesteld voor het publiek. De vleugel waar zij met haar vader verbleef, werd zwaar bewaakt en lag enigszins geïsoleerd. Haar appartement daar was veel weelderiger dan haar vertrekken in Vaduz, die fraai waren, maar wat meer binnen menselijke proporties. In paleis Liechtenstein had ze een enorme slaapkamer met een gigantisch bed, overal spiegels met vergulde ornamenten en op de vloer lag een kostbaar Aubusson-kleed. Het leek er wel een museum; er hing een reusachtige kroonluchter, die nog door kaarsen werd verlicht.

Daar wachtten haar de vertrouwde kameniers die ze al haar hele leven kende. Een stokoude hofdame die twintig jaar geleden haar moeder had verzorgd, hielp haar bij het kleden, terwijl een jongere vrouw haar bad liet vollopen en haar iets te eten bracht. Stipt om acht uur maakte ze haar opwachting in de vertrekken van haar vader. Ze was gehuld in een zwarte cocktailjapon van Chanel die ze vorig jaar uit Parijs had meegenomen. Ze droeg diamanten oorknopjes, de parels van haar moeder en aan de pink van haar rechterhand de ring die ze altijd omhad, een *chevalière* met het familiewapen. Dat was het enige symbool dat ze droeg ten teken dat ze van koninklijken bloede was. Tenzij men met dat embleem bekend was, was het sieraad niet indrukwekkender dan andere zegelringen. Het familiewapen was een inscriptie in een eenvoudige ovaal van geel goud. Ze had geen symbolen nodig om aan te duiden wie ze was. Iedereen in Liechtenstein en Oostenrijk was ervan op de hoogte en herkende haar onmiddellijk, net als elders in Europa. Ze was een bijzonder aantrekkelijke vrouw, die de afgelopen jaren vaak genoeg aan de zijde van haar vader was verschenen om de aandacht van de pers op zich te vestigen. Haar korte verdwijning naar de Verenigde Staten was simpelweg opgevat als een hiaat. Telkens wanneer ze naar Europa terugkeerde, werd ze gefotografeerd, hoe zorgvuldig ze dat ook trachtte te vermijden. En vanaf het moment dat ze voorgoed was teruggekeerd, had de pers voor haar op de loer gelegen. Ze was dan ook veel mooier dan de meeste andere Europese prinsessen en des te aantrekkelijker voor journalisten, omdat ze zo timide, terughoudend en ingetogen was.

'Wat zie je er vanavond mooi uit, Cricky,' zei haar vader vertederd toen ze zijn kamer binnen stapte om hem met zijn manchetknopen te helpen. Zijn kamerheer stond paraat om hem gedienstig te zijn, maar Christianna vond het leuk om te doen en zo had hij het ook liever. Het deed hem denken aan de tijd dat zijn vrouw nog leefde. Hij keek glimlachend naar zijn dochter. Hij en haar broer waren, afgezien van enkele familieleden, de enigen in Europa die haar Cricky noemden, al had ze die naam in Berkeley ook gebruikt. 'Je ziet er volwassen uit,' zei hij, waarop ze moest lachen.

'Ik bén volwassen, papa.' Omdat ze zo klein en frêle was, had ze er altijd jonger uitgezien dan ze was. Maar in die elegante cocktailjapon en met de kleine witte bontstola over haar arm had ze meer weg van een miniatuuruitgave van een Parijse mannequin. Ze bewoog zich sierlijk en soepel en haar figuur had, ondanks haar geringe lengte, de volmaakte proporties.

'Dat ben je natuurlijk ook, lief kind, al vind ik dat een vreselijke gedachte. Ongeacht je leeftijd zul je in mijn ogen altijd kind blijven.'

'Volgens mij is dat bij Freddy ook het geval. Hij behandelt me altijd alsof ik nog een kind van vijf ben.'

'Voor ons ben je dat ook,' zei prins Hans Jozef vergoelijkend. Hij was net als andere vaders, met name vaders die hun kinderen zonder hun echtgenote hadden moeten grootbrengen. Hij was moeder en vader tegelijk voor hen geweest. Ze waren het er allebei over eens dat hij zich opmerkelijk goed van zijn taak had gekweten en dat hij er altijd voor hen was geweest. Met toewijding, geduld en wijsheid, en oneindig veel liefde, was het hem gelukt de juiste balans te vinden tussen zijn verplichtingen jegens de staat en als vader. Vandaar dat ze gedrieën een hecht gezin vormden. En zelfs al misdroeg Freddy zich af en toe nog zo erg, zijn liefde voor zijn vader en zijn zus was diepgeworteld.

Christianna had die week haar broer gesproken. Hij was nog altijd in Tokio en hij genoot met volle teugen. Hij had musea, tempels en andere heiligdommen bezocht, evenals uitstekende maar dure nachtclubs en restaurants. De eerste weken was hij te gast bij de kroonprins, wat hem te benauwend was geweest. Nu reisde hij op eigen houtje rond – uiteraard met assistenten, een secretaris, een bediende en natuurlijk lijfwachten. Zoveel mensen had je op zijn minst nodig om Freddy enigszins in het gareel te houden. Hij had haar verteld dat de Japanse meisjes erg mooi waren en dat hij daarna naar China zou gaan. Tot volgend voorjaar had hij nog altijd geen plannen om weer naar huis te komen, zelfs niet voor een kort bezoek. Dat leek haar een eeuwigheid. Zolang hij weg was, had ze thuis helemaal niemand om mee te praten die ook bij benadering van haar eigen leeftijd was. Ze vertelde al haar hartsgeheimen aan haar hond. Natuurlijk kon ze wel met haar vader praten over belangrijke aangelegenheden, maar voor alledaagse grapjes die de jeugd onder elkaar uitwisselde, had ze helemaal niemand. Als kind had ze al geen enkel vriendinnetje van haar eigen leeftijd gehad, waardoor ze het in Berkeley des te heerlijker had gevonden. Christianna en haar vader arriveerden bij het ballettheater in dezelfde Bentley limousine waarin ze eerder die dag uit Vaduz waren gereisd, met een chauffeur achter het stuur en naast hem een lijfwacht. Er stonden twee fotografen voor het gebouw te wachten, die er door prins Hans Jozef discreet van op de hoogte waren gesteld dat de prinses die avond de voorstelling zou bijwonen. Christianna en haar vader bleven niet staan om een praatje met hen te maken, maar glimlachten vriendelijk terwijl ze naar binnen gingen, waarna ze in de hal hoogstpersoonlijk werden verwelkomd door de directeur, die hen naar hun plaatsen in de koninklijke loge bracht.

Het was een prachtige voorstelling van *Giselle*, waar ze allebei van genoten. Toen haar vader tijdens de tweede akte een paar minuten knikkebollend in slaap viel, haakte Christianna voorzichtig haar arm door de zijne. Ze wist hoe zwaar zijn plichten soms op hem drukten. Hij, en zijn vader voor hem, had het land van een agrarische gemeenschap veranderd in een belangrijke industriële macht met een sterke economie en belangrijke internationale betrekkingen, onder andere met Zwitserland, waar iedereen profijt van had. Tijdens zijn bewind was het land economisch gezien aanzienlijk opgebloeid. Bovendien besteedde hij heel wat tijd aan zijn mensenrechtenactiviteiten. Tijdens haar sterfbed had hij ter nagedachtenis aan zijn vrouw een stichting opgericht, de Prinses Agathe Stichting, die veel goed werk had verricht in ontwikkelingslanden. Christianna was van plan daarover eens een gesprek met hem te hebben. Ze voelde een toenemende interesse om voor de stichting te gaan werken, al had hij haar dat in het begin afgeraden. Hij had niet graag dat ze zich zou aansluiten bij hun medewerkers in gevaarlijke oorden. Ze wilde hun op zijn minst een bezoek brengen en er misschien, als dat van hem zou mogen en als ze toch niet naar de Sorbonne ging, op het organisatiekantoor gaan werken. Hij had er geen twijfel over laten bestaan dat hij liever had dat ze haar studie zou voortzetten. Zij hoopte dat ze, mocht ze er een bestuursfunctie krijgen, haar vader zou kunnen ompraten om haar af en toe een trip met de artsen te laten maken. Zoiets was geknipt voor haar. Het was een van de rijkste en meest genereuze stichtingen van Europa, die voor een groot deel werd gefinancierd met het persoonlijke kapitaal van haar vader.

Kort voor middernacht keerden ze terug op paleis Liechtenstein. De huishoudster had thee en kleine sandwiches voor hen klaargezet. Terwijl ze daarvan genoten, praatten Christianna en haar vader na over de uitvoering. Ook voor opera en symfonieën kwamen ze vaak in Wenen. Dat was niet ver en het was een welkome onderbreking in hun verder serieuze bezigheden. Bovendien genoot prins Hans Jozef van die uitjes met zijn dochter.

Hij stelde voor dat ze de volgende dag zou gaan winkelen. Ze kocht twee paar schoenen en een handtas, maar ze spaarde haar energie voor Londen. Wat ze in Wenen kocht, waren dingen die ze bij staatsaangelegenheden droeg, en bij officiële plechtigheden, zoals linten doorknippen. De kleren die ze in Londen aanschafte, droeg ze thuis of in haar privéleven, iets wat ze op dit ogenblik niet had. De afgelopen vier jaar had ze in spijkerbroek rondgelopen, en dat miste ze nu ze weer thuis was. Ze wist dat haar vader niet wilde dat ze zoiets buitenshuis droeg, tenzij ze een trip naar het platteland ging maken. Christianna moest wel tien keer nadenken voor ze iets deed: wat ze zei, wat ze aantrok, waar ze naartoe ging en met wie – zelfs over de normaalste opmerking die ze in het openbaar maakte, die kon worden opgevangen en verkeerd weergegeven. Ze had als klein meisje al geleerd dat er voor de dochter van een regerende prins geen sprake was van privéleven of vrijheid. Het zou maar al te gemakkelijk zijn geweest om hem in verlegenheid te brengen of een situatie te creëren die diplomatiek moeilijk lag als ze iemand beledigde. Daar was Christianna zich terdege van bewust, en ze wrong zich uit liefde voor haar vader in bochten om zich in acht te nemen. Freddy sprong daar, tot ieders verdriet, veel slordiger mee om wanneer hij in de een of andere netelige positie verzeild was geraakt, wat hem tot nu dikwijls was overkomen. Freddy dacht gewoon niet na, in tegenstelling tot Christianna.

Ze was ook zeer geïnteresseerd in vrouwenrechten, wat in haar land een heikel thema was. Vrouwen hadden pas iets meer dan twintig jaar stemrecht, sinds 1984, wat onvoorstelbaar was. Ze zei graag dat haar komst vrouwen vrijheid had gebracht, aangezien het jaar van hun emancipatie samenviel met haar geboortejaar. In menig opzicht was het nog

steeds een uiterst conservatief land, ondanks haar vaders ul-
tramoderne ideeën over economie en zijn politiek liberale
opvattingen. Maar het was ook een klein land, dat vastzat
aan negen eeuwen oude tradities, waarvan de last nog als
een molensteen op ieders hart drukte. Christianna zou graag
frisse ideeën uit de VS hebben geïntroduceerd en voor meer
werkgelegenheid voor vrouwen hebben gezorgd, maar met
slechts 33.000 onderdanen, van wie nog niet de helft vrouw
was, waren er pijnlijk weinig vrouwen die invloed zouden
ondervinden van haar jeugdige, energieke opvattingen. Niet-
temin wilde ze het proberen. Zelfs het feit dat ze nooit de
troon zou erven was een archaïsche traditie. In andere monarchieën zou zij even geschikt worden bevonden om de
troon te bestijgen als Freddy, al was dat het laatste wat ze
zou willen. Maar ze vond de traditionele discriminatie in een
modern land principieel misplaatst. Ze sprak de vijfentwintig parlementsleden van haar vader er bij elke gelegenheid
op aan, net als haar moeder hen vroeger had bestookt om
vrouwen kiesrecht te geven. Voetje voor voetje naderden ze
de eenentwintigste eeuw, maar veel te langzaam voor Christianna – en nu ook in enkele opzichten voor haar vader, al
was hij niet zo'n rebel als zij. Uit ideologisch standpunt had
hij nog altijd diep respect voor hun oude tradities, maar hij
was dan ook driemaal zo oud als zij, wat onvermijdelijk
scheelde.
In de auto op weg naar Vaduz bespraken ze haar reis naar
Londen. Haar vader had een overvolle aktetas met paperassen bij zich die hij tijdens de rit had willen lezen, maar die
was lang genoeg om tijd te vinden om ook met zijn dochter
te babbelen. Ze ging dinsdag op bezoek bij Victoria. Toen
ze voorzichtig voorstelde om alleen te gaan, zonder lijfwachten, wilde haar vader daar niets van horen. Hij, die altijd bang was voor mogelijke gewelddadigheden, wilde dat
ze minstens twee bewakers zou meenemen, misschien wel
drie.
'Dat is onzinnig, papa,' wierp ze tegen. 'In Berkeley had ik
er maar twee, terwijl u altijd zei dat Amerika veel gevaarlij-

ker was. Trouwens, Victoria heeft er zelf maar een. Ik hoef er ook maar één.'

'Drie,' zei hij beslist, terwijl hij haar streng aankeek. Hij wilde de geringste kans uitsluiten dat ze gevaar zou lopen. Hij was liever overbezorgd dan te onbezonnen.

'Eén,' pingelde Christianna, en ditmaal moest hij lachen.

'Twee, en dat is mijn laatste order. Anders blijf je thuis.'

'Al goed, al goed,' gaf ze toe. Ze wist dat haar broer in Japan er drie had, en een vierde om die af te lossen. Andere koninklijke families reisden soms met minder lijfwachten, maar omdat het een publiek geheim was dat hun familie en hun land puissant rijk waren, liepen ze stuk voor stuk meer risico. Het draaide minstens zoveel om hun rijkdom als om wie ze waren. De grootste angst van de prins was altijd geweest dat een van zijn kinderen zou worden ontvoerd, waardoor hij bovenmatig voorzichtig was. Christianna had zich er al lang geleden bij neergelegd, net als Freddy. Hij gebruikte zijn lijfwachten om ze, zij het op vriendschappelijke manier, voor hem te laten draven en sjouwen, of hem te helpen hem diep in de nacht uit een nachtclub te laten ontsnappen als hij te dronken was om te lopen. Christianna had voor die van haar veel minder te doen. Omdat zij zich veel beter gedroeg, had ze een open en ontspannen verstandhouding met hen en waren zij, dol als ze op haar waren, heel zuinig op haar. Toch ging ze liever alleen de deur uit, wat bijna nooit mocht. Haar vader vond dat gewoonweg niet goed – wat in sommige landen terecht was. Hij zou er zelfs niet over peinzen haar naar Zuid-Amerika te laten gaan, al had ze dat altijd graag gewild. De verhalen over ontvoeringen van rijke of machtige mensen waren legio, en een Doorluchtige Hoogheid met een gigantisch kapitaal zou een vangst zijn die ze zich niet zouden laten ontgaan. Hans Jozef stelde hen liever niet bloot aan verleiding in de vorm van zijn dochter. Hij dwong haar om haar reizen te beperken tot de Verenigde Staten en Europa, en hij was hoogstpersoonlijk met haar meegegaan naar Hongkong, wat ze fantastisch had gevonden. Ze had gezegd dat ze daarna naar Afrika en India wil-

de, waar hij niet aan moest denken. Voorlopig was hij opgelucht dat ze zich tevreden stelde met een weekje in Londen, waar ze bij haar niet zou logeren. Exotischer hoefden
haar reizen wat hem betrof niet te worden. De jonge markiezin was hoogst excentriek, met haar uitzinnige gedrag,
zoals de python en de cheeta die ze er jarenlang als huisdier
op na had gehouden. De prins had haar ronduit verboden
die naar Vaduz mee te nemen. Maar hij wist dat Christianna het leuk zou hebben bij haar, en dat ze dat hard nodig
had.

Die avond waren ze over tienen in het paleis van Vaduz terug. De prins werd opgewacht door zijn assistent. Zelfs op
dat uur moest hij aan het werk. Hij zou nog een late maaltijd aan zijn bureau gebruiken, terwijl Christianna besloot
het eten over te slaan. Ze was moe na de reis en ging in de
keuken op zoek naar Charles, waar hij naast de oven in diepe slaap lag, maar onmiddellijk klaarwakker was toen hij
haar voetstappen hoorde. Met z'n tweeën gingen ze naar boven, waar haar hofdame rustig op haar zat te wachten en
aanbood het bad voor haar te laten vollopen.

'Laat maar, Alicia,' zei Christianna met een geeuw. 'Ik denk
dat ik direct naar bed ga.' Het bed was al opengeslagen, onberispelijk opgemaakt, met lakens met een brede gebor-
duurde rand. Omdat de vrouw nu verder niets kon doen,
trok ze zich na een reverence terug, tot grote opluchting van
haar opdrachtgeefster. Ze had gelogen toen ze zei dat ze naar
bed zou gaan. Ze wilde dolgraag een bad nemen, maar dat
wilde ze zelf verzorgen. Ze was liever alleen in haar kamer.
Nadat de hofdame was vertrokken, trok Christianna haar
kleren uit en liep in haar ondergoed door de slaapkamer,
waarna ze haar e-mail ging nakijken in haar chique kantoortje. Dat was geheel gestoffeerd met lichtblauwe zijde.
Haar slaapkamer en haar kleedruimte waren uitgevoerd in
roze satijn. Het vertrek had haar betovergrootmoeder toe-
behoord, waarna Christianna er sinds haar geboorte had gewoond, samen met haar kindermeisje, tot die met pensioen
ging.

Die avond had ze geen mails uit Amerika, alleen een kort bericht van Victoria. Die zei dat ze die week heel wat lol zouden beleven. Ze gaf een duistere hint dat ze allerlei ondeugends had gepland, waar Christianna om moest lachen. Victoria kennende, was ze daarvan overtuigd. Nog altijd in haar ondergoed slenterde ze naar de badkamer, waar ze eindelijk het bad liet vollopen. In haar eentje door de kamer rondlopen was een enorme luxe voor haar en de enige vrijheid die ze had. Er waren bijna altijd bedienden, hofdames, assistentes, secretaressen en lijfwachten om haar heen. Privacy was een schaars goed, en ze genoot er met volle teugen van. Een moment voelde het bijna hetzelfde als in Berkeley, al was de ambiance natuurlijk geheel anders. Maar het was hetzelfde gevoel van rust en vrijheid, en dat ze kon doen wat ze wilde, ook al stelde het niet meer voor dan een bad kunnen nemen en naar haar lievelingsmuziek luisteren. Ze zette een paar cd's uit haar studietijd op, ging, in afwachting van het vollopen van haar enorme antieke badkuip, op bed liggen en deed haar ogen dicht. Als ze zich er maar genoeg op concentreerde, had ze bijna het gevoel dat ze weer in Berkeley was... bijna... niet helemaal. Maar als ze eraan dacht, kreeg ze zin om haar vleugels uit te slaan en weg te vliegen, of om de klok terug te zetten. Wat zou het heerlijk zijn als dat kon. Maar die zalige tijd van vrijheid was voorbij. Ze was nu hier. Tot haar grote verdriet was ze volwassen geworden. Berkeley was nog slechts een herinnering. En zij was voor altijd een Doorluchtige Hoogheid.

HOOFDSTUK 3

$\mathcal{D}$insdagochtend in alle vroegte verliet Christianna het paleis om naar Londen te gaan, maar ze ging eerst nog even bij haar vader kijken. Hij was alweer hard aan het werk en zat in zijn kantoor met een bezorgd gezicht een stapel mappen door te nemen. Hij was met zijn minister van Financiën schijnbaar in een ernstige discussie gewikkeld waar ze geen van beiden vrolijk van werden. Als ze niet op reis zou zijn gegaan, had ze haar vader er 's avonds naar gevraagd. Ze was altijd benieuwd naar zijn strategieën en besluiten, de verschuivingen van functies ten paleize en de politieke onderwerpen die er aan de orde kwamen. Dat was de enige reden dat ze ermee akkoord zou zijn gegaan om politieke wetenschappen aan de Sorbonne te gaan studeren, maar daarover had ze nog geen besluit genomen. Ze vond het idee om uit Vaduz weg te gaan heel aanlokkelijk, maar niet om weer naar de schoolbanken terug te keren, zelfs niet in Parijs. Ze wilde iets belangrijkers voor de mensheid doen. Op dit moment voelde ze zich meer aangetrokken tot de stichting dan tot de Sorbonne.

'Heel veel plezier,' zei haar vader hartelijk. Zodra ze het vertrek binnen kwam, hadden de minister en hij hun discussie onderbroken. De bewindsman had geen idee hoeveel haar vader haar vertelde of wat ze allemaal wist. Ze was veel beter op de hoogte van het interne functioneren van het prinsdom dan haar broer en ze had er veel meer verstand van. Het enige wat Freddy wilde, was in snelle auto's rijden en achter meisjes aan zitten, of vrouwen die nog sneller waren dan de Ferrari waarin hij reed. 'Doe je nicht mijn hartelijke groeten. Wat zijn Victoria en jij allemaal van plan, of wil ik dat helemaal niet weten?' zei hij met een plagerig lachje. 'Waarschijnlijk niet.' Nu lachte ze ook. Maar hij maakte zich allerminst zorgen. Wat Victoria ook voor woeste plannen mocht hebben, hij wist dat Christianna heel verstandig was. 'Ik ben over een week terug, papa. Ik zal vanavond opbellen.' Hij wist dat ze dat zou doen. Ze deed altijd wat ze zei, van kleins af aan al.

'Maak je geen zorgen over mij. Amuseer je maar. Wat jammer nou,' zei hij toen met een quasi smartelijk gezicht. 'Je mist een staatsbanket op vrijdagavond.' Hij wist hoe saai ze diners vond.

'Wilt u soms dat ik terugkom?' vroeg ze serieus, zonder dat de teleurstelling van haar gezicht viel af te lezen. Als hij dat had gewild, zou ze zijn teruggekomen, al zou ze het jammer hebben gevonden haar verblijf in Londen te moeten bekorten. Maar voor hen allebei bestond het leven nu eenmaal uit verantwoordelijkheid en plicht, en daar leefden ze naar.

'Natuurlijk niet, dom gansje. Ik zou niet durven. Blijf gerust langer als je wilt.'

'Wie weet,' zei ze, met een hoopvolle blik in haar ogen. 'Zou u dat niet erg vinden?'

'Blijf zo lang je wilt,' zei hij geruststellend, waarna ze haar armen om zijn hals sloeg en de minister beleefd de hand schudde. Toen ging ze weg, na nog even naar haar vader te hebben gezwaaid.   .

'Wat een schitterende vrouw,' merkte zijn minister van Financiën op, waarna ze weer aan het werk gingen.

'Nou en of,' zei Hans Jozef vol trots.

Haar chauffeur reed haar en haar twee lijfwachten naar het vliegveld in Zürich, waar vier veiligheidsbeambten haar op het vliegtuig zetten.

Aan boord was duidelijk dat er een belangrijk persoon meereisde, omdat het net leek alsof het voltallige cabinepersoneel om haar heen zwermde. Ze boden haar champagne aan, wat ze afsloeg, en na het opstijgen werd haar direct een kop thee geserveerd. Een van de lijfwachten zat naast haar en de andere zat aan de andere kant van het gangpad. Tijdens de hele reis las ze in een boek over economische strategieën dat haar vader haar had aanbevolen. En anderhalf uur later landden ze op Heathrow, waar een limousine op haar stond te wachten. Ze werd snel door de douane geloodst, omdat ze niets om aan te geven had, waarna zich twee leden van de luchthavenbeveiliging zich bij haar lijfwachten voegden om haar naar de limousine te begeleiden. Ze vertrokken onmiddellijk en reden binnen een uur voor bij Victoria's kleine, chique huis op Sloane Square. Ze was in Londen een van de weinige vrouwen met een titel en een enorm kapitaal, dankzij haar Amerikaanse moeder: een erfgename die een titel had getrouwd en die, toen ze twee jaar geleden overleed, haar dochter een gigantische erfenis had nagelaten. Victoria amuseerde zich kostelijk van het geld en wanneer iemand zei dat ze was verwend, liet dat haar volkomen koud. Ze wist dat ze verwend was en ze had zo'n plezierig leven dat ze zich geen moment geneerde voor haar extravagante leefwijze. Bovendien was ze uitermate gul voor haar vrienden.

Ze deed zelf open voor Christianna. Daar stond ze dan, in een spijkerbroek en een T-shirt, op rode krokodillenleren pumps, reusachtige diamanten oorbellen in, en ietwat scheef in haar felrode haar hing een schitterende tiara. Zodra ze haar nichtje zag, slaakte ze een kreetje, sloeg haar armen om haar heen en troonde haar naar binnen. Intussen sjouwden Christianna's lijfwachten met haar bagage en loodste de butler hen de trap op.

'Je ziet er fantástisch uit!' zei ze tegen Christianna, terwijl de tiara traag afgleed naar haar oor, waarop Christianna in lachen uitbarstte.

'Wat doe jij nou, met dat ding op je hoofd? Had ik de mijne moeten meenemen? Gaan we vanavond ergens heen?' Christianna kon geen enkele gelegenheid bedenken waar ze een tiara voor zou hebben opgezet, afgezien van een bal met de koningin als gastvrouw. Maar Victoria had haar niet verteld dat er iets belangrijks op til was.

'Het lijkt me gewoon zo stom om hem maar in de kluis te laten liggen. Ik dacht, laat ik er ook nog eens nut van hebben.' Dat was typisch Victoria.

Ze was niet alleen losgeslagen en excentriek, ze was ook mooi. Ze was heel lang – bijna een meter tachtig – en totaal losgeslagen. Ze liep het liefst op plateauzolen van bijna twintig centimeter. Ze droeg óf een minirok, óf een spijkerbroek. Haar rokjes waren zo kort dat ze bijna ceintuurs leken en ze was altijd gehuld in transparante topjes die constant leken af te zakken, zodat er altijd wel een borst en haar roomblanke huid te zien waren. Ze was een jonge vrouw die geweldig opviel. Ze had geacteerd en modellenwerk gedaan, en toen dat begon te vervelen, was ze een tijdje gaan schilderen. Daar was ze zelfs heel goed in, maar ze bleef nooit ergens lang mee bezig. Ze had zich kortgeleden verloofd met een Deense prins, van wie iedereen zei dat hij idolaat van haar was, maar haar kennende, was Christianna er niet helemaal van overtuigd dat de verloving lang zou standhouden. Victoria was al twee keer eerder verloofd geweest: eerst met een Amerikaan en de tweede keer met een bekende Franse acteur die haar voor iemand anders in de steek had gelaten, wat Victoria ongelooflijk grof had gevonden. De week daarop had ze alweer een nieuwe minnaar gehad. Ze was verreweg de excentriekste persoonlijkheid die Christianna kende, maar ze vond het heerlijk om met haar op te trekken. Ze hadden samen altijd ontzettend veel plezier. Ze bleven hele nachten op, bezochten feestjes en gingen dansen bij Annabel. Met haar ontmoette Christianna altijd interessante mensen. Ook dronk Victoria veel en rookte ze sigaren. Op dat moment stak ze er net eentje op terwijl ze in haar woonkamer gingen zitten, waar het een allegaartje was van moderne en klassieke kunst. Haar moeder had haar een paar Picasso's nagelaten, en overal stonden boeken en kunstvoorwerpen. Christianna was al helemaal door het dolle, louter door bij haar te zijn. Het was precies het tegenovergestelde van haar rustige leventje met haar vader. Met Victoria in de buurt was het alsof je naar een circusact op het slappe koord keek. Je wist nooit wat er het volgende moment ging gebeuren. Het was adembenemend om haar te zien. Ze bespraken een paar minuten hun plannen voor de komende week. Victoria zei dat haar verloofde een officieel bezoek aan Thailand bracht, en dat scheen ze volledig uit te buiten, al beweerde ze dat ze stapelverliefd op hem was en dat de liefde ditmaal een blijvertje was. Dat wist Christianna nog zo net niet. Victoria liet zich tussen neus en lippen door ontvallen dat ze die avond in Kensington Palace zouden dineren, samen met een paar neven en nichten, en dat ze daarna zouden uitgaan.

Tijdens hun gesprek was de telefoon wel tien keer overgegaan, en Victoria beantwoordde hem zelf. Ze babbelde en lachte er plaagziek op los, terwijl haar twee mopshonden en vier Pekinezen samen met een chihuahua keffend door de kamer renden. De cheeta en de slang had ze niet meer. Het was een compleet gekkenhuis, wat Christianna geweldig vond.

Terwijl een bediende discreet de lunch opdiende, informeerde Victoria naar Christianna's liefdesleven. Ze aten oesters en salade, wat het nieuwste dieet was van de toch al te slanke roodharige vrouw.

'Ik heb geen liefdesleven,' zei Christianna onbekommerd. 'In Vaduz heb ik niemand om mee om te gaan. Ik vind het niet zo erg.' In Californië was er iemand die ze leuk had gevonden, maar dat was voorbij toen ze naar huis ging. Bovendien was het niet echt serieus geweest – gewoon, aangenaam gezelschap tijdens haar verblijf aldaar. Ze waren als goede vrienden uit elkaar gegaan en hij had tegen haar gezegd dat 'dat prinsessengedoe' hem te ingewikkeld zou zijn. Dat was het meestentijds ook voor haar.

'We zullen hier wel een fantastische vent voor je zoeken.' Wat Victoria 'fantastisch' noemde, was niet bepaald Christianna's smaak. Al kende ze wel een paar heel interessante mensen, met wie je meestal erg kon lachen, er was niemand die Christianna serieus zou nemen. Het waren over het algemeen zeer buitensporige types. Victoria kende alle mensen in Londen die er iets toe deden, en iedereen popelde om kennis met haar te maken.

Na de lunch gingen de twee vrouwen naar boven. Een van Victoria's bedienden had Christianna's koffers al uitgepakt en alles keurig in de kast gehangen. De rest was netjes in laden opgeborgen. Victoria's logeerkamer was uitgevoerd in luipaard- en zebradessin en overal stonden rode rozen. Alles was gestoffeerd met prachtige Franse materialen, met op elk tafeltje stapels boeken en er stond een enorm hemelbed. Ze had een fantastische smaak en ze wist altijd weg te komen met van alles wat bij anderen misplaatst zou zijn – zowel in haar inrichting als in al het andere. Haar eigen slaapkamer was gestoffeerd met licht lila satijn met op het bed een gigantische sprei van vossenbont. Het zag eruit als een peperduur bordeel, maar afgezien van de buitenissige smaak, stond er zeldzaam antiek en was alles wat ze bezat van een uitstekende kwaliteit. Op een tafel naast het bed stond een zilveren schedel op ware grootte en er lag een paar gouden handboeien. De tafel was in zijn geheel van kristal en het eigendom geweest van de maharadja van Jaipur.

Zoals beloofd gingen ze die avond naar Kensington Palace om te dineren. Daar waren ook enkele koninklijke neven en nichten van Christianna, die stuk voor stuk blij waren haar te zien. Sinds haar terugkeer uit Berkeley had ze hen geen van allen nog gezien. Na afloop gingen ze naar een besloten party, bezochten twee nachtclubs, de Kemia en Monte's, en belandden tegen de ochtend in Annabel's. Christianna had weliswaar van elke minuut genoten, maar ze was intussen toch behoorlijk moe geworden. Victoria was niet te stuiten, met behulp van een aanzienlijke hoeveelheid drank.

Het was vijf uur in de ochtend toen ze in het huis op Sloane Square terug waren en de beide vrouwen langzaam de trap op liepen om te gaan slapen. Christianna's lijfwachten waren de hele nacht bij hen gebleven en hadden zich net teruggetrokken in hun kamers op de bovenverdieping. Voor Victoria was het een doodnormale avond geweest – een avond die Christianna nog lang zou heugen. Alles was met Victoria altijd onvergetelijk en een enorm verschil met het suffe Vaduz.

De rest van de week was niet minder opwindend – met feestjes, mensen, winkelen, de opening van een nieuwe galerie – en het kon niet uitblijven dat de twee jonge vrouwen uiteindelijk met hun foto in de krant kwamen. Victoria met haar tiara op en een luipaardjas aan. Christianna droeg wederom een zwarte cocktailjapon met een nertsjasje dat ze de vorige dag had aangeschaft. Ze wilde niet dat het al te opvallend zou zijn, omdat ze wist dat ze legio gelegenheden zou krijgen om het thuis ook te dragen. Wat ze verder had gekocht, was voor het grootste deel voor haar eigen plezier, en ze moest een extra koffer aanschaffen om het allemaal mee naar huis te kunnen nemen. Uiteindelijk bleef ze tien dagen, al zou ze maar al te graag langer zijn gebleven. Maar ze voelde zich schuldig dat ze haar vader alleen liet. Op de dag van vertrek maakte ze een gelukkige, ontspannen en verrukte indruk over haar bezoek, en met tegenzin ging ze terug naar Vaduz. Victoria moest ze beloven om snel terug te komen. De feestelijkheden vanwege haar verloving waren nog niet eens begonnen. Iedereen wachtte tot haar verloofde terugkwam van zijn lange reis.

Christianna vroeg zich onwillekeurig af of zijn familie hem had weggestuurd om hem uit haar klauwen te verlossen. Victoria was nu niet bepaald de ideale echtgenote voor een kroonprins, hoe dol hij ook op haar was. Wie haar kende, wist dat de verbintenis niet zou standhouden. Maar ze beleefde veel voorpret aan de voorbereidingen voor een huwelijk dat door duizenden zou worden bijgewoond. Christianna was vastbesloten dat ze het festijn niet wilde missen. De twee nichten omhelsden en kusten elkaar ten afscheid.

Zodra Christianna in Vaduz terug was, moest ze zich omkleden voor het diner dat haar vader die avond zou geven voor hoogwaardigheidsbekleders uit Spanje. Het was een officieel banket in de eetzaal, met na afloop dansen in de balzaal van het paleis.

Ze voegde zich die avond bij haar vader in een avondjurk van witte chiffon en op zilverkleurige sandaaltjes met hoge hakken die ze in Londen had aangeschaft. Zoals altijd zag ze er frêle, elegant en schitterend uit. Denkend aan Victoria, glimlachte ze in zichzelf toen ze de trap af liep. Ze vroeg zich af wat haar vader zou hebben gezegd als ze, net als haar nichtje, een tiara op had gehad. Op Victoria, met haar woeste rode haar en de sigaar tussen haar vingers, had het eruitgezien alsof het zo hoorde. Zij had hem zelfs bij het ontbijt op gehad, en telkens wanneer ze uitgingen.

Christianna had haar vader in de korte tijd na haar thuiskomst nog niet gezien. Ze was regelrecht naar boven gegaan om zich om te kleden, zodat ze niet te laat op het diner zou verschijnen. En zoals altijd stond ze exact op tijd naast hem. Hij keek haar met onverholen plezier aan. Hij was zo verrukt dat ze terug was, dat hij haar omhelsde zodra hij haar zag.

'Heb je het leuk gehad in Londen?' vroeg hij belangstellend, vlak voor de gasten arriveerden.

'Het was fantastisch. Dank u dat ik erheen mocht.' Ze had hem een aantal keren opgebeld, maar ze had hem niet durven vertellen wat ze uitspookten. Hij zou zich maar zorgen maken, wist ze, terwijl het allemaal zo onschuldig was. Maar als ze had geprobeerd hem het allemaal uit te leggen, zou het te pikant hebben geklonken. Bovendien was het allemaal in orde geweest. Beter nog: het was geweldig. Haar nichtje was de volmaakte gastvrouw geweest, die ervoor had gezorgd dat Christianna van elke minuut van haar verblijf had genoten.

'Hoe serieus denk je dat haar verloving ditmaal is?' vroeg haar vader met een sceptische blik, waarop Christianna moest lachen.

'Waarschijnlijk net zo serieus als die andere keren. Volgens haar is ze gek op hem en ze is de bruiloft aan het voorbereiden. Maar ik ga nog geen jurk kopen.'

'Dat dacht ik al. Ik kan me haar niet voorstellen als aanstaande koningin van Denemarken, en haar aanstaande schoonouders vast ook niet. Ze houden waarschijnlijk hun hart vast.' Christianna moest hartelijk lachen om wat hij zei. 'Ze is vast al aan het oefenen hoe ze een kroon moet dragen. Ze had de hele tijd een van haar moeders tiara's op haar hoofd. Volgens mij wordt dat dankzij haar een nieuwe trend.'

'Ik had jou ernaartoe moeten sturen met een tiara van ons,' zei hij plagerig. Hij wist dat Christianna er nooit mee rondgelopen zou hebben.

Toen arriveerden de gasten, waarna het een serieuze, uitermate moeizame avond werd. Christianna was tijdens het diner druk in de weer, omdat ze gesprekken voerde met de hoogwaardigheidsbekleders die haar flankeerden – met de ene in het Duits en met de andere in het Spaans. Wat was ze opgelucht toen ze aan het eind van de avond met haar vader danste.

'Het is niet zo opwindend als Londen, vrees ik,' zei hij verontschuldigend, waarop ze glimlachte. Het was een pijnlijk saaie avond voor haar geweest, maar ze had niet anders verwacht. Ze had zo vaak dergelijke avonden uitgezeten om haar vader een genoegen te doen. Dat wist hij, en het ontroerde hem dat ze zo haar best deed. Ze kweet zich zo plichtsgetrouw van haar officiële taken, hoe vervelend ze ook waren. Ze klaagde nooit. Dat had geen enkele zin, wist ze; ze moest er toch doorheen en dat aanvaardde ze geduldig.

'Ik heb in Londen zo'n plezier met Victoria gehad dat ik er een poosje op kan teren,' zei ze grootmoedig. Eigenlijk was ze uitgeput na al die korte nachten die ze achter de rug had. Ze had geen idee hoe Victoria dat dagelijks volhield. Zij was een doorgewinterd feestbeest, en dat was ze al jarenlang. In tegenstelling tot Christianna had ze nooit gestudeerd. Ze zei altijd dat dat geen zin had, omdat ze wist dat ze toch niets zou toepassen van wat ze dan leerde. In plaats daarvan was ze naar de kunstacademie gegaan en ze was werkelijk een behoorlijk goede kunstenares. Een winkel in Nightsbridge verkocht haar schilderijen voor kapitalen.

Ver voor middernacht verlieten de gasten het paleis in Vaduz, waarna ze langzaam achter haar vader aan de trap op liep. Ze stonden net voor de deur van haar appartement, toen een van de assistenten van de prins hem kwam zoeken. Aan zijn gezicht te oordelen was het dringend, waardoor de prins hem fronsend aankeek, in afwachting van wat hij erover te horen zou krijgen.

'Hoogheid, we hebben zojuist bericht ontvangen van een terroristische aanslag in Rusland. Het ziet ernaar uit dat het een zeer ernstige gijzelingssituatie betreft, vergelijkbaar met die van enkele jaren geleden in Beslan. Het lijkt er zelfs bijna exact zo aan toe te gaan. Ik dacht dat u het misschien op CNN zou willen bekijken. Er zijn al enkele gegijzelden gedood – allemaal kinderen.' De prins ging haastig Christianna's woonkamer binnen en zette de televisie aan. Ze gingen alle drie zitten om in stilte te kijken. Wat ze zagen was gruwelijk: kinderen die waren beschoten en bloedend op de grond lagen, anderen die het gebouw uit werden gedragen, dood. Bijna duizend kinderen werden gegijzeld, en meer dan tweehonderd volwassenen. De terroristen hadden de school bezet en eisten, in ruil voor de kinderen, de vrijlating van politieke gevangenen. Het leger had het gebouw omsingeld, overal leek het chaos, met buiten huilende ouders die op nieuws over hun kinderen stonden te wachten. De prins keek somber naar de uitzending en Christianna met afschuw. Het was een gruwelijke aanblik. Na twee uur stond de prins op om naar bed te gaan. Zijn assistent was hem allang voorgegaan.

'Wat verschrikkelijk,' zei haar vader meelevend. 'Al die arme ouders die op hun kinderen wachten. Ik kan me geen ergere nachtmerrie voorstellen.' En hij sloeg zijn armen om haar heen.

'Ik ook niet,' zei Christianna nauwelijks hoorbaar. Ze had nog altijd de witte avondjurk en zilverkleurige sandaaltjes aan. Onder het kijken was ze een paar keer in huilen uitgebarsten, en ook haar vader had tranen in zijn ogen. 'Ik voel me zo nutteloos door hier maar te zitten, helemaal opgedirkt en niet in staat hen te helpen,' zei ze, alsof ze zich schuldig voelde. Hij nam haar opnieuw in zijn armen.

'Niemand kan iets doen tot de kinderen daar weg zijn. Het zou een bloedbad worden als het leger er met geweld naar binnen gaat.' Omdat de gedachte daaraan nog vreselijker was, moest Christianna opnieuw haar ogen betten. De terroristen hadden tientallen kinderen omgebracht. Toen ze eindelijk de tv afzetten, vielen er in totaal honderd doden te betreuren. 'Dit is de ernstigste situatie die ik ooit heb gezien sinds Beslan.' Ze gaven elkaar een nachtzoen, waarna Christianna zich ging uitkleden en haar nachtjapon aantrok. Een poosje later, toen ze al in bed lag, voelde ze de drang om de televisie weer aan te zetten. Inmiddels was de situatie verslechterd en waren er nog meer kinderen gedood. Ouders waren radeloos, er waren overal verslaggevers en de militairen sjokten in groepjes rond, wachtend tot hun werd gezegd wat ze moesten doen. Het was fascinerend om te zien, en gruwelijk. Er was geen twijfel mogelijk dat er in de loop van de nacht nog meer levens verloren zouden gaan.

Uiteindelijk lag ze er de hele nacht klaarwakker naar te kijken, en tegen de ochtend had ze donkere kringen onder haar ogen van het huilen en van slaapgebrek. Op het laatst stond ze op, nam een bad en kleedde zich aan, waarna ze haar vader in zijn kantoor aan het ontbijt trof. Ze had een dikke trui en een spijkerbroek aan toen ze bij hem naar binnen stapte. Ze had een aantal telefoongesprekken gevoerd voor ze naar hem op zoek ging. En toen ze hem aantrof, leek hij bijna net zo overstuur als zijzelf. Inmiddels was het aantal doden verdubbeld, en het waren bijna allemaal kinderen. Net zoals de halve wereld, zat haar vader tv te kijken. Hij had zijn eten bijna niet aangeraakt. Wie had er nu trek in eten?

'Waar ga jij op dit uur naartoe, al helemaal aangekleed?' vroeg hij afwezig. Al was Liechtenstein hier officieel niet bij betrokken, iedereen die het drama zich voor zijn ogen zag afspelen, was wanhopig en overstuur. Dit was geen televisiefilm. Dit was wel degelijk realiteit.

'Ik wil erheen, papa,' zei Christianna zachtjes, maar met ogen die zich diep in de zijne boorden. 'We hebben officieel geen enkele betrokkenheid of inmenging wat betreft deze situatie,' legde hij haar uit. 'We zijn een neutraal land, we hebben geen enkele reden om met Rusland samen te werken om dit op te lossen en we beschikken niet over een antiterreur-team.'

'Ik bedoel niet in een officiële functie. Ik wil als mezelf gaan,' verduidelijkte ze.

'Jij? Hoe kun je anders gaan dan in een officiële functie? Maar die hebben we daar niet.'

'Ik wil gewoon gaan als een individu dat anderen helpt. Ze hoeven niet te weten wie ik ben.'

Hij dacht er even over na, de situatie overziend. Het was een nobele gedachte, maar toch vond hij het geen goed idee. Het was te gevaarlijk voor haar. Wie wist wat die terroristen hierna van plan waren, vooral als ze erachter kwamen dat er een jonge, mooie prinses in de buurt was? Hij wilde niet dat ze erheen ging.

'Ik begrijp hoe je je voelt, Christianna. Ik zou ze ook willen helpen. Het is een absoluut afschuwelijke situatie. Maar officieel hebben we daar niets te zoeken, en als privépersoon zou het te gevaarlijk voor je zijn.' Hij zei het met een verbeten gezicht.

'Ik ga, papa,' zei Christianna kalm. Ditmaal was het geen verzoek, maar een mededeling. Dat hoorde hij niet alleen aan wát ze zei, maar ook aan de manier waarop. 'Ik wil daar zijn om te doen wat ik kan, al is het alleen maar om dekens uit te reiken, koffie te schenken of graven te helpen graven. Het Rode Kruis is er, ik kan me vrijwillig melden om voor ze te werken.' Ze meende het. Dat wist hij. Opeens vermoedde hij dat het niet zou meevallen om haar tegen te houden, maar toch moest hij het proberen, zo omzichtig mogelijk.

'Ik wil eenvoudig niet dat je gaat.' Meer wist hij niet te zeggen. Hij zag duidelijk dat ze heel erg van streek was. 'Dat gebied is te gevaarlijk, Cricky.'

'Ik móét erheen, papa. Ik kan hier niet langer blijven zitten en me nutteloos voelen als ik dat allemaal op tv zie. Ik zal iemand meenemen, als u dat wilt.' Uit de blik in haar ogen en uit wat ze zei bleek maar al te duidelijk dat ze geen andere keus had. 'En als ik nee zeg?' Hij kon haar niet vastbinden en haar naar haar kamer laten dragen. Ze was een volwassen vrouw, maar hij wilde absoluut niet dat ze ging. 'Ik ga, papa,' zei ze nogmaals. 'U kunt me niet tegenhouden. Dat hoort een mens te doen.' Dat was waar, maar niet zij. Hij zou er ook wel naartoe hebben gewild, maar de onstuimige compassie van de jeugd lag al ver achter hem en hij was te oud om het risico te nemen.

'Inderdaad, Cricky, dat hoort een mens te doen,' zei hij vriendelijk. 'Maar niet jij. Het is te gevaarlijk. Als ze te weten komen wie je bent, zouden ze jou ook in gijzeling kunnen nemen. Ik denk dat terroristen even weinig respect hebben voor een neutraal land als voor een mens. Spreek me hierin alsjeblieft niet tegen.' Daarop schudde ze haar hoofd, duidelijk teleurgesteld door zijn reactie. Maar hij voelde zich verplicht om haar tegen zichzelf in bescherming te nemen. 'Je hebt een verantwoordelijkheid tegenover ons volk,' sprak hij streng. Hij zette alles op alles. 'Je zou gedood kunnen worden, of gewond kunnen raken. Bovendien heb je geen technische of medische mogelijkheden te bieden. Burgers zonder ervaring, al bedoelen ze het nog zo goed, maken dergelijke situaties soms nog erger dan ze al zijn. Christianna, ik weet dat je het goed bedoelt, maar ik wil niet dat je dit doet.' Zijn ogen brandden in de hare.

'Hoe kunt u dat nou zeggen?' riep ze boos, terwijl de tranen in haar ogen stonden. 'Kijk nou naar die mensen, papa. Hun kinderen zijn dood of stervende. Waarschijnlijk sterven er vandaag ook nog een heleboel meer. Ik moet ernaartoe. Er is toch wel íéts wat ik kan doen. Ik ben niet van plan om hier maar naar de tv te kijken. Dat is niet wat u me hebt geleerd.' Ze raakte hem in zijn ziel, meer dan ze wist. Dat lukte haar altijd.

'Ik heb je niet geleerd om je leven lukraak in de waagschaal te stellen,' merkte hij op, nu ook boos. Hij zou niet tolereren dat ze net zolang een grote mond tegen hem opzette tot ze haar zin kreeg, hoe hard ze het ook speelde. Het antwoord was nog steeds nee. Het lastige was dat ze hem voor een onvoldongen feit wilde stellen. Christianna had in haar hoofd gezet dat er geen alternatief was.

'"Eer, Moed, Welzijn," dat hebt u me geleerd, papa. U hebt me geleerd dat ik om anderen moet geven en dat ik verantwoordelijk voor ze ben. U hebt me geleerd steun te bieden aan mensen in nood en alles te doen om ze te helpen. Wat is er met eer, moed en welzijn gebeurd – nota bene úw familiecode? U hebt me verteld dat ons leven in het teken staat van plicht en verantwoordelijkheid aan eenieder die ons nodig heeft, hoeveel moed daar ook voor nodig is, en op te komen voor de dingen waarin ik geloof. Kijk dan toch naar die mensen, papa. Die hebben ons nodig. Ik ga doen wat ik voor ze kan doen. Dat hebt u me altijd geleerd, van kleins af aan. Dat kunt u nu niet terugdraaien omdat u niet wilt dat ik daarheen ga.'

'Het is anders wanneer er terroristen bij betrokken zijn. Die houden zich aan geen enkele regel.' Hij keek haar mistroostig aan, haar met zijn ogen smekend om niet te gaan. Vervolgens werd hij tot tranen toe geroerd, toen ze haar gezicht naar hem oprichtte en een kus op zijn wang drukte. 'Ik hou van u, papa. Ik red me wel, dat beloof ik. Ik zal u opbellen zo vaak ik kan.' Op dat moment zag hij twee van haar lijfwachten, die in de deuropening stonden, in werkkleding. Ze had bekokstoofd dat ze met haar mee zouden reizen, nog voor ze ermee bij hem was gekomen. Elk woord dat ze had gezegd, had ze gemeend. En hij wist dat ze, tenzij hij haar daadwerkelijk zou knevelen, zonder zijn toestemming zou gaan. Eén moment boog hij zijn hoofd, waarna hij het weer oprichtte om haar aan te kijken.

'Doe heel voorzichtig,' zei hij hees, waarna hij de bewakers aankeek met een blik die had kunnen doden. Hij was nu tot in zijn vingertoppen prins, en ook al zette Christianna hem

de voet dwars, deze twee mannen wisten dat de hel zou los-
barsten als haar iets overkwam. 'Verlies haar geen minuut
uit het oog. Begrijpt u dat alle twee heel goed?'
'Jawel, Hoogheid,' haastten ze zich te antwoorden. Het
kwam zelden voor dat iemand hem kwaad zag, maar dat
was hij op dat moment. Hij was in wezen niet kwaad, maar
bezorgd. Meer nog stond hij duizend angsten uit om haar.
Hij zou het niet kunnen verdragen dit kind te verliezen van
wie hij zoveel hield. Terwijl hij dat bedacht, besefte hij hoe
de mensen zich moesten hebben gevoeld toen ze hun kinderen verloren toen de terroristen ze een voor een vermoord-
den om hun vrienden uit de gevangenis vrij te krijgen. Het
was een ruilhandel: terroristen voor kinderen – een gruwelijke ruilhandel, en voor alle betrokkenen een onmogelijke
situatie. En terwijl hij dat weer overdacht, wist hij dat ze gelijk had. Het stond hem niet aan wat ze deed, maar hij had
bewondering voor haar moed en haar wens om erheen te
gaan. Ze volgde alleen maar letterlijk op wat hij haar had
geleerd: haar leven in de waagschaal stellen als dat nodig
was om anderen te dienen. Indirect was haar behoefte om
daar te zijn volledig zijn eigen schuld.
Nadat Christianna weer even naar haar kamer was gegaan
om haar rugzak te halen, liep haar vader met haar en haar
lijfwachten mee naar de auto.
'God zij met je,' zei hij, en hij sloeg met tranen in zijn ogen
zijn armen om haar heen.
'Ik hou van u, papa,' zei ze beheerst. 'Maak u geen zorgen
om mij. Ik red me wel.'
Toen stapte ze in de auto, samen met de twee mannen. Alle drie hadden ze laarzen en warme jassen aan. Een paar uur
geleden had ze opgebeld om voor de vlucht te reserveren. Ze
was van plan om, als ze daar eenmaal was, het Rode Kruis
op te sporen en zich als vrijwilliger aan te melden. Ze had
op CNN gezien dat ze mensen op de plaats des onheils hadden om te doen wat nodig was.
De prins bleef staan kijken tot de auto door het hek was gereden. Ze hing uit het raam en wuifde met een triomfante-

lijke glimlach naar hem. Ze zond hem een kushand toe en haar mond vormde de woorden 'ik hou van u', waarna ze de hoek omsloegen en waren verdwenen. Met gebogen hoofd liep hij het paleis weer in. Hij was bijna ziek van haar vertrek, maar hij wist dat hij haar met geen mogelijkheid had kunnen tegenhouden. Hij kon alleen maar bidden voor haar veiligheid en veilige terugkomst. Meer dan ze wist, bewonderde hij haar met heel zijn hart. Ze was een bijzondere jonge vrouw, en toen hij zijn kantoor binnen stapte, voelde hij zich stokoud.

HOOFDSTUK 4

$\mathcal{C}$hristianna en haar lijfwachten reden naar Zürich en vandaar vlogen ze naar Wenen. Daar gingen ze aan boord van een vlucht naar Tbilisi in Georgië, die vijfeneenhalf uur duurde. Die avond landden ze om zeven uur in Tbilisi en een halfuur later stapten ze in een bijna voorwereldlijk, aftands vliegtuig naar Vladikavkaz in Noord-Ossetië, een gebied in het zuiden van Rusland. Het turbopropvliegtuig, dat vanbinnen een sleetse en slecht onderhouden indruk maakte, zat vol en schudde merkbaar bij het opstijgen. De eerste vlucht had al veel van hen gevergd, zodat ze er, toen ze 's avonds even voor negenen op hun eindbestemming aankwamen, alle drie moe uitzagen.

De lijfwachten die ze had meegenomen, waren de twee jongsten waarover ze beschikte. Ze waren allebei opgeleid in het Zwitserse leger, en een van hen had daarvóór bij de Israëlische commando's gediend. Ze had de juiste mannen uitgezocht om haar te begeleiden.

Ze had geen idee wat ze zou aantreffen wanneer ze in Digora aankwam, zo'n vijftig kilometer van Vladikavkaz, waar ze waren geland. Christianna had behalve de vlucht geen andere definitieve reserveringen geboekt. Zodra ze bij de gijzelingslocatie in Digora aankwamen, wilde ze het Rode Kruis opsporen en alle assistentie aanbieden die ze konden gebruiken. Ze was ervan uitgegaan dat ze tot de plaats des onheils zou worden toegelaten, en ze hoopte dat ze gelijk had. Ze was niet bang voor wat er ging gebeuren en ze had geen moeite gedaan om zich te verzekeren van een verblijfplaats of een hotelkamer. Ze wilde ter plekke aan het werk gaan, zo nodig vierentwintig uur per dag. Ze bereidde zich voor om lange dagen te maken, zonder slaap, terwijl ze de radeloze ouders en gewonde kinderen bijstand verleende. Tijdens haar studie had ze een EHBO-cursus gevolgd, maar afgezien daarvan waren de enige dingen die ze te bieden had haar jeugd, een goed hart en de bereidheid de handen uit de mouwen te steken. En ondanks de dringende waarschuwingen van haar vader maakte ze zich geen zorgen over eventuele gevaren die ze op haar pad zou vinden. Ze was bereid geweest het risico te nemen, en ze was ervan overtuigd dat voor de mensen buiten de door de terroristen bezette school het risico minimaal was. Het was hoe dan ook haar wens geweest om hier aanwezig te zijn en omdat ze wist dat haar lijfwachten haar zouden beschermen, voelde ze zich veilig.

Haar eerste confrontatie met een onverwacht obstakel vond plaats toen ze op de luchthaven 'immigratie' passeerde. Een van haar lijfwachten had de douanebeambte alle drie hun paspoorten tegelijk overhandigd. Haar afspraak met hen was dat ze, eenmaal in Rusland, onder geen beding haar koninklijke identiteit zouden prijsgeven. Omdat ze er vooraf niet op had gerekend dat het een probleem zou opleveren, schrok ze even toen de beambte een hele poos van haar paspoort naar haar keek. Met de gelijkenis van de foto was niets mis, dus dat was het duidelijk niet.

'Bent u dat?' vroeg de man, enigszins strijdlustig. Hij sprak haar aan in het Duits, aangezien hij haar tegen haar ene lijfwacht in die taal had horen praten en tegen de andere in het Frans. Ze knikte bevestigend, helemaal niet denkend aan het verschil tussen hun paspoorten en het hare. 'Naam?' En toen begreep ze het.

'Christianna,' zei ze rustig. Er stond maar één naam in haar paspoort, haar voornaam, zoals dat bij iedereen van koninklijken bloede het geval is. Bij koningin Elizabeth van Engeland bijvoorbeeld, en bij prinses Michael van Kent, die Marie Christine in haar paspoort heeft staan – enkel hun voornaam, maar geen titel en achternaam. De Russische douanebeambte was zichtbaar ontstemd en in de war. 'Geen naam?' Ze aarzelde, waarna ze hem een korte brief overhandigde, uitgevaardigd door de regering van Liechtenstein, waarin de situatie werd verklaard, evenals haar volledige identiteit: Hare Doorluchtige Hoogheid van het prinsdom. Die brief had ze nodig gehad toen ze in Californië studeerde, waar ze vergelijkbare problemen bij de douane had gehad. De officiële brief, geschreven in het Engels, Duits en Frans, bewaarde ze in het mapje bij haar paspoort. Ze liet hem alleen zien als erom werd gevraagd. Hij las hem aandachtig, keek een paar keer op naar haar en naar de lijfwachten, en vervolgens weer naar haar. 'Waar gaat u heen, Fräulein Prinzessin?' Ze deed haar best om niet te glimlachen. Hij was opgevoed in een communistische staat en duidelijk niet vertrouwd met titels, maar toch was hij behoorlijk onder de indruk. Toen ze hem haar reisdoel vertelde, knikte hij, stempelde hun paspoorten af en gebaarde dat ze konden doorlopen. Het feit dat haar land, evenals Zwitserland, neutraal was, opende deuren die met een ander paspoort gesloten zouden blijven. En haar titel hielp vaak ook mee.

Ze gingen naar een autoverhuurkantoor waar ze, net als ieder ander, een halfuur in de rij stonden.

Inmiddels waren ze alle drie uitgehongerd. Ze gaf de mannen elk een pak koekjes en een flesje water uit haar rugzak, waarna ze zich aan hetzelfde menu te goed deed. Het leek een eeuwigheid te duren voor ze aan de beurt waren. Toen het eindelijk zover kwam, was er alleen een tien jaar oude Yugo beschikbaar, tegen een exorbitant bedrag. Christianna besloot dat ze die dan maar moesten nemen en ze reikte over de balie haar creditcard aan, die wederom geen achternaam vermeldde. De vrouw vroeg of ze over contant geld beschikte. Christianna had wat geld meegenomen, maar dat wilde ze niet al zo vroeg op de reis uitgeven. De vrouw ging er uiteindelijk mee akkoord de creditcard te accepteren, nadat ze een betere deal had aangeboden als ze contant zouden betalen, wat Christianna afsloeg.

Ze ondertekende het contract, pakte de autosleutels en vroeg om een plattegrond. Tien minuten later was ze met haar lijfwachten Samuel en Max op weg naar de parkeergarage om de auto op te halen. Het was een piepkleine wagen die onder de deuken zat. De twee mannen pasten er amper in, terwijl Christianna, met rugzak en al, met gemak op de achterbank gleed, dankbaar dat ze zo klein was. Samuel startte de motor, terwijl Max de plattegrond uitvouwde. Uit de woorden van de vrouw achter de balie hadden ze begrepen dat ze een rit van vijfenveertig kilometer voor de boeg hadden en ze die avond waarschijnlijk om een uur of elf op hun bestemming zouden aankomen. In de parkeergarage hadden de mannen uit de koffer die ze hadden afgegeven hun wapens gehaald en hun holster omgegespt. Terwijl ze wegreden, laadde Max de beide revolvers, onder het toeziend oog van Christianna. Aangezien ze die al haar hele leven om zich heen zag, wist ze niet beter. Ongewapend hadden haar lijfwachten geen enkel nut voor haar. Ze had zelf geleerd hoe ze ermee moest omgaan, en ze was een buitengewoon goede schutter – beter dan haar broer, die niets van wapens moest hebben, al spraken de sociale aspecten van de jacht op eenden en korhoenders hem wel aan, en nam hij er vaak aan deel.

Omdat ze nog altijd uitgehongerd waren toen ze de luchthaven verlieten, deden ze halverwege de rit een restaurantje langs de snelweg aan. Samuel sprak een paar woorden Russisch, maar hij wees voornamelijk naar wat andere mensen zaten te eten, wat een eenvoudige, boerse maaltijd opleverde. Omdat de andere gasten voor het grootste deel uit vrachtwagenchauffeurs bestonden, nachtrijders, viel de aanwezigheid van de aantrekkelijke blondine met twee sterk en gezond ogende mannen onmiddellijk op. Ze hadden eens moeten weten dat ze een prinses was. Maar het enige wat ze zagen was een jonge vrouw met een spijkerbroek aan en de zware laarzen die ze in Berkeley had gedragen, een dikke trui en een parka. Ze had haar haren naar achteren gestoken. De mannen waren op dezelfde manier gekleed en hadden soldaten kunnen zijn. Anderen zouden hen hebben aangezien voor bewakers, maar hier stelde niemand vragen. Na het eten rekenden ze af en reden weg. Onderweg zagen ze een aantal minibusjes van Daewoo. Die dienden als taxi en werden Marshrutka's genoemd, zoals Christianna later zou horen, een populair vervoermiddel.

Omdat ze de verkeersborden niet konden lezen en in de war raakten van de plattegrond, namen ze een paar keer een verkeerde afslag, waardoor ze pas tegen middernacht op hun bestemming aankwamen. Al snel werden ze bij een wegblokkade tegengehouden door Russische soldaten in gevechtstenue. Ze droegen een helm en een gezichtsmasker en waren bewapend met een machinegeweer. Ze vroegen wat Christianna en de mannen daar kwamen doen. Christianna voerde vanaf de achterbank het woord en zei in het Duits dat ze op zoek waren naar vertegenwoordigers van het Rode Kruis, omdat ze met hen wilden samenwerken. De wacht aarzelde, zei dat ze moesten wachten en ging zijn meerderen raadplegen, die dicht in de buurt in bespreking waren. Een van hen stond de man te woord, waarna die zelf naar de auto toe liep.

'Werkt u voor het Rode Kruis?' vroeg hij, terwijl hij hen fronsend aankeek en de indruk wekte dat hij uiterst argwanend was. Kennelijk zag hij niets wat hem alarmeerde. 'Waarvandaan?' Het laatste wat hij wilde was wel dat er in de chaos waarmee ze toch al te maken hadden, toeristen zouden rondlopen. Net zoals de eerste man met wie ze hadden gesproken, zag hij er moe uit. Het was de tweede dag van de bezetting. Die middag waren er alweer een stuk of tien kinderen gedood en op het schoolplein neergegooid, wat op iedereen een ontmoedigende uitwerking had gehad. Twee anderen die probeerden te ontsnappen, waren doodgeschoten. De hele situatie was een reprise van het gruwelijke gijzelingsdrama dat zich enkele jaren eerder in Beslan had voltrokken, in dezelfde streek van Noord-Ossetië, zij het op iets kleinere schaal. Maar het aantal doden steeg met het uur en het was allemaal nog niet voorbij.

'We komen uit Liechtenstein,' maakte ze duidelijk. 'Ik, althans. Deze twee mannen zijn Zwitsers. We zijn alle drie politiek neutraal,' hielp ze hem herinneren, waarop hij knikte. Ze had geen idee of het enig verschil zou maken, maar ze vond dat het geen kwaad zou kunnen dat nog even te zeggen.

'Paspoorten?' Toen Samuel ze hem aanreikte, reageerde de man hetzelfde op dat van Christianna als de douaneambtenaar. 'Er staat op die van u geen achternaam,' zei hij verontwaardigd, alsof er bij de uitgifte van de pas een fout was gemaakt. Maar ditmaal besloot ze hem de brief niet te laten zien, omdat ze niet wilde dat de mensen hier wisten wie ze was of dat ze er drukte over zouden maken.

'Dat weet ik. Dat doen ze soms in mijn land. Bij vrouwen,' voegde ze eraan toe, maar de man leek niet overtuigd en begon argwaan te tonen. Dat moest wel, met alles wat er gaande was. Met tegenzin gaf ze hem toch maar de brief. Aandachtig las hij hem door, keek haar vorsend aan, vervolgens naar de mannen en toen weer naar haar, waarna hij een blik in zijn ogen kreeg die zowel verbazing als ontzag uitdrukte.

'Een koninklijke prinses?' Zijn verbijstering kende geen grenzen. 'Hier? Om samen te werken met het Rode Kruis?'

'Dat hoop ik. Daarvoor zijn we gekomen,' legde ze uit. Daarop schudde de militair haar chauffeur de hand, vertelde waar ze de enclave van het Rode Kruis konden vinden, gaf hun een pasje en gebaarde dat ze konden doorrijden. Het was een uiterst ongebruikelijk verschijnsel: dat ze toegang kregen tot een gijzelingslocatie, wat Christianna het gevoel gaf dat ze hen nooit toegelaten zouden hebben als ze geen prinses was geweest. De militair had respect gehad voor haar en de mannen die met haar naar Rusland waren meegekomen. Hij had hun zelfs de naam opgegeven van degene die de leiding had. Maar voor ze doorreden, verzocht Christianna hem zachtjes of hij aan niemand wilde zeggen wie ze was. Ze zei erbij dat dat voor haar veel zou betekenen. Hij knikte en hij was nog zichtbaar onder de indruk toen ze wegreden. Ze hoopte op zijn discretie. Als iedereen wist wie ze was, zou dat alles voor haar bederven of zelfs bemoeilijken. Anonimiteit maakte het haar onder deze omstandigheden veel gemakkelijker. Als de pers lucht kreeg van haar aanwezigheid, zouden ze haar overal achtervolgen en zou ze zelfs gedwongen zijn om te vertrekken. Dat wilde ze absoluut niet. Ze wilde zich nuttig maken en geen voeding geven aan de persmuskieten.

Toen ze de school naderden, zagen ze overal politiekordons, militaire barricaden, oproerpolitie, commandoposten en soldaten met machinegeweren. Maar nu ze eenmaal de eerste barricade door waren, werden ze niet meer zo grondig geïnspecteerd. Als er al om hun paspoorten werd gevraagd, werd er alleen nog maar een vluchtige blik in geworpen. Ze keken naar de gelegenheidspasjes en knikten. De meeste burgers die ze zagen, waren in tranen – waarschijnlijk ouders of familieleden van kinderen of leerkrachten die nog binnen zaten.

Eindelijk, na een moeizame speurtocht, vonden ze vier grote vrachtauto's van het Rode Kruis, omringd door een leger medewerkers met om hun arm de vertrouwde witte band met een rood kruis, waardoor ze in een menigte gemakkelijk te herkennen waren. Enkele mensen hadden kinderen in hun armen. Anderen gingen met koffie rond en verzorgden zichtbaar wanhopige ouders, of stonden zwijgend tussen het publiek.

Zodra Christianna hen zag, stapte ze uit, terwijl Samuel, de lijfwacht met de commando-opleiding, haar op de hielen volgde en Max de auto op een veld parkeerde dat familieleden en de pers was toegewezen.

Christianna vroeg naar de functionaris die de militair bij de blokkade haar had opgegeven, waarna ze werd meegenomen naar een paar stoelen die bij een van de vrachtwagens stonden. Daar zat een vrouw met wit haar, die in het Russisch in gesprek was met een groep vrouwen. Ze stelde hen zo goed mogelijk gerust. Er was heel weinig te zien van wat zich binnen afspeelde, alleen het onophoudelijk heen en weer geloop van soldaten die paraat stonden. De Russische vrouwen huilden allemaal. Omdat Christianna niet wilde storen, bleef ze aan de kant staan tot de oudere vrouw was uitgepraat. Ze wist dat het wel uren kon duren voor de vrouw de tijd had om zich met hen te bemoeien. Ze wachtte geduldig, net zo lang tot de vrouw die de leiding had over het Rode Kruisteam haar opmerkte en haar vragend aankeek.

'Staat u op mij te wachten?' vroeg de vrouw in het Russisch. Ze klonk verbaasd.

'Inderdaad,' antwoordde Christianna in het Duits, in de hoop dat ze een gemeenschappelijke taal zouden vinden. Meestal was dat in dergelijke gevallen Engels of Frans. 'Anders wacht ik wel.' Ze had toch geen andere plannen, en ze wilde niet storen. Het staflid verontschuldigde zich, klopte troostend een vrouw op haar arm en liep op Christianna toe.

'Ja?' Het was duidelijk dat Christianna daar niet uit de buurt kwam en ook niet een van de ouders was. Daarvoor leek ze haar te proper, te verzorgd. Haar kleren waren nog netjes en ze zag er minder uitgeblust uit als al die mensen om haar heen. De spanning van het bewaken van de locatie begon hen zichtbaar op te breken. Zelfs de soldaten hadden gehuild toen ze de lijken binnenbrachten van de kinderen die waren doodgeschoten.

'Ik zou me als vrijwilliger willen aanmelden,' zei Christianna zacht. De manier waarop ze dat tegen de oudere vrouw zei, die geen idee had wie ze was, was bedaard, zelfverzekerd en adequaat.

'Hebt u een Rode Kruispasje?' vroeg de vrouw. Ze spraken nu Frans met elkaar. Ze zag ernaar uit alsof ze beide wereldoorlogen had meegemaakt, wat waar was. Ze had geholpen bij het afdekken van de dode kinderen, twee dagen lang snikkende ouders in haar armen gehouden en wonden verzorgd, tot het ambulancepersoneel hen eindelijk had kunnen bereiken. Ze had, sinds ze hier binnen twee uur na de aanslag was gearriveerd, al het denkbare gedaan, zelfs uitgeputte, huilende soldaten van koffie voorzien.

'Ik ben geen Rode Kruismedewerker,' legde Christianna uit. 'Ik ben vandaag uit Liechtenstein hierheen komen vliegen met mijn twee… vrienden…' Ze wierp een blik op de twee mannen naast haar. Zo nodig zou ze zich aanmelden als afgevaardigde van de mensenrechtenorganisatie van haar land, maar dat zou ze liever doen als anoniem persoon, mochten ze haar op die basis wel laten helpen. Ze wist niet of ze dat zouden doen. De oudere vrouw aarzelde, terwijl ze Christianna aandachtig aankeek.

'Mag ik uw paspoort zien?' vroeg ze met gedempte stem. Iets in de ogen van de vrouw gaf Christianna het gevoel dat ze wist wie ze was. Ze sloeg het paspoort open, wierp een blik op de enkele voornaam, klapte het paspoort weer dicht en gaf het haar met een glimlach terug. Ze wist wel degelijk wie Christianna was. 'Ik heb met enkele Engelse familieleden van u in Afrika gewerkt.' Ze vertelde niet met welke. 'Weet iemand dat u hier bent?' De jonge vrouw schudde haar hoofd. 'En ik neem aan dat dit uw lijfwachten zijn?' opnieuw knikte ze. 'We kunnen uw hulp best gebruiken,' zei ze. 'Vandaag hebben we twintig kinderen verloren. Ze hebben net weer een verzoek ingediend om gevangenen uit te leveren, dus over een paar uur zullen we waarschijnlijk met nog meer slachtoffers te maken krijgen.' Ze gebaarde dat Christianna en haar mannen mee moesten komen, klom in de vrachtwagen en kwam terug met drie vaal geworden armbanden. Daar dreigde een tekort aan. Ze gaf ze aan Christianna en haar mannen, waarna ze er ieder een omdeden. 'Ik ben erg blij met uw hulp, Hoogheid. Ik neem tenminste aan dat u hier in uw officiële functie bent?' informeerde ze op vermoeide, maar vriendelijke toon. Deze vrouw straalde een vriendelijkheid en mededogen uit dat het als een koestering aanvoelde als je alleen al met haar sprak. Christianna was uit de grond van haar hart blij dat ze was gekomen.

'Nee,' antwoordde Christianna. 'En ik zou liever hebben dat niemand weet wie ik ben. Dan wordt het te ingewikkeld. Ik

zou het op prijs stellen als u me Christianna wilt noemen.'
De vrouw knikte en stelde zich voor als Marque. Ze was Française, maar ze sprak vloeiend Russisch. Christianna sprak zes talen, het Reto-Romaans meegerekend dat ze in Liechtenstein spraken, maar Russisch hoorde daar niet bij.
'Ik begrijp het,' zei Marque. 'Toch zou iemand je kunnen herkennen. Er is hier veel pers aanwezig. Zodra ik je zag, kwam je me bekend voor.'
'Ik hoop dat niemand anders zo slim is,' zei Christianna met een spottende glimlach. 'Als dat gebeurt, is alles verloren.'
'Ik weet dat het erg lastig is.' Ze had al eerder crises meegemaakt waar de pers op afkwam, en ze was het met Christianna eens dat het voor iedereen gemakkelijker zou zijn als niemand op de hoogte was.
'Dank je dat we met jullie mogen meewerken. Wat kunnen we doen om te helpen? Je bent vast uitgeput,' zei ze meelevend, waarop de vrouw knikte.
'Als jij nou naar de tweede vrachtwagen gaat... We hebben iemand nodig om koffie te zetten. Ik geloof dat we daar bijna doorheen zijn. En we hebben een stapel dozen die we moeten vervoeren. Er zitten medicijnen in en flessen water. Misschien kunnen je mannen ons daarbij helpen.'
'Natuurlijk.' Ze vertelde Max en Samuel wat er van hen werd verwacht, waarna ze snel op weg gingen naar de plaats waar de dozen stonden, terwijl Christianna, de aanwijzingen van Marque opvolgend, op zoek ging naar de tweede vrachtwagen. Haar lijfwachten aarzelden of ze haar wel alleen konden laten gaan, maar ze drukte hun op het hart dat ze zich prima zou redden. Er was zoveel gewapende bescherming in de buurt dat ze geen enkel risico liep, of ze nu bij haar waren of niet.
Marque bedankte haar opnieuw voor haar hulp en liep vervolgens weg om poolshoogte te nemen bij de vrouwen met wie ze voor de komst van Christianna in gesprek was.
Uren verstreken voor Christianna haar terugzag, terwijl ze zelf koffie en daarna flessen water uitdeelde. Voor de mensen die het koud hadden, waren er dekens. Sommigen slie-

pen op de grond. Anderen zaten stokstijf of snikkend te wachten op berichten over hun geliefden in de school. Zoals Marque al had voorspeld, kreeg bijna op de kop af drie uur later de eis van de terroristen om uitlevering van gevangenen een gewelddadige afloop. Vijftig kinderen werden gedood en door mannen met bivakmutsen uit de ramen gegooid. De lijken van de kinderen kwamen, terwijl de mensen gilden, als lappenpoppen op het schoolplein terecht totdat de soldaten ze eindelijk onder zware vuurdekking konden weghalen om ze toe te dekken. Slechts één meisje leefde nog toen ze haar binnenbrachten, maar ze overleed in de armen van haar moeder ten overstaan van snikkende soldaten, mededorpelingen en vrijwilligers. Het was een ongelooflijk gruwelijke gebeurtenis. En nog was het niet voorbij. Inmiddels waren er bijna honderd kinderen gedood, en bijna evenveel volwassenen, en nog steeds beheersten de terroristen de situatie volkomen. Een fanatiek religieuze groepering uit het Midden-Oosten, die banden onderhield met Tsjetsjeense rebellen, had de verantwoordelijkheid opgeëist voor de aanslag. Het was een gezamenlijke poging om dertig terroristen uit de gevangenis vrij te krijgen, maar de Russische regering hield voet bij stuk, tot grote woede van het volk, dat liever dertig terroristen wilde vrijlaten en het leven van hun kinderen sparen. Alom heerste een sfeer van wanhoop en machteloosheid. Christianna stond samen met de andere Rode Kruiswerkers te snikken. Wat zich daar afspeelde was onvoorstelbaar.

Sinds haar komst had ze, behalve water en koffie ronddelen, heel weinig gedaan. Toen zag ze dat er een jonge Russin naast haar stond, die ontroostbaar huilde. Ze was zwanger en ze had een peuter aan haar hand. Op dat moment kruiste haar blik die van Christianna, waarna ze elkaar huilend in de armen vielen, als familieleden die elkaar lang uit het oog hadden verloren. Christianna zou nooit haar naam te weten komen. De enige taal die ze gemeenschappelijk hadden, was het onmetelijke verdriet bij het moeten toekijken hoe de kinderen stierven. Later hoorde ze dat de vrouw een kind van zes in die school had, van wie nog niets was vernomen. En dat haar man, die daar les gaf, de afgelopen nacht een van de eerste dodelijke slachtoffers was geweest. Ze bad voor het leven van haar zoontje.

De twee vrouwen stonden urenlang naast elkaar, met hun armen om elkaar heen, of hand in hand. Christianna bracht de peuter iets te eten en de zwangere vrouw, die niet kon ophouden met huilen, een stoel. Zoals zij waren er nog zoveel anderen dat ze in de menigte niet eens opvielen.

De zon kwam al op toen ze van soldaten van de commandotroepen bevel kregen het terrein te ontruimen. De hele groep wachtenden en de Rode Kruiswerkers moesten een heel eind achteruit. Niemand wist wat er aan de hand was, maar de terroristen hadden zojuist hun, naar ze zelf zeiden, ultieme eis gesteld. Als die niet zou worden ingewilligd, dreigden ze de hele school op te blazen, wat inmiddels heel plausibel klonk. Het waren mensen zonder geweten of moraal, die geen enkele waarde hechtten aan mensenlevens, kennelijk ook niet aan dat van henzelf.

'We moeten de vrachtwagens in,' zei Marque toen ze langsliep om haar troepen bijeen te drijven, waarvan Christianna nu deel uitmaakte. 'Ze hebben ons niet ingelicht, maar ik denk dat ze naar binnen gaan. Ze willen iedereen zo ver mogelijk uit de buurt hebben.' Ze had zich onder de omstanders begeven om hetzelfde te vertellen. Lopend en rennend liepen de mensen een veld over, tot achter het zojuist opgestelde kordon van de oproerpolitie. Het ging de ouders aan het hart dat ze nu nog verder van hun kinderen verwijderd waren die nog altijd binnen opgesloten zaten. Maar de militairen duwden het publiek nu met geweld naar achteren, alsof de tijd drong.

Christianna tilde de peuter op, sloeg een arm om haar nieuwverworven vriendin heen en hielp haar een van de vrachtwagens in. Ze was absoluut niet meer in staat om te lopen of aan te zien wat er ging gebeuren. Zo te zien kon ze elk moment gaan bevallen. Al was Christianna zich er niet langer van bewust, haar lijfwachten hielden haar nauwlettend in de gaten. Ze wisten maar al te goed dat de troepen op het punt stonden de school binnen te gaan en ze wilden niet dat ze buiten hun bereik zou raken. Marque, die hun aanwezigheid had opgemerkt, begreep waarom ze Christianna niet uit het oog wilden verliezen. Niemand wilde, behalve met dode kinderen, ook nog eens met een dode prinses opgescheept worden. Het aantal doden was sowieso al veel te hoog. Het zou een extra overwinning voor de terroristen zijn geweest om iemand van koninklijken bloede te doden, ook al kwam ze uit een neutraal land. Haar anonimiteit was van even groot belang als haar veiligheid. Marque was onder de indruk van het harde werk dat de prinses de hele nacht had verzet. Ze was onvermoeibaar en beschikte over de inzet, passie, energie en zorgzaamheid van de jeugd. Marque vermoedde dat, mocht ze de tijd krijgen om haar te leren kennen, Christianna iemand was die ze graag zou mogen. Ze leek zo aards en spontaan.

Toen iedereen zo ver mogelijk het veld op was gegaan, duurde het nog geen halfuur voor het lawaai van explosieven, geweervuur, traangas en bommen oplaaide, terwijl de commandotroepen en oproerpolitie het gebouw bestormden. Het was onmogelijk te bepalen wie de overhand had. Het was moeilijk te geloven dat, als het allemaal voorbij was, er van beide partijen nog iemand in leven zou zijn.

Christianna liet de zwangere vrouw, die nu op een brits lag, af en toe even alleen om naar de stand van zaken te informeren. Maar dat wist nog niemand. Daarvoor was het nog te vroeg, want de strijd woedde voort. Samen met de andere Rode Kruiswerkers deelde Christianna dekens, koffie, water en eten uit aan de omstanders. In twee vrachtwagens hadden ze kleine kinderen ondergebracht, die rilden in de kou van de vroege ochtend. Pas uren later staakte het vuren. Dat was bijna nog angstiger dan toen het begon. Niemand wist precies wat dat betekende of wie nu aan de winnende hand was. In de verte zagen ze nog steeds troepen in actie, maar toen werd ergens bovenin een witte vlag uit het raam gestoken. Rillend van de kou stonden de mensen op het veld op nieuws te wachten.

Het duurde nog twee uur voor een groep soldaten het veld overstak om hen terug te voeren. De tragiek was dat er honderden kinderlijkjes te identificeren waren en dat er nog urenlang golven van smartelijk geschreeuw oplaaiden en wegebden van gezinnen die hun doden betreurden. Op twee na hadden de terroristen de hand aan zichzelf geslagen. De bommen in de school waren niet tot ontploffing gekomen, maar werden door speciale eenheden ontmanteld. De twee overgebleven terroristen waren in gepantserde voertuigen afgevoerd, voor de menigte hen kon vierendelen. De militaire inlichtingendienst wilde de twee verhoren. In totaal waren vijfhonderd kinderen en bijna alle volwassenen dood. Het was een gruwelijk drama dat iedereen nog lang zou heugen. Nu het voorbij was, wemelde het overal van de pers. De politie probeerde tevergeefs om die tegen te houden.

Samen met de andere Rode Kruiswerkers leidde Christianna de ouders tussen de levenloze kinderen door om ze te identificeren, waarna ze hen hielp de lijken in lakens te wikkelen en in de kleine doodskisten te leggen die men inmiddels had laten aanrukken. Voor de zoveelste keer kreeg ze een brok in haar keel toen ze haar zwangere vriendin aantrof, die huilend haar zoon tegen zich aan drukte. Het jongetje was zo goed als naakt en zat onder het bloed uit een snee in zijn hoofd, maar hij leefde nog. Christianna liep naar haar toe en sloeg haar armen om hen heen. Ze trok haar jack uit en legde het om de schouders van het kind, terwijl de vrouw haar door haar tranen heen glimlachend aankeek en bedankte. Christianna bracht haar naar een ziekenbroeder om het jongetje te laten onderzoeken. Ondanks de traumatische ervaring en de wond aan zijn hoofd bleek hem wonder boven wonder niets te mankeren. Het tafereel was Marque niet ontgaan, die zelf zij aan zij met de andere Rode Kruiswerkers de mensen hielp bij het identificeren van de lijken en het afsluiten van de kisten. Het was een afschuwelijke tijd, zelfs voor de militairen en de anderen die zoiets al eerder hadden meegemaakt. De recente geschiedenis had een paar keer afschuwelijke uitingen van terrorisme gekend.

Voor Christianna was het een ware vuurdoop. Terwijl ze gebukt stond om iemand te helpen, merkte ze dat ze, net als iedereen, onder het bloed zat van de al dan niet dode kinderen die ze in hun armen hadden gehad.

De hele middag en avond kwam er nog een groot aantal ambulances, lijkwagens, trucks en andere voertuigen met mensen uit naburige steden en verre omstreken. Het gaf het gevoel alsof heel Rusland bij deze mensen wilde zijn om hen te helpen met het begraven van hun doden en om te rouwen. Tegen het eind van de avond had men een duidelijk beeld van wie er waren omgekomen en wie er waren gered. Van bijna alle kinderen was de identiteit vastgesteld, al waren er een paar met spoed naar het ziekenhuis gebracht van wie niemand hun naam kende. Het was al middernacht toen Christianna en haar lijfwachten Marque en de anderen hielpen bij het inladen van hun vrachtwagens. Het vrijwilligerswerk zat erop. De rest zou worden gedaan door beroepskrachten van het Rode Kruis, die de kinderen zouden lokaliseren die elders in ziekenhuizen waren ondergebracht. Christianna bleef tot het bittere einde. Bij de vrachtwagen bleef ze staan, sloeg haar armen om Marque heen en barstte van verdriet en uitputting in tranen uit. Ze hadden de afgelopen dagen veel te veel te zien gekregen. Christianna, die er pas sinds de vorige avond was, was ervan overtuigd dat haar leven voorgoed was veranderd. Alles wat ze voordien had gezien, gedaan of meegemaakt was nu in haar ogen onbelangrijk.

Marque wist beter dan wie ook dat dat zo in zijn werk ging. Haar eigen twee kinderen waren bij een opstand in Afrika omgekomen. Daar waren ze in een periode van politieke onrust te lang gebleven, wat ze zichzelf haar leven lang niet zou vergeven en wat haar uiteindelijk haar huwelijk had gekost. Daarna was ze in Afrika gebleven en was ze aan het hoofdstuk Rode Kruis begonnen om de plaatselijke bevolking te helpen. Ze ging nog vaak terug, had tijdens diverse oorlogen en conflicten in het Midden-Oosten gewerkt, en ook in Midden-Amerika. Ze ging overal naartoe waar ze nodig was.

Ze had geen vaderland meer. Ze was wereldburger, haar nationaliteit was het Rode Kruis en haar missie was al diegenen te helpen die haar nodig hadden, ongeacht de situatie, hoe oncomfortabel, afmattend of gevaarlijk ook. Marque was nergens bang voor en hield van iedereen. Nu stond ze met haar armen om Christianna heen geslagen, terwijl de jonge vrouw huilde als een kind.

'Ik weet het,' zei Marque zachtjes, zoals altijd zonder acht te slaan op haar eigen vermoeidheid. Dit gaf haar leven zin, en daarin ruimde ze graag een plaats in voor mensen die dat harder nodig hadden dan zij. Ze was niet bang om in het harnas te sterven. Dit was nu haar familie, waar al haar liefde naar uitging. 'Ik weet hoe moeilijk het de eerste keer is. Je hebt geweldig je best gedaan,' zei ze prijzend, terwijl Christianna geen aanstalten maakte om zich uit haar omhelzing los te maken. Ze was nauwelijks groter dan een kind. Haar lijfwachten waren die avond ook menigmaal in huilen uitgebarsten en schaamden zich daar niet langer voor. Dat vond Christianna ontzettend lief. Het duurde een hele poos voor ze haar ogen afveegde en zich losmaakte uit de armen van de oudere vrouw. Het grootste deel van haar leven had ze geen moederlijke omhelzing ondergaan, en nu voelde het precies zoals ze zich altijd had voorgesteld. Iemand die je net zolang vasthield tot je het leven weer aankon. Christianna wist niet of ze al zover was. Ze zou nooit vergeten wat voor drama's ze vannacht had gezien, noch de pure vreugde van de ouders toen ze hun kinderen levend terugvonden. Ze had verwacht hard te moeten werken, maar niet dat haar hart uit haar lichaam zou worden gerukt en aan stukken gereten. 'Mocht je ooit voor ons willen werken,' zei Marque, en dat meende ze, 'bel me dan op. Volgens mij heb je er de gave voor.' Na de dood van haar kinderen had ze die bij zichzelf ontdekt en de kinderen van Afrika tot haar familie gemaakt. Net zoals ze in de loop der jaren alle kinderen over de hele wereld had liefgehad en getroost. Ze had haar verlies omgezet in een zegen voor anderen.

'Ik zou willen dat dat kon,' zei Christianna. Ze wist maar al te goed dat haar vader haar nooit zou toestaan om voor het Rode Kruis te gaan werken.

'Misschien voor een korte tijd. Denk er maar over na. Ik ben gemakkelijk te vinden. Bel het Internationale Rode Kruis in Genève maar – daar weten ze me altijd te vinden. Ik blijf nooit ergens lang. Als je wilt, zullen we erover praten.'

'Heel graag,' zei Christianna oprecht, al wist ze dat ze haar vader nooit zou kunnen ompraten. Hij zou krankzinnig worden, bij het idee alleen al. Maar dit had zoveel meer betekenis dan wat ze thuis kon doen, of zelfs voor de stichting. Voor het eerst in haar leven had ze die nacht het gevoel gehad dat ze leefde, dat ze zich nuttig maakte, alsof haar leven een doel had en geen bijkomstigheid was. Marque vergat ze haar hele leven niet meer, wist ze, ook al zouden ze elkaar nooit meer terugzien.

De beide vrouwen omhelsden elkaar nog een keer, en toen de Rode Kruiswagens vertrokken, ging ze met Max en Samuel terug naar de plek waar ze de auto hadden neergezet. De wagen zat vol kogelgaten en de voorruit was ingeslagen en lag in kleine brokjes op de vloer. De mannen ruimden het allemaal zo goed mogelijk op. Het zou koud zijn op de terugrit naar de luchthaven. Ze vertrokken niet lang nadat het Rode Kruis was weggereden en de zon strepen over de hemel trok. Er waren nog steeds soldaten en politie in het gebied. Alle lijken waren geruimd. De ambulances waren vertrokken. En de kinderen die daar waren gedood zou niemand ooit vergeten.

Het was een lange, zwijgzame rit naar Vladikavkaz. Christianna en haar lijfwachten waren te moe om veel tegen elkaar te zeggen, en te geschokt door wat ze hadden gezien. Ditmaal reed Max, terwijl Samuel op de stoel naast hem in slaap was gevallen en Christianna uit het raam staarde. Die anderhalve dag dat ze daar waren geweest leek een eeuwigheid. Christianna bleef de hele rit wakker, met haar gedachten bij de jonge zwangere vrouw – nu een weduwe met drie kinderen. Ze dacht aan Marque en de vriendelijkheid in haar gezicht, haar onuitputtelijke goedheid en mededogen. Ze dacht ook na over wat ze op het laatst had gezegd en ze hoopte dat ze haar vader op andere gedachten zou kunnen brengen. Ze voelde geen enkele behoefte om een bul of doctoraaltitel aan de Sorbonne te behalen. Dat zei haar niets. Maar vooral dacht ze aan de gezichten die ze die nacht had gezien: de mensen die waren omgekomen en de gezichten van de overlevenden toen ze verdoofd te midden van hun gezin of hun ouders hadden rondgelopen... De zegeningen, de verliezen, de drama's, de gruwelijkheden, de vreselijke mensen die hun dat hadden aangedaan, volkomen gewetenloos. Ze zweeg nog steeds en ze was klaarwakker toen ze bij de luchthaven aankwamen. Ze brachten de auto terug en drukten de verhuurder op het hart dat zij de schade op hun geweten hadden. Christianna zei dat ze dat maar moesten verrekenen met de creditcard die ze hun eerder had laten zien. Ze zag de mensen wel kijken toen ze over de luchthaven liepen, maar ze had geen idee waarom. Tot haar ene lijfwacht zijn jack om haar schouders legde.

'Laat maar, hoor. Ik heb het niet koud,' verzekerde ze hem, waarna ze het aan hem teruggaf. Maar hij keek haar met treurige ogen aan.

'U zit onder het bloed, Hoogheid,' zei hij met gedempte stem. En toen ze naar haar trui keek, begreep ze de blikken. Het bloed van honderden kinderen en bijna evenveel volwassenen – al die mensen die ze had aangeraakt. Toen ze in de spiegel keek, zag ze dat het ook in haar haren zat. Ze had al twee dagen haar haar niet gekamd en dat kon haar helemaal niets meer schelen – het enige wat ze belangrijk vond, waren de mensen die ze in Digora had gezien.

Ze ging naar de dames-wc en probeerde zich wat op te knappen, wat vrijwel hopeloos was. Haar schoenen zaten onder de modder van het terrein waar ze had gestaan. Op haar spijkerbroek en haar trui zat geronnen bloed. Het zat ook in haar haren, onder haar nagels en ze had de geur nog in haar neus. Het was in haar ziel gesijpeld.

Toen ze op weg naar de uitgang haar paspoort liet zien, leverde ditmaal niemand enig commentaar. Laat die avond kwamen ze thuis.

De lijfwachten hadden van tevoren opgebeld, zodat haar auto met chauffeur bij de luchthaven stond te wachten. Ze hadden de chauffeur gevraagd handdoeken over de zittingen te leggen, wat hij pas begreep toen hij hen zag. Aanvankelijk drong het niet tot hem door dat het bloed was. Toen hij het begreep, keek hij geschrokken, maar hij zei niets. Zwijgend reden ze naar Vaduz. Terwijl de hekken openschoven en ze over de oprit reden, keek ze naar de plek waar ze woonde, waar ze was geboren en waarschijnlijk op een dag zou sterven – hopelijk pas als ze oud was. Maar het enige waarvan ze op dat moment was doordrongen was dat daar de afgelopen drie dagen niets was veranderd, maar dat zij als een ander mens was teruggekomen. Dat het meisje dat drie dagen geleden uit Vaduz was vertrokken niet meer bestond. De vrouw die na de bezetting in Digora thuiskwam, was voor altijd veranderd.

HOOFDSTUK 5

*C*hristianna zag haar vader niet op de avond dat ze thuiskwam. Hij was in Wenen voor een diplomatiek diner op de Franse ambassade en, net als toen hij met haar naar het ballet was geweest, bracht hij de nacht door in paleis Liechtenstein. Voordat hij vertrok, had hij al geweten dat Christianna in veiligheid was. Hun gsm's waren tijdens hun verblijf in Rusland buiten werking geweest, maar haar lijfwachten hadden vanaf de vluchthaven opgebeld om hem gerust te stellen. Tot dat moment had hij zich vreselijk bezorgd gemaakt. Hij kwam dan ook meteen na zijn thuiskomst naar haar toe. Dat was vierentwintig uur nadat zij uit Rusland was teruggekeerd. Ze zag er onberispelijk uit, in een spijkerbroek met een Berkeley-sweatshirt, en ze had *pennyloafers* aan. Haar haar was frisgewassen en geborsteld. Er was haar niet aan te zien wat ze allemaal had doorgemaakt of hoe intriest het was geweest – tot hij in haar ogen keek. Bij wat hij zag, sloeg de schrik hem om het hart. In die ogen zag hij meer van het leven dan hij ooit had gezien; ze leek wijzer, ouder, treuriger, maar geestelijk gerijpt. Net zoals zijzelf bij thuiskomst had geweten dat ze, na alles waarmee ze die drie dagen was geconfronteerd, een ander mens was geworden. Hij werd bang als hij naar haar keek. Hij wist dat alles anders was geworden sinds hij haar voor het laatst had gezien.

'Hallo, papa,' zei ze zachtjes, toen hij zijn armen om haar heen sloeg en haar een kus gaf. 'Wat ben ik blij om u te zien.' Ze leek volwassener dan ooit – een echte vrouw. Hij wilde haar in zijn armen houden en nooit meer loslaten, maar het schoot hem te binnen dat hij dat niet zou kunnen. Het kind dat hij had gekend en gekoesterd was opeens verdwenen en haar plaats was ingenomen door een vrouw die dingen had geleerd en gezien die niemand ooit zou hoeven weten.

'Ik heb je gemist,' zei hij droevig. 'Ik heb me zo'n zorgen over je gemaakt. Ik heb voortdurend naar het nieuws gekeken, maar ik zag je helemaal niet. Was het net zo afschuwelijk als het er op tv uitzag?' vroeg hij, terwijl hij naast haar ging zitten en haar hand vastpakte. Hij zou willen dat ze niet was gegaan, maar ze was niet tegen te houden. Dat wist hij toen en dat wist hij nu.

'Nog erger. Er was een heleboel dat de pers niet mocht laten zien, uit respect voor de gezinnen.' Tranen rolden over haar wangen, en zijn hart deed pijn om wat ze had meegemaakt. Hij had alles gedaan om haar dat te besparen. 'Ze hebben zoveel kinderen gedood, papa. Honderden – als koeien, of schapen of geiten.'

'Ik weet het. Ik heb er iets van op televisie gezien. De gezichten van de families waren zo vreselijk. Ik moest steeds maar denken aan hoe het zou voelen om jou te verliezen. Ik kon er niet tegen. Ik weet niet hoe die mensen eroverheen moeten komen, hoe ze verder moeten. Het moet ontzettend moeilijk zijn.' Toen dacht ze aan haar zwangere vriendin, met wie ze niet eens had kunnen praten, maar dat ze alleen maar in elkaars armen hadden gehuild... En aan Marque, en aan iedereen die in die paar dagen haar pad had gekruist. 'Ik was opgelucht dat de pers zich niet op je heeft gestort. Zijn ze er ooit achter gekomen dat je er was?' Hij dacht van niet, anders zou hij het wel hebben gehoord.

Ze schudde haar hoofd. 'Nee, en de vrouw die de leiding had bij het Rode Kruis was heel discreet. Ze wist het zodra ze mijn paspoort zag. Ze vertelde dat er vroeger een paar familieleden van ons voor haar hadden gewerkt.'

'Ik ben blij dat ze niets heeft gezegd. Ik was bang dat iemand uit de school zou klappen.' In dat geval zou dat haar minste probleem zijn geweest, al had ze het ook niet leuk gevonden en ze was blij dat ze haar werk ongemerkt en ongestoord had kunnen doen. Het zou ontzettend storend zijn geweest om steeds fotografen onder haar neus te hebben, en kwetsend voor de rouwenden. Ze had geboft dat ze de hele reis anoniem was gebleven.

Toen keek ze haar vader indringend aan, waardoor hij aanvoelde dat er iets op til was wat hem niet zou bevallen. Ze verstrakte haar greep om zijn hand en keek hem recht in de ogen. Die van haar waren bodemloze, helderblauwe vijvers, net zoals de zijne, al waren die van hem oud en de hare jong. Hij zag twee meren vol hoop en pijn. Hij wist dat het haar een hele tijd zou kosten om te vergeten wat ze daar allemaal had gezien.

'Ik wil terug, papa,' zei ze zachtjes, waarop hij reageerde met een geschrokken en gekwetste blik. 'Niet naar Rusland, maar naar het werken voor het Rode Kruis. Ik wil een bijdrage leveren en dat kan ik hier niet doen. Ik weet dat ik dat niet eeuwig kan doen, maar ik wil een jaar, een halfjaar... Daarna zal ik alles doen wat u van me vraagt. Maar ik wil één keer in mijn leven iets doen wat nut heeft voor anderen, veel nut. Papa, alstublieft...' Haar ogen vulden zich met tranen toen hij zijn hoofd schudde en ongemakkelijk heen en weer schoof in zijn stoel.

'Dat kun je voor de stichting van je moeder doen, Cricky. Je hebt een schokkende ervaring achter de rug. Ik weet wat het is.' Hij had zelf eerder rampzalige taferelen gezien en mensen die verscheurd werden door verdriet. Maar hij kon haar verzoek niet inwilligen. 'Er zijn zoveel dingen die je hier kunt doen. Ga met gehandicapte kinderen werken, als je wilt, of met de armen in Wenen. Meld je als vrijwilliger op de brandwondenafdeling van een ziekenhuis. Je kunt veel zorgen wegnemen en er zijn veel verdrietige mensen die je troost kunt bieden. Maar als je me vraagt om naar gevaarlijke landen te mogen, waar levengevaarlijke omstandigheden heersen en waar je zelf ook risico loopt, dan kan ik dat niet toestaan. Daarvoor ben je te belangrijk voor me en hou ik te veel van je. Bovendien ben ik je moeder hierin ook verantwoordelijkheid verschuldigd. Ze zou van me hebben verwacht dat ik over je veiligheid waak.'

'Ik heb geen zin in die dingen hier,' zei ze geprikkeld. Daardoor klonk ze weer als een kind, maar zo voelde ze zich bij hem ook. Dit was een discussie waarin ze niet het onderspit wenste te delven, en hij evenmin. 'Ik wil voor één keer in mijn leven de wereld in trekken: iemand anders zijn, hard werken en mijn plicht doen, voor ik me voor eeuwig in dit luxeleventje schik, zoals Victoria, die niet kan kiezen welke tiara ze zal opzetten en welke jurk ze moet aantrekken, en de rest van mijn leven linten doorknip in ziekenhuizen en wezen en bejaarden ga bezoeken.' Hij wist hoe dat leven op je zenuwen ging werken, en dat sprak hij ook niet tegen. Maar met name als vrouw kon ze nu eenmaal niet gaan en staan waar ze wilde, om haar leven te riskeren in oorlogsgebieden of sloten te graven voor de armen om te boeten voor de zonde dat ze rijk en van koninklijken bloede was. Hij wist beter dan wie ook dat ze zich nu moest schikken in wie ze was.

'Je bent net terug van vier jaar in de Verenigde Staten. Je had daar een enorme vrijheid' – zelfs meer dan hij wist – 'maar nu moet je aanvaarden wie je bent en alles wat daarbij komt kijken. Het wordt tijd dat je thuiskomt, in plaats dat je ervoor wegvlucht, Christianna. Ik weet het: ik heb het ook geprobeerd toen ik jong was. Per slot van rekening is dit wie we zijn en alles wat daarbij komt kijken, hebben we maar te doen.' Het klonk haar in de oren als een terdoodveroordeling, waardoor de tranen over haar wangen rolden van verdriet over de vrijheid die ze nooit zou kennen of mogen smaken – over de dingen die ze nooit zou doen. Want dat ene jaar van haar leven wilde ze zijn als ieder ander. Haar vader zei dat het voor haar onmogelijk was. Dit was het enige geschenk dat ze nu van hem wilde, voor het te laat was. Als ze het ooit van plan was te doen, was het er nu de tijd voor.

'Hoe komt het dan dat Freddy nog wel de wereld over trekt en kan doen wat hij wil?'

'Om te beginnen' – haar vader keek haar glimlachend aan – 'is je broer onvolwassen,' zoals ze allebei wisten. Haar vader trok zijn gezicht weer in de plooi. Hij wist dat dit een belangrijk onderwerp voor haar was. 'Verder waagt hij zich niet in gevaarlijke gebieden, tenminste, niet letterlijk of geografisch gevaarlijk, of vanwege omstandigheden zoals jij die in Rusland hebt meegemaakt. Je broer creëert zelf zijn gevaren en die zijn veel minder schadelijk dan wat jij zou tegenkomen als je voor het Rode Kruis werkt. Dan zou je een jaar, of weet ik hoe lang, met dingen bezig zijn die je zojuist hebt doorgemaakt. Deze keer is er goddank niets onverkwikkelijks gebeurd en is je niets overkomen. Maar het had gekund. Als ze werkelijk de school hadden opgeblazen, zonder aankondiging vooraf, had je gewond kunnen raken, of erger.' Hij huiverde bij de gedachte. 'Christianna, ik stuur je niet de wereld in om gewond te raken, of aan flarden te worden geschoten, of blootgesteld te worden aan tropische ziekten of natuurrampen, politieke onlusten of wat voor geweld dan ook. Dat vertik ik gewoon.' Hij hield voet bij stuk, zoals ze al had verwacht, maar ze wilde nog niet van opgeven weten. Het betekende op dat moment te veel voor haar. Bovendien wist ze dat, zelfs als ze voor de stichting van haar moeder ging werken, hij haar geen toestemming zou geven om met hun mensen mee te reizen naar primitieve gebieden, ook niet voor een kort bezoek. Het enige wat hij wilde, was haar beschermen, maar dat was nu juist waar ze zo moe van was en wat haar tegenstond.

'Wilt u er op zijn minst over nadenken?' smeekte ze.

'Absoluut niet,' zei hij, en hij stond op. 'Ik zal alles doen wat ik kan en alles wat jij wilt om je leven hier aangenamer en interessanter te maken. Maar vergeet het Rode Kruis en dergelijke, Christianna.' Hij keek haar streng aan, boog zich voorover om haar een kus te geven, en voor ze nog iets kon zeggen beende hij de kamer uit. De discussie was gesloten. En nog uren later zat ze afwisselend terneergeslagen en woedend in haar kamer te broeden. Waarom was hij zo onredelijk? En waarom moest ze uitgerekend een prinses zijn? Ze vond het vreselijk om van koninklijken bloede te zijn. Die avond beantwoordde ze zelfs niet haar e-mail uit Amerika, wat ze altijd met genoegen deed. Ze had te veel andere dingen aan haar hoofd.

De volgende twee dagen wist ze haar vader volledig uit de weg te blijven. Ze ging paardrijden en met haar hond rennen, ze knipte linten door in een weeshuis en het zoveelste bejaardenoord, ze sprak een cassette voor blinden in en bezocht de stichting, en ze vond het allemaal verschrikkelijk. Ze had iedereen en overal willen zijn, behalve zichzelf en zolang dat maar niet thuis in Vaduz was. Ze had niet eens zin om naar Parijs te gaan. Boven alles verfoeide ze haar leven, haar voorouders, het paleis, en haar vader die ze had getrotseerd. Ze wilde geen prinses meer zijn. Ze vond het een vervloeking – en zeker geen zegen, zoals ze haar haar hele leven hadden wijsgemaakt. Ze belde Victoria in Londen op om tegen haar te klagen, en die zei dat ze onmiddellijk moest terugkomen. Maar wat had dat voor zin? Dan zou ze toch weer terug moeten naar Vaduz en naar alles wat haar daar wachtte. Haar Duitse nichtjes vroegen of ze kwam logeren, maar ze had ook geen zin om daarnaartoe te gaan. En ze weigerde het om met haar vader op reis te gaan naar Madrid voor een bezoek aan de koning van Spanje. Ze haatte ze allemaal.

Twee weken lang was ze ziedend geweest, diep in de put, toen haar vader haar kwam opzoeken. Ze was hem vijf dagen lang koppig uit de weg gegaan. Hij wist heel goed dat ze zich ellendig voelde en toen hij op een stoel in haar slaapkamer plaatsnam, zag hij er zelf ook diep ongelukkig uit. Uit respect voor hem zette ze de muziek zachter. De muziek waarmee ze alles wat er door haar hoofd speelde en al haar zorgen probeerde te overstemmen. Zelfs Charles leek zich te vervelen, zoals hij naar haar omhoogkeek, met zijn staart kwispelde en niet de moeite nam overeind te komen.

'Ik wil met je praten,' zei haar vader kalm.

'Waarover?' vroeg ze, nog steeds geïrriteerd en koppig.
'Over dat krankzinnige idee van je om voor het Rode Kruis te gaan werken. Ik wil je duidelijk maken dat ik dat een uiterst slecht idee vind en dat je moeder het niet eens de moeite waard zou hebben gevonden om er met je over te praten. Ze zou me hebben vermoord als ik er ook maar één woord over vuil zou maken tegen jou.' Christianna hoorde hem fronsend aan. Ze was het beu dat hij haar ervan probeerde te overtuigen dat het een slecht idee was. Dat had ze al gehoord, een paar keer te vaak, en dat was nu net de reden waarom ze op dat moment haar mond niet tegen hem opendeed.

'Ik weet hoe u erover denkt, papa,' zei ze somber. 'U hoeft het me niet nogmaals te vertellen. Ik weet het nou wel.'
'Ja, dat zal wel, en ik ook. Vandaar dat je nog één keer naar me mag luisteren.' Bijna lachte hij in zijn vuistje, want hij bedacht dat hij weliswaar over een land met 33.000 onderdanen regeerde, maar dat hij meer last had met het regeren over één enkele dochter. Hij zuchtte, waarna hij verder sprak. 'Ik heb deze week met de directeur van het Rode Kruis gesproken. We hebben lang met elkaar gepraat. Op mijn verzoek, tussen haakjes, is hij uit Genève bij me gekomen.'
'U komt niet van me af door me als vrijwilliger op een kantoor te laten werken,' zei ze. Ze keek hem verontwaardigd aan, terwijl hij de grootste moeite deed om zijn zelfbeheersing niet te verliezen, met succes. 'En ik ben niet van plan om een bal voor hem te organiseren – niet hier en niet in Wenen. Ik vind die dingen vreselijk. Ik vind ze stomvervelend.' Ze sloeg haar armen over elkaar, ten teken dat ze het vertikte.
'Dat ben ik allemaal met je eens, maar die dingen horen bij mijn werk. En op een dag horen ze misschien ook bij jouw werk. Dat hangt ervan af met wie je trouwt. Ik vind al die dingen ook niet leuk, maar ze worden van ons verwacht, en je kunt niet zomaar besluiten dat je niet wilt zijn wie je bent. Anderen hebben dat vóór jou gedaan en die hebben niets van hun leven terechtgebracht. Christianna, je hebt geen andere

keus dan je lot te aanvaarden, en dat ligt hier. In menig opzicht zijn we bevoorrecht.' Zijn toon werd wat milder toen hij haar aankeek. 'Bovendien hebben we elkaar, en ik hou heel veel van je. En ik wil niet dat je ongelukkig bent.'

'Ik bén ongelukkig,' zei ze nog eens met nadruk. 'Ik leid een volkomen nutteloos, stom, verwend, luxeleven. En de enige keer dat ik ooit iets van betekenis, iets nuttigs heb gedaan was twee weken geleden in Rusland.'

'Dat weet ik. En ik weet dat je er zo over denkt. Ik begrijp het. Een groot deel van wat men doet, in elk beroep, is onbetekenend en onnatuurlijk. Het is heel zeldzaam om een ervaring te hebben zoals jij die zojuist hebt gehad, waarbij je mensen in hun schokkendste momenten daadwerkelijk helpt. Daarmee kun je niet je leven vullen.'

'Dat is nou net wat de vrouw doet die aan het hoofd stond van de Rode Kruisoperatie in Rusland. Ze heet Marque, en ze is een fantastisch mens.'

'Ik weet alles over haar,' zei haar vader kalm. Hij had vele uren met het hoofd van het Rode Kruis doorgebracht en uiteindelijk was de prins, zij het met ernstige reserves, voldaan geweest over hun gesprek. 'Cricky, ik wil dat je naar me luistert. Ik wil niet dat je je ellendig voelt, of zelfs ongelukkig. Je moet absoluut accepteren wie je bent, en begrijpen dat er geen ontkomen aan is. Het is je lot, je bestemming en je plicht. En in vele opzichten ook een zegen, al zie je dat nog niet in. En daarbij hoort dat je een zegen voor anderen moet zijn, zoals je bent, waar je bent, en dat je dat niet probeert te verloochenen. Ook voor mij ben je een zegen, en op een dag zul je dat ook voor je broer zijn. Je weet heel wat meer over dit land dan hij. En jij zult hem helpen om het te regeren, ook al is dat op de achtergrond. Daarvoor reken ik zelfs op je. Hij zal de regerende prins zijn, maar dan ben jij zijn mentor en adviseur. Hij kan dit land niet regeren zonder dat jij hem wegwijs maakt.' Het was de allereerste keer dat hij dat ook maar tegen haar suggereerde, en het gaf haar een schok. 'Hoe je met je verantwoordelijkheden omgaat, met je leven en hoe je dat aanpakt, hoe ongelukkig je jezelf maakt, hangt helemaal van jezelf af. Ik wil dat je er een poosje over nadenkt. Je kunt er niet aan ontkomen wie je bent – nu niet, later niet, nooit. Ik verwacht heel veel van je, Christianna. Ik heb je nodig. Je bent een Doorluchtige Hoogheid. Dat hoort bij je – als erfgoed en als je taak. Begrijp je me?' Nog nooit van haar hele leven was hij zo duidelijk geweest, en het maakte haar zo bang dat ze weg wilde vluchten.

Ze wilde zich onttrekken aan wat hij had gezegd, maar dat durfde ze niet. Uiteindelijk was hij haar vader, regerende prins of niet. Ze vond het vreselijk om aan te moeten horen wat hij had gezegd, omdat het zo pijnlijk waar was, en ze vond het afgrijselijk om eraan te worden herinnerd. Het was een last die ze niet zou kunnen verlichten, afschuiven of af- werpen. Nooit. En nu wilde hij ook nog Freddy's verplich- tingen boven op de hare stapelen. 'Ik begrijp u, vader,' zei ze verbeten. Ze noemde hem alleen 'vader' in plaats van 'pa- pa' wanneer ze heel boos was. Net zoals hij haar bij haar ti- tel aansprak, wat zelden gebeurde, wanneer hij woedend op haar was, wat nog minder vaak voorkwam.

'Mooi. Als je me begrijpt, kunnen we dus verdergaan,' zei hij, allerminst geïntimideerd. 'Want uiteindelijk is de keus in deze aan jou. Ik wil dit alleen met je bespreken als je wer- kelijk aanvaardt wie je bent en je onderwerpt aan wat je uit- eindelijk te doen staat. Als je daar op dit moment niet toe in staat bent, zal ik je tijd geven om aan het idee te wennen. Maar vroeg of laat moet je terugkeren tot je plichten in Va- duz. Tot je eigen taken en verplichtingen, en je broer bij- staan en wegwijs maken in de zijne.' Het was een enorme belasting voor haar te horen wat hij van haar verwachtte en waaraan ze op een dag zou moeten voldoen. Het was nog erger dan ze had gevreesd.

'Ik wil niet naar Parijs,' zei ze koppig.

'Dat wilde ik ook niet suggereren. Ik vind het ook niet pret- tig wat ik je wel ga suggereren. Maar de directeur van het Rode Kruis heeft er persoonlijk in toegestemd de volledige verantwoordelijkheid voor jou op zich te nemen. Hij verze- kerde me, hij bezwoer me zelfs dat, als ik jou aan hem toevertrouw, je niets ergs zal overkomen, en daar zal ik hem aan houden. Als zich ook maar het geringste incident voordoet, of een politieke situatie ook maar enigszins onaangenaam wordt, kom je zonder verdere discussie met het eerstvolgende vliegtuig naar huis. Maar voorlopig geef ik je toestemming om het komende halfjaar mee te werken aan een van hun projecten. Hooguit een jaar, als het soepel verloopt. Maar daarna kom je naar huis, wat er ook gebeurt. Voorlopig leg ik me slechts vast voor zes maanden. Daarna zullen we wel zien. Ze hebben een project in Afrika, dat je volgens hen aanlokkelijk zal lijken. Het is opgezet door je vriendin Marque. Het betreft voornamelijk een centrum voor vrouwen en kinderen met aids, en het is momenteel een van de schaarse vreedzame gebieden van Afrika. Mocht dat op een gegeven moment veranderen, dan is het afgelopen en kom je naar huis. Is dat duidelijk?'

Er stonden tranen in zijn ogen toen hij was uitgesproken. Ze keek hem verbijsterd aan. In geen miljoen jaar had ze verwacht dat hij van gedachten zou veranderen over wat ze wilde gaan doen.

'Meent u het? Meent u het echt?' Ze stond op en sloeg haar armen om zijn hals, terwijl ze het nauwelijks kon geloven. Er stonden ook tranen in haar ogen toen ze hem een knuffel en een kus gaf. Ze was door het dolle heen. 'O, papa!' zei ze, ongelooflijk ontroerd, en ze drukte hem stevig tegen zich aan.

'Ik ben waarschijnlijk stapelkrankzinnig dat ik je dit laat doen. Ik zal wel seniel worden,' zei hij met onvaste stem. Hij had er grondig over nagedacht en toen had hij zich herinnerd hoe gekweld hij zelf op haar leeftijd was geweest, omdat hij iets belangwekkenders met zijn leven had willen doen. Het waren voor hem een aantal tergende jaren geweest. Als kroonprins was hij toen absoluut niet in de positie om zich aan zijn verplichtingen te onttrekken en hij moest maar met zijn frustratie zien te leven. Maar toen hij haar moeder had ontmoet en met haar trouwde, werd alles anders. Kort daarna was zijn vader overleden en had hij de troon bestegen.

Hij had nooit tijd gehad om op die vroegere ongelukkige jaren terug te kijken. Maar hij kon ze zich nog goed herinneren toen hij sprongsgewijs door zijn geheugen ging, wat hem uiteindelijk over de streep had getrokken. Daarbij kwam het feit dat Christianna nooit zou worden belast met de verantwoordelijkheid om te regeren. Dat alles bij elkaar had tot zijn besluit geleid, al was het met een loodzwaar hart en alleen omdat hij zoveel van haar hield, waar Christianna zich altijd van bewust was, ook al was ze boos op hem. Nu was ze niet boos meer. Ze was nog nooit van haar leven zo dankbaar of gelukkig geweest.

'O, papa,' zei ze ontroerd. 'Wanneer kan ik gaan?'

'Ik wil dat je met de feestdagen hier bent. Zonder jou ben ik niet van plan om hier te blijven, al klinkt het egoïstisch. En dat is het ook. Ik heb tegen de directeur gezegd dat je in januari kunt gaan, of later als je wilt, maar niet eerder. Je hebt überhaupt tijd nodig om je voor te bereiden. Omdat ze daar bezig zijn met het opzetten van nieuwe projecten, hebben ze pas dan op zijn vroegst nieuwe vrijwilligers nodig.'

Ze knikte. Daar kon ze mee leven. Dat was over minder dan vier maanden. Ze kon amper wachten.

'Ik beloof dat ik tot mijn vertrek alles zal doen wat u van me wilt.'

'Dat is maar goed ook,' zei hij met een plagerige grijns. 'Ik mocht eens van gedachten veranderen.'

'Alstublieft niet!' zei ze, en nu leek ze weer een kind. 'Ik beloof dat ik me zal gedragen.'

Het enige wat haar speet, was dat ze zou vertrekken voordat haar broer naar huis kwam. Maar hem zou ze wel zien als ze terug was. Of misschien zou hij haar wel komen opzoeken. Hij had in Vaduz immers weinig te doen en hij hield van reizen. Hij was zelf al diverse keren in Afrika geweest. Ze kon amper wachten tot haar avontuur zou beginnen. Ze was nog nooit van haar leven zo gelukkig geweest. En daarna, als ze weer thuis was, zou ze zich in haar lot schikken. Zoals haar vader al had gezegd: het was haar bestemming en haar levenslot. En misschien dat ze dan voor de stichting zou gaan werken en daar op een dag leiding aan geven. Haar broer had daar toch geen belangstelling voor en wanneer hij hun vader opvolgde, zou hij er ook geen tijd voor hebben. Ze vond het nog steeds een angstig idee om hem wegwijs te moeten maken. Ze wist dat ze uiteindelijk voor die taak zou komen te staan. Maar eerst kon ze nadenken over haar verblijf in Afrika. Ze kon aan niets anders meer denken.

'Je moet voor je vertrek een paar weken naar Genève om een opleiding te volgen. Ik zal je het nummer van de directeur geven, dan kun je je secretaresse met hem laten overleggen. Of misschien kunnen ze iemand hiernaartoe sturen om je op te leiden.' Ze wilde geen bijzondere gunsten van hen, want het liefst wilde ze zich niet van anderen onderscheiden. Al was het alleen maar voor dit ene kostbare jaar. Het was haar laatste kans.

'Ik zal wel naar Genève gaan,' haastte ze zich te zeggen, zonder hem te vertellen waarom.

'Welnu,' zei hij, terwijl hij opstond, 'je hebt veel om over na te denken en heel wat te vieren.' Toen hij even in de deuropening bleef staan en haar over zijn schouder aankeek, zag hij er één moment uit als een oude man. 'Ik zal je verschrikkelijk missen.' En me doorlopend zorgen om je maken, maar dat zei hij niet. Hij zag er moe uit, zoals hij daar stond.

'Ik hou van u, papa... Dank u wel... uit de grond van mijn hart,' zei ze, en hij wist dat ze het meende. Hij wist ook dat hij had gedaan wat goed voor haar was, hoe zwaar het hem ook viel. Maar hij zou mensen met haar mee sturen om haar terdege te beschermen – daartegen viel niet te argumenteren. 'Ik hou ook van jou, Cricky,' zei hij zacht. Hij knikte erbij en hij glimlachte haar toe, waarna hij met tranen in zijn ogen de kamer uit liep.

HOOFDSTUK 6

*N*u haar vader het goedvond dat ze voor het Rode Kruis ging werken, stortte Christianna zich met hernieuwde energie op haar verplichtingen in Vaduz. Ze knipte linten door, bezocht zieken en bejaarden, las weesjes voor en woonde samen met haar vader diplomatieke en staatsaangelegenheden bij, zonder een enkele klacht. Hij was geroerd door haar inzet en vol hoop dat ze, eenmaal weer thuis, zover zou zijn om zich met meer berusting van haar koninklijke plichten te kwijten. Ze kon amper wachten tot ze in januari naar Afrika kon vertrekken. Bovendien had ze een briefje van Marque ontvangen, die via via had gehoord dat Christianna naar Afrika zou gaan. Ze bedankte haar nogmaals voor haar inzet toen ze samen waren en ze wenste haar alle goeds met haar avontuur. Ze vond het fantastisch voor haar. Ze zei dat het een ervaring zou zijn die ze nooit zou vergeten. Marque zelf ging ernaartoe zodra ze even de kans kreeg en ze zei dat ze er zeker een bezoek zou brengen in de tijd dat Christianna daar was.

Noch Christianna, noch haar vader was voorbereid op Freddy's reactie toen Christianna haar broer een e-mail stuurde om hem over haar plannen te vertellen. Hij was furieus en verzette zich hevig tegen het idee. Hij belde hun vader op en zette alles op alles om hem tot andere gedachten te brengen. Maar tot Christianna's grote opluchting bleef haar vader bij zijn besluit. Nadat hij er vruchteloos met zijn vader over had getwist, besloot Freddy om haar zelf te bellen.

'Ben je nou helemaal gek geworden?' vroeg hij kwaad. 'Wat denk je wel, Cricky? Afrika is gevaarlijk en je hebt geen idee wat je doet. Straks word je nog bij een lokale opstand door inboorlingen gedood. Ik ben er geweest; het is geen oord voor jou. Vader is waarschijnlijk krankzinnig geworden.'

'Stel je niet aan,' zei ze luchthartig, al was ze een beetje van haar stuk gebracht door zijn woede. 'Je bent er vorig jaar een maand geweest, en je hebt het er geweldig gehad.'

'Ik ben een man,' zei hij koppig, waarop ze haar ogen ten hemel sloeg. Ze vond het walgelijk als hij dergelijke dingen zei.

'Doe niet zo dom. Wat maakt dat nou uit?'

'Ik ben niet bang voor leeuwen en slangen,' beweerde hij stoer. Hij was ervan overtuigd dat ze doodsbang zou zijn voor die dieren.

'Ik ook niet,' zei ze dapper, al liep ze niet bepaald warm voor slangen.

'Daar geloof ik niets van. Je kreeg bijna een hartaanval toen ik een slang in je bed had gestopt,' hielp hij haar herinneren, en ze moest lachen.

'Ik was negen.'

'Je bent nu nauwelijks ouder. Jij hoort thuis te blijven, waar je hoort.'

'Waarvoor? Ik heb hier niets te doen, en dat weet je.'

'Je kunt met vader naar diners, of een man gaan zoeken. Gewoon, doen wat een prinses hoort te doen.' Daar was ze zelf nog niet eens uit. 'Ik hoorde, tussen haakjes, dat Victoria zich weer heeft verloofd. De kroonprins van Denemarken? Dat houdt vast geen stand.' Christianna sprak hem niet tegen; ze kenden hun nicht allebei maar al te goed. Zelf had ze van haar Duitse nichtjes gehoord dat Victoria hem al beu werd, al zei iedereen dat het een aardige vent was. Christianna kon zich eigenlijk niet voorstellen dat ze met wie dan ook zou trouwen – niet voor lang tenminste. 'Stom kind,' mopperde Freddy. 'Dat trouwen is een obsessie voor haar. Ik zie niet hoe een

87

man het zou uithouden om met haar getrouwd te zijn, al moet ik toegeven dat je erg met haar kunt lachen.'

'En jij?' vroeg Christianna klaaglijk. 'Wanneer kom jij naar huis? Verveel je je nog niet?'

'Nee,' zei hij op ondeugende toon. 'Ik heb het veel te leuk.'

'Nou, hier is het anders niet zo leuk zonder jou. Ik verveel me dood.'

'Dat is voor jou geen excuus om naar Afrika weg te vluchten en te zorgen dat je wordt vermoord.' Hij klonk oprecht bezorgd om haar. Al plaagde hij haar voortdurend en had hij haar als kind het leven zuur gemaakt, hij was dol op haar en het speet hem te horen dat ze al weg zou zijn tegen de tijd dat hij naar huis kwam. Hij dacht er ernstig over na haar te komen opzoeken, mocht ze haar in zijn ogen totaal krankzinnige plan werkelijk doordrukken.

'Ik word echt niet vermoord,' stelde ze hem gerust. 'Ik ga niet bij het leger. Ik ga voor het Rode Kruis werken bij een voorziening voor vrouwen en kinderen.'

'Ik vind dat je thuis moet blijven. Hoe is het eigenlijk met vader?' vroeg hij terloops. Hij voelde zich ietwat schuldig omdat hij zo lang was weggebleven, maar ook weer niet zo schuldig dat hij naar huis kwam.

'Het gaat goed met hem. Hard aan het werk, zoals altijd. Waarom probeer je niet voor de kerst thuis te komen, voor mijn vertrek?'

'Ik moet nog veel te veel bekijken in China. Hongkong, Peking, Singapore, Sjanghai, en ik wil op de terugweg nog even naar Birma om vrienden op te zoeken.'

'Het zal hier voor ons treurig zijn zonder jou – dat is het nu al.'

'Welnee,' zei hij lachend. 'Je zult het te druk hebben met lol trappen in Gstaad.' Daar gingen ze met kerst en oud en nieuw altijd naartoe, maar zelfs dat zou zonder hem minder leuk worden. Ze ging zo graag met hem skiën, al ging ze met haar vader elk jaar op bezoek bij vrienden en familie. Dat was een heel plezierig deel van hun leven. En kort daarna zou ze vertrekken.

'Ik mis je echt, hoor,' zei ze, omdat ze even last kreeg van een gevoel van melancholie. Het was prettig om met hem te praten, ook al keurde hij haar plannen af. Hij wilde haar ontzettend graag beschermen, al sinds hij volwassen was. Toch kon ze zich moeilijk voorstellen dat hij op een dag de regerende prins zou zijn. Ze dacht er niet graag aan, want hoogstwaarschijnlijk zou dat pas gebeuren wanneer haar vader er niet meer was, wat hopelijk nog heel lang zou duren. Maar intussen was Freddy alleen maar aan het buiten spelen. Hij had ook geen enkele zin zijn tijd in het piepkleine Vaduz te slijten. Als hij er was, verveelde hij zich nog erger dan Christianna en dan vervulde hij ook minder officiële verplichtingen dan zij. Hij had zich nooit geïnteresseerd voor dergelijke oubollige zaken. Hij onttrok zich doodleuk aan zijn verantwoordelijkheden en kneep ertussenuit zodra hij maar kon.

'Ik mis jou ook,' zei Freddy hartelijk. 'En wat hoorde ik? Ben je in Rusland geweest? Vader zei zoiets, maar ik begreep het niet helemaal. Wat deed je daar?' Ze vertelde hem van de terroristische aanslag op de school in Digora, de gijzelaars die ze hadden gemaakt, het gruwelijke dodental en de stuitende dingen die ze daar had gezien. Zo te horen was hij geschokt en begreep hij nu beter wat haar ertoe had gebracht om zich bij het Rode Kruis aan te melden. 'Wat is er met je aan de hand, Cricky? Je bent toch niet van plan om non te worden of zo?' Hij kon zich niet eens voorstellen dat ze zomaar naar Rusland vloog om zich drie dagen voor het Rode Kruis in een gijzelingsdrama te storten. Hij had de aanslag op het nieuws gezien, maar het zou in geen miljoen jaar in hem zijn opgekomen om op het vliegtuig te springen en op de plaats des onheils te gaan helpen. Dat zou wel het laatste zijn geweest waar hij aan dacht. En al hield ze nog zoveel van hem, Christianna besefte terdege dat hij ontzettend verwend en egocentrisch was.

'Nee, ik ben niet van plan om non te worden,' zei ze lachend. 'Zijn er soms slechte kerels die ik moet wegjagen als ik thuiskom?'

'Geen enkele,' zei ze glimlachend. Ze was niet met iemand uit geweest sinds ze in juni uit Berkeley was vertrokken. Ze was vier jaar weggeweest en had die paar vrienden die ze thuis had gehad, uit het oog verloren. Ze had altijd een geïsoleerd bestaan geleid. 'Jij bent de enige in en in slechte kerel die ik ken.'

'Inderdaad,' zei hij trots. 'Dat geloof ik ook.' Hij vond het altijd grappig als ze hem zo noemde. Hij had absoluut geen zin om te veranderen en waarschijnlijk zou hij nog heel lang zo blijven. Momenteel, in Tokio, werd er door de pers tenminste niet over hem geschreven. Hij was al minstens twee maanden niet in een schandaal of een woeste romance verstrikt geweest. 'Denk maar niet dat je zomaar wegkomt met die Afrikaanse capriolen van je,' sprak hij haar vermanend toe, waarmee hij ineens weer bij het uitgangspunt was teruggekeerd. 'Zo snel leid je me heus niet van dat onderwerp af. Ik ben vast van plan om vader er nog eens over te bellen!'

'Heb niet de moed!'

'Ik meen het. Ik vind het een absoluut afgrijselijk plan.'

'Nou, ik niet. Ik ga hier niet louter linten doorknippen, terwijl jij alleen maar pleziertjes hebt en de hele aardbol afwerkt. Hoeveel geisha's ben je van plan mee naar huis te nemen?' plaagde ze hem terug.

'Geen enkele. Bovendien ben ik nog niet in China geweest. Ze zeggen dat de meisjes in Sjanghai beeld- en beeldschoon zijn. En ik kreeg net een uitnodiging voor Vietnam.'

'Je bent hopeloos, Freddy,' zei ze, en nu klonk ze eerder als een grote zus, in plaats van het kleine zusje. Soms voelde ze zich ook zo. Hij was zo'n schat en zo onweerstaanbaar, terwijl hij tegelijkertijd geen enkel verantwoordelijkheidsgevoel had. Ze vroeg zich af of hij ooit zou trouwen. Dat kon ze zich met geen mogelijkheid voorstellen. Bovendien was hij de afgelopen jaren tot de beruchtste playboys gaan behoren, wat hun vader allerminst beviel. Hij verwachtte dat Freddy een dezer dagen met iemand zou trouwen die hem waardig was en dat hij dan zou ophouden achter de rokken van modellen en aspirant actrices aan te zitten. De enige prinses met wie hij ooit iets had gehad, was getrouwd. Hij was in en in verdorven. De gemaal van die bewuste prinses had hem tegenover journalisten een schurk genoemd, waarop Freddy had geantwoord dat hij gevleid was dat de man hem zo hoog aansloeg. In bepaalde opzichten, wist Christianna, was het maar beter dat hij niet thuis was. Zolang hij zich zo bleef gedragen, maakte hij zijn vader alleen maar overstuur. In Tokio speelden de avontuurtjes waar hij zich in stortte zich tenminste niet onder zijn neus af. 'Denk er nou over na of je met Kerstmis komt,' hielp ze hem herinneren voor hij ophing.

'En denk jij erom dat je je verstand terugkrijgt en thuisblijft. Vergeet Afrika, Cricky. Je zult het vreselijk vinden. Denk maar aan al die slangen en insecten.'

'Dank je voor het hart onder de riem. En denk erom dat je terug bent voor ik wegga. Anders zal ik je minstens acht maanden niet zien.'

'Misschien moet je er toch maar eens over nadenken om non te worden,' luidde zijn uitsmijter. Ze drukte hem op het hart om zich te gedragen, zond hem een kus toe en hing op. Soms maakte ze zich zorgen om hem. Hij was zo gespeend van alle belangstelling voor de taak waarvan hun vader zich zo goed kweet en die hij op een dag zou erven. Ze hoopte maar dat hij voor die tijd volwassen zou worden. Hun vader koesterde dezelfde hoop, maar hij begon er elk jaar zorgelijker over te worden.

Christianna liet zich die avond ontvallen dat ze hem had gesproken, waarop haar vader zuchtend zijn hoofd schudde. 'Ik maak me zorgen over wat er met het land gaat gebeuren als hij het bewind overneemt.' Al was Liechtenstein een klein land, er heerste een bloeiende economie, wat niet zo maar was gebeurd. Christianna wist meer over de binnenlandse politiek en economie dan haar broer. Hun vader bedacht af en toe hoe jammer het was dat ze niet van leeftijd, geslacht en persoonlijkheid konden ruilen. Hij zou het vreselijk vinden om een losgeslagen dochter te hebben, maar de gedachte een onverantwoordelijke playboy als regerend prins te hebben vond hij niet minder vreselijk. Het was een probleem dat hij ooit moest zien op te lossen. Maar voorlopig hadden ze nog de tijd en hoewel hij kortgeleden zevenenzestig was geworden, verkeerde prins Hans Jozef gelukkig in goede gezondheid. Hij nam aan dat Freddy niet binnenkort op de troon zou komen.

De volgende twee maanden vlogen voorbij, terwijl Christianna met hernieuwd enthousiasme haar verplichtingen volbracht. Ze wilde alles zo goed mogelijk doen voor ze naar Afrika vertrok, al was het alleen maar om haar vader te tonen hoe dankbaar ze was dat hij haar liet gaan. Ze bracht twee weken in Genève door voor haar opleiding. Een EHBO-diploma had ze al. Het programma bestond grotendeels uit voorlichting over het land waar ze zou verblijven, de plaatselijke stammen en hun gewoonten, de eventuele gevaren van de huidige politieke situatie, de dingen waarvoor ze moest uitkijken, de blunders die ze absoluut niet mocht begaan om de plaatselijke bevolking niet te beledigen. Ze kreeg een intensieve spoedcursus over aids, aangezien de voorziening waar ze zou gaan werken speciaal voor dat doel was opgezet. En dan had je nog de diverse waarschuwingen over insecten waarvoor je moest oppassen, ziekten waartegen ze ingeënt moest worden en hoe je een brede variëteit aan slangen moest onderscheiden. Pas gedurende dat gedeelte van haar training begon ze zich af te vragen, zij het maar een fractie van een seconde, of Freddy niet gelijk had gehad. Ze had een afkeer van slangen. Ze vertelden haar wat voor spullen ze nodig had, wat haar verantwoordelijkheden zouden zijn en wat voor kleren ze moest meenemen. Het duizelde haar van alle informatie toen ze naar Vaduz terugkeerde. De paleisarts was al begonnen met haar de nodige inentingen toe te dienen. In totaal moest ze er negen krijgen, waarvan ze had gehoord dat ze van sommige ziek zou kunnen worden. Ze kreeg vaccins tegen hepatitis A en B, tyfus, gele koorts, meningitis, hondsdolheid en injecties tegen tetanus, mazelen en polio. Plus dat ze voor, tijdens en na haar verblijf aldaar medicijnen tegen malaria moest innemen. Het enige waarvoor ze nog steeds huiverig was, waren de slangen. Ze had al twee paar stoere laarzen besteld, en men had haar verteld dat ze die zodra ze uit bed stapte voordat ze die aantrok moest uitschudden, voor het geval er 's nachts iets weerzinwekkends in was gekropen – niet bepaald een aangenaam idee. Maar al het andere dat ze haar vertelden klonk haar niet onprettig in de oren, vooral wat het werk betrof. Ze ging tijdens haar verblijf, als een soort algemeen assistent, de professionele medische staf en andere werkers helpen. Vandaar dat haar taak wat moeilijk te definiëren was; daarover zou ze meer te horen krijgen als ze eenmaal ter plekke was. Ze was bereid en in staat om elke klus aan te pakken die ze kreeg toegewezen. Ze stond zelfs te popelen.

Twee weken voor Kerstmis, vlak na haar training in Genève, ging ze met haar vader voor een bruiloft naar Parijs. Een van haar nichtjes uit het huis Bourbon ging trouwen. Een prinses die met een graaf trouwde. Het was een gigantische plechtigheid, in de Notre Dame, en de receptie werd gegeven in een prachtig *hôtel particulier* in de Rue de Varenne. De bloemen waren schitterend en aan elk detail was gedacht. De bruid droeg een beeldige kanten japon uit de haute couturecollectie van Chanel, met een wolk van een sluier die haar gezicht aan het oog onttrok. Er waren vierhonderd gasten op de bruiloft, die werd bijgewoond door koninklijke gasten uit heel Europa en de crème de la crème van de Parijse jetset. De huwelijksvoltrekking vond plaats om acht uur 's avonds, en de bruidegom droeg, evenals alle mannelijke gasten, een jacquet. De vrouwen droegen spectaculaire avondjurken. Christianna had een nachtblauwe, met marter afgezette fluwelen japon aan en ze droeg de saffieren van haar moeder. Daar zag ze ook Victoria, die zojuist haar verloving met de Deense prins had verbroken. Ze was dolzinniger dan ooit nu ze, naar ze zelf beweerde tot haar opluchting, weer single was.

'Wanneer komt die stoute broer van je thuis?' vroeg ze met een woest ondeugende blik in haar ogen.

'Zoals het er nu naar uitziet: nooit,' antwoordde Christianna. 'Volgens hem niet voor de lente.'

'Verdorie. Zonde. Ik had hem willen uitnodigen om met oud en nieuw mee te gaan naar Tahiti.' Ze zei het op een manier waardoor Christianna zich plotseling afvroeg of Victoria een flirt met hem van plan was.

'Misschien komt hij je wel tegemoet reizen,' zei Christianna, terwijl ze om zich heen keek. Het was een van de mooiste trouwfeesten die ze ooit had meegemaakt.

De bruid werd bijgestaan door een meute kleine kinderen die met bloemblaadjes gevulde satijnen mandjes in hun hand hadden, zoals in Frankrijk de gewoonte is. 'Ik geloof dat hij al in China is,' zei ze vaag. Ze had aan de andere kant van de zaal zojuist een vriendin ontdekt die ze al in jaren niet had gezien. Haar vader vertrok om twee uur in de morgen, toen het feest nog in volle gang was. Net als de meeste gasten bleef Christianna tot een uur of vijf. Op dat uur waren ook de bruid en bruidegom nog aanwezig en ze dansten of hun leven ervan afhing. Buiten stond de auto op Christianna te wachten, met haar lijfwachten, en tegen zessen was ze terug in het Ritz, waar zij en haar vader logeerden. Het was een schitterend gebeuren geweest en ze had zich in geen jaren zo geamuseerd.

Terwijl ze haar saffieren aflegde en haar avondjurk uittrok en op een stoel legde, bedacht ze onwillekeurig dat haar bestaan in Europa hemelsbreed verschilde van het leven dat ze binnenkort in Afrika zou gaan leiden als ze voor het Rode Kruis werkte. Maar hoeveel plezier ze in dit leven af en toe ook beleefde, het leven dat ze dáár ging leiden was nou nét wat ze wilde. Met dat in gedachten, kroop ze met een glimlach haar bed in.

Het hele verdere weekend bracht ze met haar vader in Parijs door. Toen ze op de terugweg naar het hotel over de Place Vendôme liepen, herinnerde hij haar er enigszins weemoedig aan dat het nog steeds niet te laat was om van gedachten te veranderen over het werken voor het Rode Kruis. Ze kon nog altijd haar plannen aanpassen en naar de Sorbonne gaan. Zodra hij dat zei, keek ze hem glimlachend aan. 'Papa, ik blijf niet eens zo lang weg.' Al hoopte ze dat ze de zes maanden tot een jaar zou kunnen rekken, als hij dat goedvond.

'Ik zal je ontzettend missen,' zei hij treurig.

'Ik u ook. Maar het zal zo opwindend worden. Bovendien, wanneer zou ik dat ooit nog eens kunnen doen?' Het moest nu gebeuren, nu ze nog jong was. Later, wanneer ze nog meer taken op zich ging nemen, zou het voor haar nog minder vanzelfsprekend zijn om weg te gaan, dat wisten ze allebei. Hij had haar een belofte gedaan, dus hij kon niet meer op zijn woord terugkomen. Maar hij vond het verschrikkelijk dat ze wegging.

Haar vader stelde haar voor een dag extra in Parijs te blijven. Of langer, als ze dat wilde. Maar de wetenschap dat ze binnenkort naar Afrika ging, maakte dat ze zich schuldig voelde om hem zo lang alleen te laten. Hij was zo aan haar gehecht, dat hij haar vreselijk miste als ze er niet was. In de tijd dat ze in Berkeley was, had hij het moeilijk gehad. Hij stond zoveel dichter bij Christianna dan bij zijn zoon. Hij genoot in het bijzonder als hij de zakelijke beslommeringen van het prinsdom met haar besprak en hij hechtte waarde aan haar mening.

Die maandag ging ze met Victoria shoppen in de Faubourg St. Honoré en de Avenue Montaigne. Ze lunchten bij L'Avenue, waar Freddy graag zijn modellen opduikelde. Zijn favoriete jachtterrein waren Café Costes, Les Bains Douche, de Man Ray en de Buddha Bar. Freddy had een groot zwak voor Parijs, maar Christianna ook. Toen zij en Victoria aan het eind van een lange dag haar kamer in het Ritz binnen vielen, belden ze roomservice. Ze waren allebei nog moe van de bruiloft. En uiteindelijk gingen ze dinsdagochtend op de luchthaven elk huns weegs. Nadat ze hadden beloofd elkaar snel weer te zien, vloog Christianna naar Zürich en Victoria terug naar Londen. Victoria had al gezegd dat ze, als ze niet naar Tahiti ging, in Gstaad bij haar zou komen logeren. Nu ze niet meer verloofd was, en dus toch haar handen vrij had, hoopte Christianna haar nog voor haar vertrek terug te zien.

Ze had deze periode heel wat te doen in Vaduz. Door het paleis was een officiële verklaring uitgevaardigd dat ze de eerstkomende maanden op reis ging, zonder enige specificatie over haar plannen of reisbestemming. Dat maakte veiligheidsmaatregelen eenvoudiger, en ze wilde voor geen prijs dat iemand tijdens haar werk voor het Rode Kruis zou weten dat ze een prinses was. Toen eenmaal bekend was dat ze zou vertrekken, wilde iedereen haar ineens hebben voor plechtigheden, openingen, eerstesteenleggingen, party's en inzegeningen. Ze probeerde er zoveel mogelijk af te werken en toen ze de week daarop samen met haar vader naar Gstaad vertrok, was ze dan ook uitgeput. Daar vermaakten ze zich altijd uitstekend. Het was een heel populair skioord, waar het stikte van de Amerikanen en Europeanen – playboys, mooie vrouwen, filmsterren en diverse koninklijke gasten. Het was een van de weinige op de extreem rijken gerichte vakantiebestemmingen waar Christianna het naar haar zin had. Zowel zij als haar vader was een fervent skiër en hier genoten ze elk jaar met volle teugen.

Ze vierde Kerstmis rustig en knus met haar vader, waarna ze naar de mis gingen en ze probeerde Freddy in Hongkong te bellen, maar hij was niet bereikbaar. Het was een raar gevoel dat hij niet bij hen was, maar hij belde de volgende morgen. Toen hij naar de bruiloft in Parijs informeerde, vertelde ze van Victoria's terloopse uitnodiging aan hem om haar in Tahiti te komen opzoeken. Hij zei dat het hem ten zeerste speet dat te moeten missen, maar dat hij misschien met Pasen samen met haar zou gaan. En na zijn zusje te hebben gesmeekt nog eens over haar plannen na te denken, wenste hij hun allebei een vrolijk kerstfeest en hing op.

Christianna en haar vader bleven, zoals altijd, tot vlak na Nieuwjaar in Gstaad. Het begon tot haar door te dringen dat ze, wanneer ze terug waren, nog maar vier dagen in Vaduz had. Voor haar vader vlogen de laatste dagen veel te snel voorbij. Hij wilde genieten van elk moment dat hij met haar samen was. Maar zijn eigen verplichtingen slorpten veel te veel van die tijd op. Op de laatste dag stapte hij met een somber gezicht haar kamer binnen. Ze was bezig haar koffers in te pakken en keek op toen hij binnenkwam. Zelfs de hond lag met een droevige kop naast haar koffer.

'Charles en ik zullen je missen,' zei hij.

'Zult u voor hem zorgen voor me?' vroeg ze, terwijl ze haar vader een knuffel gaf. Ze zou die twee ook missen. Maar ze kon niet wachten om aan haar grote avontuur te beginnen.

'Ja, dat zal ik doen. Maar wie zorgt er dan voor mij?' Dat was niet helemaal een grapje. Hij steunde meer op haar gezelschap dan hij zou hebben gedaan als zijn vrouw nog had geleefd, of als Freddy een grotere rol in zijn leven zou spelen of aangenamer gezelschap was. Hij was er nooit, en als hij er wel was, zorgde hij eerder voor ergernis en zorg dan voor gezelligheid of steun. Christianna's vader sprak opener met haar dan met wie ook.

'Ik zal gauw terugkomen, papa. En Freddy komt over een maand of twee naar huis.' Toen haar vader daarop met zijn ogen rolde, moesten ze allebei lachen.

'Ik geloof niet dat je broer ooit voor me zal zorgen, of voor wie dan ook. Bovendien zou ik me ernstig zorgen maken als hij dat opeens wel deed. Wij zullen voor hém moeten zorgen.' Ze wisten allebei dat hij gelijk had, waardoor Christianna alweer moest lachen, al baarde het hun evenveel zorgen wat er van het land terecht moest komen als Freddy eenmaal aan de regering kwam. Christianna's vader begon de hoop te koesteren dat zij tegen die tijd de voornaamste raadgever van haar broer zou worden, dus probeerde hij haar zo veel mogelijk bij te brengen. Ze was een gretige leerlinge, een liefhebbende dochter, ze ging geen verantwoordelijkheid uit de weg en ze stelde hem nooit teleur, wat haar afwezigheid des te pijnlijker zou maken, al besefte hij maar al te goed dat hij een veel te zware last op haar schouders legde.

'Ik weet zeker dat hij een dezer dagen volwassen zal worden, papa,' zei Christianna, en ze deed haar best om vol vertrouwen en hoop te klinken, hoe misplaatst ook.

'Ik zou willen dat ik je optimisme deelde. Ik mis die jongen, maar ik mis niet de chaos die hij sticht als hij hier is. Het is hier ontzettend vredig zonder hem.' Hij was altijd net zo eerlijk tegen haar als zij tegen hem.

'Ik weet het. Maar zoals hij is er maar één. Zo is het toch?' zei ze, en ze klonk als de liefhebbende zus, die ze ook was. Toen ze nog klein was, was hij haar held geweest, al had hij haar altijd geplaagd, wat hij nog altijd deed. 'Ik zal u zo vaak mogelijk opbellen, papa. Blijkbaar hebben ze daar op het postkantoor telefoons, al heb ik gehoord dat die niet erg betrouwbaar zijn. Soms zijn de lijnen wekenlang buiten werking. In dat geval kan ik het alleen telegrafisch proberen. Maar in elk geval krijgt u bericht van me, dat beloof ik.' Ze wist dat haar lijfwachten er wel iets op zouden verzinnen en dat ze haar vader af en toe een boodschap kon sturen om hem gerust te stellen. Als ze het ernaar zou maken dat hij te ongerust werd, zou hij haar misschien dwingen om terug te komen. Ze was van plan alles op alles te zetten om contact te onderhouden, hoe dan ook. Ze hoopte immers nog steeds dat hij erin zou toestemmen haar verblijf te verlengen.

Hun laatste avond samen was er een vol gemengde gevoelens. Ze aten in de privé-eetkamer en ze bespraken haar plannen. Ze informeerde naar de nieuwe economische strategieën die hij kortgeleden had geïntroduceerd en hoe het parlement erop had gereageerd. Hij was blij dat ze dat vroeg en vond het prettig om er met haar over te discussiëren. Maar het herinnerde hem er ook aan hoe eenzaam zijn leven zonder haar zou zijn. Ze was nog niet eens weg, en hij kon al niet wachten tot ze terug was. Hij hoopte tegen beter weten in dat de komende maanden voorbij zouden vliegen. Zonder de stralende zonneschijn die ze in zijn leven bracht, zouden de dagen voorbijkruipen. Uit egoïsme dacht hij erover haar na de eerste zes maanden terug te roepen, en toen hij zich dat tegenover haar liet ontvallen, vroeg ze hem zijn beslissing uit te stellen. Wie weet was ze tegen die tijd zelf wel bereid terug te gaan, of had ze nog een paar maanden nodig om af te maken waaraan ze was begonnen. Ze verzocht hem af te wachten, waar hij mee instemde. Hun gesprekken verliepen altijd redelijk, met wederzijdse sympathie en op een volwassen manier. In vele opzichten was zij de voornaamste reden dat hij niet was hertrouwd. Met Christianna, die hem gezelschap hield en met hem praatte, had hij geen echtgenote nodig en die wilde hij ook niet. Bovendien vond hij het veel te laat om weer opnieuw te beginnen. En daarvóór had hij het te druk gehad. Hij vond het wel goed zo, al zou dat veel minder het geval zijn wanneer ze weg was. Hij gaf haar een nachtzoen, waarbij hij al bij voorbaat treurde om haar afwezigheid, en de volgende ochtend ontbeten ze samen. Ze had voor de lange vlucht een spijkerbroek aangetrokken en het komende jaar zou ze waarschijnlijk niets anders dragen. Ze had maar één jurk ingepakt, voor alle zekerheid, en twee lange wijde rokken die ze uit Californië had meegenomen, een paar korte broeken die ze naar college had gedragen, een stapel spijkerbroeken en T-shirts, petjes, een klamboe, insecticide, haar malariapillen en stevige laarzen en schoenen om zich tegen die vermaledijde slangen te beschermen.

'Dit is niet erger dan toen ik vroeger na de schoolvakanties naar Californië terugging, papa. Zo moet u het maar bekijken,' probeerde ze hem te troosten. Hij keek zo ontzettend treurig.

'Ik zou liever aan je denken terwijl je hier bleef.'

Hij kon nauwelijks uit zijn woorden komen toen hij afscheid van haar nam. Hij hield haar lange tijd in zijn armen, en ze gaf hem teder een kus op zijn wang, zoals altijd. 'Je weet toch wat een steun je voor me bent, Cricky? Pas goed op jezelf.'

'Dat zal ik doen. Ik bel u op, papa. Dat beloof ik. Past u ook goed op uzelf.' Het was moeilijker om afscheid van hem te nemen dan ze had gedacht, bedacht ze terwijl ze een snik wegslikte. Ze wist hoezeer hij haar nodig had en ze vond het vreselijk om hem alleen te laten. Ze wist hoe eenzaam het voor hem zou zijn. Maar deze ene keer, deze laatste keer, voordat ze voorgoed haar koninklijke plichten voor altijd op zich nam, had ze behoefte aan een eigen leven.

'Ik hou van je, Cricky,' zei hij zacht. En toen keek hij de twee lijfwachten die naast haar stonden, streng aan. 'Wijk geen moment van haar zijde.' Zijn bevel was niet mis te verstaan. Het waren dezelfde jongemannen die haar naar Rusland hadden vergezeld: Samuel en Max. Omdat ze even enthousiast waren over hun nieuwe avontuur als zij, voelde ze zich volkomen op haar gemak in hun gezelschap. Haar vader was daarin onverzettelijk geweest. Omdat dat de enige voorwaarde was waarin hij onvermurwbaar was geweest, had Christianna zich daar ten slotte bij neergelegd. Ze vond het wat belachelijk om twee lijfwachten bij zich te hebben, maar het hoofd van het Rode Kruiskamp had gezegd dat hij de noodzaak daarvan volkomen begreep. Hij kon zich uitstekend in haar situatie inleven en had haar per e-mail op het hart gedrukt dat hij niet zou bekendmaken wie ze was. Hij was de enige die ervan op de hoogte zou zijn dat er geen achternaam in haar paspoort stond. In tegenstelling tot de meeste mensen had alleen Marque geweten wat dat betekende omdat zij al eerder met mensen van koninklijken bloede had gewerkt. Maar Christianna wilde geen enkel risico lopen. Het enige wat niemand van haar mocht weten, was dat ze prinses was. Ze wilde hetzelfde worden behandeld als ieder ander. Ze wilde niet dat iemand haar 'Uwe Doorluchtige Hoogheid' of *'ma'am'* zou noemen, en zeker niet haar lijfwachten, die zich zouden voordoen als medevrijwilligers, vrienden die met haar waren meegekomen. Christianna had aan alles gedacht en al haar sporen uitgewist. Tot dusver had het hoofd van de veiligheidsdienst tot het uiterste met haar meegewerkt.

'Ik hou van u, papa,' zei ze toen ze in de auto stapte en haar vader het portier sloot. Hij had haar naar de luchthaven willen brengen, maar hij had die morgen een vergadering met al zijn ministers over de economische strategieën waarover hij de vorige avond met Christianna had gesproken. Dus nam hij bij het paleis afscheid van haar.

'Ik hou ook van jou, Cricky. Vergeet dat niet. Pas goed op jezelf. Wees voorzichtig,' drukte hij haar nogmaals op het hart, waarop ze glimlachte en zich uit het raam boog om een kus op zijn hand te drukken. De verbondenheid die in de jaren sinds de dood van haar moeder was ontstaan was onherroepelijk, en ongewoon hecht.

'Tot ziens!' riep ze, en ze wuifde toen ze wegreden. Hij bleef staan en wuifde tot de auto door de hekken reed, de bocht omsloeg en verdween, waarna hij met gebogen hoofd langzaam het paleis weer in liep. Hij had dit voor haar gedaan – haar naar Afrika laten gaan – om haar gelukkig te maken. Maar voor hem zou het zonder haar een ellendige tijd worden. De hond volgde hem mistroostig het paleis in. Zonder Christianna's levendige aanwezigheid zagen ze er nu al uit als een droevig, eenzaam stel.

HOOFDSTUK 7

*C*hristianna's vlucht uit Zürich vertrok die morgen op tijd naar Frankfurt. Haar lijfwachten reisden businessclass en zijzelf eersteklas. En hoewel ze het hun nog zó op het hart had gedrukt om het niet te doen, had het paleis de luchtvaartmaatschappij er discreet van op de hoogte gesteld dat ze zich op de vlucht bevond. Ze kon zich slechts troosten met de wetenschap dat ze het komende jaar geen aparte status zou hebben. Deze keer, ver van huis in Afrika, was de laatste gelegenheid die ze kreeg om een gewoon mens te zijn zonder de druk die haar positie automatisch met zich meebracht. De komende maanden wenste ze geen van de privileges van haar afkomst. Geen enkele. Ze wilde dat haar ervaring voor haar precies hetzelfde zou zijn als voor ieder ander, in voor- en in tegenspoed.

Toen ze in Frankfurt overstapte, was ze dolblij dat niemand blijkbaar wist wie ze was. Er was niemand om haar te ontvangen of te begroeten, niemand die haar hielp bij het overstappen, geen speciale aandacht. Ze haalde haar rugzak en handbagage op, terwijl de lijfwachten hun eigen bagage en die van haar regelden. Tussen de vluchten door babbelden ze een paar minuten met elkaar en probeerden ze zich voor te stellen hoe het er allemaal zou uitzien. Sam dacht dat het primitief zou zijn. Hij was al eens in Afrika geweest. De directeur in Genève had haar ervan verzekerd dat het comfortabel zou zijn, waarop Christianna met klem had gezegd, en dat meende ze, dat het haar niet uitmaakte. Ze was meer dan bereid om zich te behelpen als dat zo uitkwam, net als ieder ander. Hij had haar anonimiteit beloofd, en daar rekende ze op. Anders zou het alles voor haar bederven. Samuel had wekenlang gegevens van het Amerikaanse ministerie van Buitenlandse Zaken verzameld over de politieke situatie in Eritrea, het land in Oost-Afrika waar ze naar op weg waren. Het grensde aan Ethiopië, dat al jarenlang voor ernstige problemen in Eritrea had gezorgd. De beide landen hadden een paar jaar geleden eindelijk een wapenstilstand gesloten en alles was nu rustig. De schermutselingen aan de grens met Ethiopië waren gestaakt. Samuel had beloofd de prins te zullen waarschuwen als daar verandering in kwam en er in dat geval zo nodig voor te zorgen dat de prinses het land uit kwam. Maar daar scheen men op dat moment niet bang voor te hoeven zijn, zoals ook de directeur van het Rode Kruis had toegezegd. Eritrea zou interessant en veilig zijn. Christianna hoefde zich alleen maar op de voorkomende werkzaamheden te concentreren. De veiligheidsmaatregelen liet ze aan hen over en die moesten met de grootste discretie worden uitgevoerd. Ze zouden zich uitgeven voor drie vrienden uit Liechtenstein, die samen voor een jaar hadden getekend. Dat was een plausibel verhaal waaraan ze zich wilden houden, en er was geen enkele reden dat iemand in het kamp iets anders zou vermoeden. Bovendien wist Christianna hoe discreet deze mannen waren. Na de tien uur durende reis van Frankfurt, via Caïro naar Asmara, werd er in Asmara amper in haar paspoort gekeken. Ze merkten tot grote opluchting van Christianna het ontbreken van haar achternaam niet eens op. Ze wilde niet dat de pers op enig punt op haar reisroute zou worden ingelicht, omdat het nieuws van haar aanwezigheid haar dan tot haar eindbestemming zou achtervolgen, wat ze tot elke prijs wilde vermijden.

Inmiddels waren ze al veertien uur onderweg, en Christianna was moe. De twee mannen hadden tijdens de vlucht geslapen. Terwijl ze de luchthaven uit liepen, keken ze om zich heen. Max had voor zijn vertrek een e-mail ontvangen ter bevestiging dat ze zouden worden opgehaald. Toen had niemand geweten wie hen zou komen begroeten of in welk voertuig uit het kamp diegene zou rijden. Men had hun ervan verzekerd dat er iemand zou zijn, maar dat bleek niet het geval.

Ze stapten een kleine hut met een strooien dak binnen en bestelden drie flesjes sinas. Die kwamen uit een Afrikaanse fabriek en smaakten misselijkmakend zoet, maar ze dronken het toch op. Het was namelijk heet en ze hadden dorst, want al was het winter in Oost-Afrika, het was toch warm. De omgeving was prachtig. De lucht was droog en het terrein was vlak. Alles werd door een zacht licht gefilterd, wat Christianna deed denken aan de warme glans van de parels van haar moeder. Terwijl ze wachtten tot iemand hen kwam halen, constateerden ze dat de omgeving iets vriendelijks uitstraalde. Uiteindelijk gingen ze voor de hut op hun bagage zitten, en na een halfuur kwam een stokoude, gedeukte gele schoolbus hun kant op rijden. Aan weerskanten was er weliswaar een Rode Kruisvlag op geplakt, maar verder maakte het ding een uiterst onbetrouwbare indruk – alsof je er nog geen kilometer verder mee kwam. Desondanks was de bus het hele eind uit Senafe komen rijden, en die reis had vijf uur geduurd.

Toen de deur openging, stapte er een verfomfaaide, donkerharige man uit. Hij keek naar het drietal, dat nog steeds op de bagage zat, glimlachte en haastte zich naar hen toe om te helpen, met excuses voor zijn late komst. Eén blik op de gele bus, en ze wisten waarom.

'Het spijt me vreselijk. Ik ben Geoffrey McDonald. Ik kreeg onderweg een lekke band en het duurde eeuwen voor ik hem had verwisseld. Niet te moe, Hoogheid?' vroeg hij opgewekt. Hij had haar herkend van een exemplaar van *Majesty* dat iemand had laten rondslingeren. Al zag ze er jonger uit dan hij had verwacht en nog fris en mooi na de lange reis.

'Wil je me alsjeblieft niet zo noemen?' zei Christianna onmiddellijk. 'Ik hoop dat de directeur in Genève je heeft ingelicht. Gewoon Christianna is uitstekend.'

'Natuurlijk,' zei hij verontschuldigend, terwijl hij haar rugzak van haar overnam en de lijfwachten de hand schudde. In theorie werd hij niet verondersteld zijn hand naar haar uit te steken, tenzij zij dat als eerste deed. Omdat hij Engelsman was, gaf hij er blijk van dat hij op de hoogte was van de etiquette, dus haastte ze zich om haar hand uit te steken, die hij met een verlegen glimlach voorzichtig schudde. Hij zag eruit als een verstrooide professor, en ze vond hem meteen aardig, evenals beide lijfwachten.

'Ik hoop dat niemand er verder van op de hoogte is,' zei ze met een bezorgd gezicht.

'Nee, niemand,' stelde hij haar gerust. 'Ze hebben me er zelfs voor gewaarschuwd. Ik was het gewoon vergeten. Het is best spannend dat een prinses bij ons komt logeren, ook al weet niemand het. Mijn moeder zou diep onder de indruk zijn,' biechtte hij op, 'al ga ik het haar pas vertellen nadat je weer weg bent.' Hij had iets jongensachtig onhandigs waardoor je bijna wel van hem móést houden. Christianna voelde zich meteen op haar gemak bij hem. Hij was vriendelijk en hartelijk.

'Ik wil niet dat de anderen het weten,' legde Christianna nog maar eens uit terwijl ze naar de bus liepen, gevolgd door de lijfwachten die hun bagage droegen.

'Ik begrijp het. We vinden het erg spannend om jullie in ons midden te hebben. We kunnen alle hulp gebruiken. Twee van onze mensen hebben tyfus gekregen en moesten naar huis. We komen al acht maanden handen te kort.' Hij had iets verstrooids, iets warrigs, en zo te zien was hij in de veertig. Hij vertelde dat hij in Engeland was geboren, maar zijn hele leven in Afrika had gewoond. Hij was opgegroeid in Zuid-Afrika, in Capetown, maar de afgelopen vier jaar had hij het kamp in Senafe geleid. Hij zei dat de faciliteit vanaf het begin met vallen en opstaan was uitgegroeid. 'Ze zijn nu aan ons gewend. De lokale bevolking was in het begin wat wantrouwend, al zijn het heel vriendelijke mensen. Behalve de aidsvoorziening runnen we een medische post voor hen. Tweemaal per maand komt er per vliegtuig een arts om me een handje te helpen.' Hij voegde eraan toe dat de aidsvoorziening een aanzienlijk succes was. Hun doel was de verspreiding van de ziekte te voorkomen en tevens de mensen te helpen die de aandoening al hadden. 'Het centrum barst uit zijn voegen. Dat zullen jullie wel zien wanneer we er zijn. En natuurlijk behandelen we ook alle inheemse ziekten en kwalen.' Voor ze vertrokken, stapte hij de bus uit om een flesje fris voor zichzelf te kopen. Hij zag er stoffig en moe uit, en ietwat afgeleefd, alsof hij te hard had gewerkt, waardoor Christianna geroerd was dat de directeur hoogstpersoonlijk was gekomen.

Het was gewoon al opwindend om hier te zijn, en te proberen al die onbekende taferelen en geluiden in je op te nemen, al waren ze door de lange reis wat licht in hun hoofd. Samuel en Max waren stil, terwijl ze aandachtig hun omgeving bekeken, eeuwig op hun hoede en zich voortdurend bewust van hun missie: haar beschermen. Tot zover ging alles goed. Toen Geoff terugkwam, startte hij de motor van de bus, waarbij het voertuig een reeks angstaanjagende kuchen en kreunen voortbracht, gevolgd door een knal, en onheilspellend begon te schudden, terwijl het tot leven kwam. Met een brede grijns keek hij naar Samuel en Max. 'Ik hoop dat een van jullie monteur is. We zitten er in het kamp om eentje te springen. We hebben medisch personeel, maar niemand weet hoe je onze auto's moet repareren. We hebben loodgieters, elektriciens en monteurs nodig.' De bus reed ratelend de weg op, stopte toen en reed weer door, alsof hij zijn woorden kracht bij wilde zetten.

'We zullen ons best doen.' Max glimlachte. Hij was veel beter met wapens, maar dat vertelde hij maar niet. Hij wilde het best proberen. Bijna stopte de bus weer, terwijl ze met een slakkengangetje heuvelopwaarts reden en Geoff met alle drie zijn passagiers aan het praten was. Het leek wel of hij enigszins nerveus werd van Christianna's aanwezigheid, zoals hij steeds timide blikken op haar wierp en naar haar glimlachte. Hij kon met geen mogelijkheid vergeten wie ze was.

Ze stelde een paar vragen over de aidsfaciliteit, de aidscrisis in Afrika en wat ze verder nog aan medische zorg verstrekten. Hij legde uit dat hij zelf arts was. Hij was gespecialiseerd in tropische ziekten, wat hem hierheen had gevoerd. Onder het praten keek ze naar het voorbijschietende landschap. Aan weerskanten van de weg zag ze mensen in felgekleurde, met witte lappen omwikkelde kleding. Een kudde geiten wandelde dwars over de weg. De bus stopte ervoor, en wilde vervolgens niet meer starten. Intussen probeerde een man die met een kameel aan de hand liep een jongetje te helpen bij het hoeden van de geiten. Geoff verzoop de motor bij zijn pogingen de bus weer aan de praat te krijgen, en daarna moest hij even wachten tot de geiten eindelijk van de weg af waren. Daardoor kreeg hij ook meer gelegenheid om te praten.

Hij was uiterst informatief in zijn gegevens en inschattingen. Hij vertelde dat ze niet alleen jonge vrouwen hielpen, maar ook kinderen, van wie een groot aantal was verkracht en vervolgens door hun stam waren verstoten omdat ze geen maagd meer waren, maar nog slechter af waren als ze zwanger raakten. Dan kon hun familie hen niet meer uithuwelijken, omdat ze waardeloos waren als ruilmiddel voor vee, land of geld. En als ze eenmaal ziek werden, werden ze bijna altijd verstoten. Het aantal met aids besmette mannen en vrouwen was schokkend, maar het feit dat het bleef stijgen was nog alarmerender. Hij vertelde dat hun ouders ook nog leden aan tuberculose, malaria, *kala azar*, een soort zwarte koorts, en slaapziekte.

'Het is dweilen met de kraan open,' zei hij om de situatie voor hen te schetsen in woorden die geen twijfel lieten over de hopeloze toestand waarin hun patiënten verkeerden. Een groot aantal van hen waren vluchtelingen vanwege de grensgeschillen met Ethiopië uit de jaren voor de wapenstilstand. Hij zei ook dat de wapenstilstand enigszins wankel was, aangezien Ethiopië nog steeds zijn oog had laten vallen op Massawa, de Ethiopische haven aan de Rode Zee. 'Het enige wat we voor ze kunnen doen, is voor hen zorgen, hen op hun gemak stellen en een paar van hen tot aan hun sterfbed bijstaan. En proberen anderen wegwijs te maken in het voorkomen van ziekten.' Het was zo te horen een ontmoedigend vooruitzicht, vond Christianna, terwijl Samuel en Max hem ook een aantal vragen stelden. Hun missie was niet zozeer gevaarlijk als wel deprimerend. Het aantal sterfgevallen was hoog: honderd procent onder degenen met aids. Bij de meeste vrouwen en kinderen die bij hen kwamen was de ziekte al zo ver gevorderd dat die niet meer te stoppen of ook maar enigszins in te dammen was. Een van hun belangrijkste doelen was, vertelde hij, voorkomen dat nieuwe moeders aids op hun pasgeborenen zouden overbrengen door hun en de baby medicamenten toe te dienen en moeders ervan te laten afzien borstvoeding te geven. Dat laatste was cultureel bepaald en moeilijk in praktijk te brengen, aangezien velen van hen zo arm waren dat ze de babyvoeding die ze kregen doorverkochten en doorgingen met borstvoeding, omdat dat goedkoper was, waardoor de baby's ook aids kregen. Het was volgens hem vechten tegen de bierkaai om hun iets bij te brengen en zo mogelijk te behandelen. 'We doen wat we kunnen, maar veel is dat niet altijd – dat hangt af van de situatie. Soms moeten ook wij ons daarbij neerleggen.' Hij vertelde ook dat Artsen Zonder Grenzen regelmatig het gebied bezocht om hen bij te staan. Ze waren ook blij met de hulp van andere organisaties dan het Rode Kruis – al was honderd procent van hun subsidie daarvan afkomstig. Ze waren van plan aan een aantal stichtingen een verzoek om een bijdrage te richten, maar daar hadden ze nog geen tijd voor gehad. Denkend aan hun eigen stichting, die altijd gul bijdroeg aan vergelijkbare organisaties, bedacht Christianna dat zij daar wel bij wilde helpen. De komende weken en maanden zou ze beter te weten komen wat er allemaal nodig was, en dan zou ze er bij terugkomst met de stichting over praten.

Het duurde vijf uur voor ze het kamp bereikten. Bijna de hele weg hadden ze met elkaar gepraat. Geoff was een aardige, interessante man – uitermate vriendelijk en meelevend en met een uitgebreide kennis over het continent waar hij woonde en de rampen waardoor het werd belaagd, waaraan – vooralsnog, en waarschijnlijk op korte termijn – meestal weinig te doen viel. Maar samen met zijn medewerkers deed hij er alles aan om daar verandering in te brengen.

Uiteindelijk viel Christianna de laatste minuten van de busrit in slaap, ondanks het niet-aflatende ratelen, schudden en lawaai en de afschuwelijke dampen die het vehikel uitstootte. Ze was zo moe dat ze op dat moment door een bominslag heen had kunnen slapen. Ze schrok wakker toen Max zijn hand op haar arm legde. Ze waren in het kampement aangekomen en er stonden allemaal Rode Kruiswerkers om de bus heen, die nieuwsgierig uitkeken naar de drie nieuwe medewerkers die hun intrede deden. Iedereen had er al wekenlang de mond van vol. Het enige wat ze wisten, was dat het twee mannen en een vrouw zouden zijn, en dat ze uit Europa kwamen. Er was een vaag gerucht dat het alle drie Zwitsers waren. Volgens iemand anders waren het Duitsers, waarna iedereen het idee had dat de mannen uit Duitsland kwamen en de vrouw uit Zwitserland. Niemand had de naam Liechtenstein genoemd. Misschien waren ze in de war, omdat hun reis en verblijf door het kantoor in Genève waren geregeld. Maar wie ze ook waren, ze waren meer dan welkom, want het kamp zat om ze te springen. Ook al waren het geen artsen of verplegers, ze hadden in elk geval het hart op de goede plaats en ze waren bereid de handen uit de mouwen te steken.

Toen Christianna om zich heen keek, zag ze een stuk of tien mensen die haar aanstaarden en die allemaal vrijetijdskleding droegen. Korte broeken, spijkerbroeken, T-shirts, wandelschoenen – de vrouwen met kort, of onder een hoofddoek weggestopt haar – en enkelen, onder wie een paar vrouwen, droegen witte doktersjassen. Ze zag een vrouw van middelbare leeftijd met een getaand gezicht en een hartelijke glimlach, die een stethoscoop om haar hals had. Er stond ook een knappe vrouw, lang en met donker haar, die met een donkere baby op de arm strak de bus in keek. Ruwweg leek het of het aantal mannen en vrouwen gelijk was. En zo op het oog varieerden de leeftijden van Christianna's eigen leeftijd of iets in die buurt, tot die van enkele gezichten die twee keer zo oud leken. Tussen hen in stond, in bonte inheemse kleding, een handjevol lokale medewerkers met kinderen aan de hand. Het centrum zelf, in het hart van de nederzetting, maakte de indruk van een pluk vers geschilderde witte hutten, geflankeerd door rijen grote legertenten.

Geoff reikte haar, ondanks haar hoge komaf, de hand om haar te ondersteunen toen ze uit de bus op oneffen terrein stapte. Christianna glimlachte naar hem en keek toen verlegen naar de anderen, terwijl Samuel en Max met hun bagage uitstapten. Na de lange rit zag Christianna er zo verfomfaaid en verreisd uit dat ze niet opviel. Een voor een deed de groep welzijnswerkers een stap naar voren.

Geoff stelde als eerste de oudere vrouw voor. Ze heette Mary Walker, en aan de stethoscoop te zien was ze arts. Ze kwam uit Engeland en zij had de leiding over het aidsprogramma. Ze had wit haar, dat in een lange vlecht op haar rug hing, een doorploegd, vriendelijk gezicht en doordringende blauwe ogen. Ze deed Christianna onmiddellijk aan Marque denken. Ze gaf Christianna een ferme hand en heette haar hartelijk welkom in het kampement. Naast haar stonden nog twee vrouwen, van wie de ene een knappe jonge Ierse was met zwarte krullen en groene ogen. Ze was vroedvrouw en reed heel Debub en omgeving rond om baby's ter wereld te brengen en ze nam die, of hun moeders, in geval van ziekte mee naar het kamp. Naast haar stond een jonge Amerikaanse die net als Geoff in Capetown was opgegroeid. Ze had in de Verenigde Staten gestudeerd, maar ze had Afrika te veel gemist, zoals iedereen die was weggegaan.

Toen ze hem eenmaal had ontmoet en hij haar vertelde waar hij werkte, was ze met Geoff meegegaan. Ze heette Maggie en omdat Geoff zijn arm om haar heen sloeg zodra ze in zijn buurt was, werd het Christianna al snel duidelijk dat Maggie en hij een verhouding hadden. Maggie was verpleeg-kundige. Als begroeting omhelsde ze Christianna hartelijk. De Ierse stelde zich met een brede, ondeugende grijns voor als Fiona, terwijl ze Christianna gretig een hand gaf. De vier mannen die erbij stonden, stelden zich snel achter elkaar aan haar voor. Twee van hen kwamen uit Duitsland, de derde was een Fransman en de vierde een Zwitser, en alle vier waren ze zo te zien in de dertig. Klaus, Ernst, Didier en Karl. Als laatste deed de lange donkerharige vrouw met de baby op haar arm een stap naar voren om Christianna en de twee mannen de hand te schudden. Ze had prachtige ogen en een ernstig gezicht. Ze heette Laure en ze was Française. Omdat ze veel afstandelijker leek dan de anderen, vroeg Christianna zich af of ze verlegen was. Zelfs toen ze haar in het Frans aansprak, werd de vrouw niet toeschietelijker. Haar houding was bijna vijandig. Geoff legde uit dat ze enige jaren voor UNICEF had gewerkt en pas een paar maanden bij hen was. Samen met Mary was hij de enige arts in de groep, Fiona was de enige vroedvrouw en Maggie de enige verpleegster. De anderen waren stuk voor stuk goedwillende, zorgzame, hardwerkende en consciëntieuze mensen, die naar Senafe waren gekomen om steun te bieden waar ze konden, net als Christianna zelf.

Het kampement stond aan de rand van Senafe, in de subregio Debub in het noorden, dicht bij de grens met Ethiopië. Sinds de wapenstilstand was het er nu rustig, en het was nogal een uithoek. Terwijl Christianna nog steeds haar ogen uitkeek, werd ze getroffen door de schoonheid van de Afrikaanse vrouwen die iets van de groep af stonden, verlegen glimlachend, in bonte gewaden en met allemaal sieraden in hun haar, aan hun oren en om hun hals. Er werkten nog zes Afrikaanse ingezetenen in het centrum: vier vrouwen en twee mannen, die allemaal in gesprek waren met de vrouwen of kinderen in de hutten en de pas aangekomenen niet konden komen begroeten. Maar er was een almaar aangroeiende groep exotisch geklede Afrikaanse vrouwen, die glimlachend stonden te staren naar het drietal dat zojuist uit de bus was gestapt.

Die vrouwen droegen de meest exotische gewaden die Christianna ooit had gezien. Hun haar zat in rijen strakke, met kralen en sieraden doorweven vlechtjes die over hun gezicht hingen. Ze waren weelderig uitgedost en gehuld in indrukwekkende stoffen, waarin soms goud- of zilverdraad was verwerkt. Enkele vrouwen waren van top tot teen bedekt, terwijl andere haar met blote borsten stonden aan te staren. Hun weelderige gewaden en de aandacht die ze aan hun uiterlijk hadden besteed vormden een fel contrast met de onopvallende, bijna onooglijke kleren van de westerse welzijnswerkers, die er allesbehalve sexy bij liepen. Geoff legde haar uit dat er in Eritrea negen volksstammen waren: de Tigrinya, de Rashaida, de Afar, de Tigre, de Kunama, de Saho, de Nara, de Bilen en de Hedareb. Wat haar bij de Afrikaanse vrouwen direct opviel, was de warmte van hun glimlach. Een van hen kwam naar haar toe en omhelsde haar. Ze vertelde dat ze uit Ghana kwam, Akuba heette en er trots op was dat ze als vrijwilliger voor het Rode Kruis werkte. Christianna maakte ook kennis met een van de Afrikaanse mannen die in het centrum assisteerde. Hij heette Yaw. Het was behoorlijk wat informatie om in één keer op te nemen: zoveel mensen, een volkomen nieuw land, een totaal andere cultuur, een heel nieuw leven en werk dat ze niet gewend was. Terwijl ze om zich heen keek, werd het Christianna bijna te veel. Het zou haast onbegonnen werk zijn om uit te leggen wat een feest het voor haar zintuigen was, hoe opwindend het allemaal was en wat een ontzettend sympathieke, vriendelijke indruk de Afrikanen maakten. De gezichten vertoonden vage trekken van de Ethiopiërs en ondanks de onderlinge haat en de lange geschiedenis van oorlogvoering vertoonden ze onmiskenbaar verwantschap. Vóór de vijf jaar oude wapenstilstand was een vijfde van de Eritrese bevolking tijdens die gevechten het land uit gevlucht. Maar niet één van de gezichten die Christianna om zich heen zag, straalde bitterheid uit. Integendeel, de mensen zagen er prachtig uit en leken haar erg hartelijk.

'Je zult wel uitgeput zijn,' interrumpeerde Geoff de massale kennismaking. Hij zag dat ze moe was; ze hadden bijna vijf uur lang gereden. Ze was in een van de verste uithoeken van de wereld terechtgekomen. Maar Christianna had zich nog nooit zo gelukkig gevoeld, en als een kind op een verjaarspartijtje wilde ze het allemaal in zich opzuigen.

'Mij mankeert niets,' zei ze vrolijk, terwijl ze het ene moment een babbeltje maakte met Akuba, dan weer met de Eritrese vrouwen en ten slotte met de mensen met wie ze de komende maanden zou samenwerken. Ze kon nauwelijks wachten om hen te leren kennen en zelf aan de slag te gaan. 'Kom mee,' zei Fiona met een brede glimlach. 'Mag ik je naar het Ritz begeleiden?' Ze wees naar een van de grote tenten opzij van het groepje hutten, waar ze hun werk deden. Ze woonden in de tenten – de vrouwen aan de ene, en de mannen aan de andere kant – en voor wie, zoals Maggie en Geoff, hun krachten wilden bundelen, hadden ze aparte, kleinere tenten. De mannentent werd aangeduid als het George V, naar het illustere hotel in Parijs, en de vrouwentent was het Ritz.

Christianna nam haar koffer over van Samuel, wiens gezicht onmiddellijk betrok. Hij wilde niet dat ze op eigen houtje meeging voor hij en Sam het onderkomen aan een inspectie hadden onderworpen en daar hadden ze de tijd nog niet voor gekregen. Ze knikte hen glimlachend toe, pakte resoluut de koffer van hem af en liep achter Fiona aan. Het echte leven was begonnen.

De tent waar Fiona haar mee naartoe nam, was groter dan Christianna had verwacht en ruimer dan hij van buiten leek. Het was een tent van zwaar zeildoek, die ze van het leger hadden overgenomen. Ze hadden er een houten vloer in gelegd en er waren acht britsen, waarvan er een vrij was sinds Maggie met Geoff een aparte tent had betrokken. Inclusief de nieuw aangekomenen zouden ze in de mannentent met zijn achten zijn. De Afrikanen die in het centrum werkten, woonden in hutten die ze zelf hadden gebouwd. Maggie en Geoff hadden dus hun eigen tent, die Geoff zelf had meegebracht.

Fiona loodste Christianna naar de uiterste hoek. Er stond een nachtkastje met een la naast haar brits, met daarop een lamp die op een accu werkte. Aan het voeteneind van het bed zag ze nog een restant uit het leger: een kastje voor kleding.

'Dat is dan je kast,' zei Fiona, en ze barstte in lachen uit. 'Vraag me niet waarom, maar een halfjaar geleden kwam ik hier met een complete garderobe. Uiteindelijk heb ik alles teruggestuurd. Sinds ik hier ben, draag ik alleen maar spijkerbroeken en shorts. Zelfs als we in Senafe uit eten gaan, tut niemand zich op.' Christianna droeg een spijkerbroek met een wit T-shirt met lange mouwen, een oud spijkerjack dat ze in Berkeley in een tweedehandswinkel had gekocht en gympen die haar comfortabel hadden geleken voor op reis. Maar desondanks kon je zien dat ze stijl had. Aan sieraden had ze alleen de familiezegelring om en minuscule oorbellen in. De Afrikaanse vrouwen die ze zojuist was tegengekomen droegen veel meer sieraden dan zij. Christianna had er alles aan gedaan om er zo gewoon mogelijk bij te lopen. Na een paar minuten kwam ze te weten dat Fiona in de dertig was, al zag ze eruit als vijftien. Christianna had ten onrechte aangenomen dat ze van dezelfde leeftijd waren. Laure, het lange, donkerharige meisje, bleek drieëntwintig te zijn. Bijna alle anderen waren in de dertig, behalve Klaus en Didier. Fiona zei ook dat ze een fantastisch team vormden.

Christianna ging op haar brits zitten, terwijl ze naar haar luisterde, en even later plofte Fiona er ook op neer, als een door de wol geverfd kostschoolmeisje dat een nieuweling wegwijs maakte. Aanvankelijk was het allemaal wat overweldigend, en hoewel Christianna er alles aan had gedaan om hiernaartoe te mogen, moest ze toegeven dat ze het allemaal wat veel vond, en een hele cultuurschok.

'Zijn je vrienden een beetje leuk?' vroeg Fiona met een giechel. Ze biechtte op dat ze een paar keer met Ernst uit eten was geweest, maar dat ze uiteindelijk hadden besloten geen relatie te beginnen, waarna ze vrienden waren geworden. Dat was hier op die manier veel gemakkelijker. Geoff en Maggie waren een uitzondering. Meestal stelde de voltallige groep meer prijs op de kameraadschap tussen collega's, zonder die ingewikkeld te maken met romantiek, maar af en toe gebeurde zoiets toch. Ze wisten ook dat de meeste mensen vroeg of laat zouden vertrekken. Je bleef zelden langer dan een jaar, en als je naar huis ging, werd alles nu eenmaal anders. 'Vertel eens over Samuel en Max,' drong Fiona aan, waar Christianna om moest lachen. In principe waren ze de komende zes à twaalf maanden dat ze met haar in Oost-Afrika waren, in functie en werden ze niet geacht om aan dat soort dingen toe te geven. Maar ze zou geen bezwaar hebben, en het ook aan niemand vertellen, als een van hen, of allebei, een avontuurtje zou hebben of zelfs een serieuze relatie zou aangaan. Het zou anders een lange tijd van onthouding voor hen betekenen. Het waren uiteindelijk allebei jonge mannen. Bovendien konden ze zowel een oogje op haar houden als af en toe een pleziertje hebben. Christianna was graag bereid om een oogje toe te knijpen. 'Het zijn allebei heel aardige mannen. Betrouwbaar, integer, plichtsgetrouw, eerlijk, ijverig en aardig.' Fiona moest lachen toen ze al hun deugden opsomde. Ze had iets weg van een donkerharig heksje, zoals ze met groene schitterogen op Christianna's brits zat. Ze leken wel twee kleine meisjes – en zo voelden ze zich ook, en Christianna hoopte dat ze ondanks het leeftijdsverschil vriendinnen zouden worden. Laure, die van haar eigen leeftijd was, was bij lange na niet zo toeschietelijk en had amper een woord gezegd toen ze met elkaar kennismaakten. Ze had haar zelfs dreigend aangekeken zodra Christianna uit de bus was gestapt. Ze had geen idee waarom. Alle anderen in het kampement waren ontzettend aardig tegen haar geweest.

'Dat lijken wel referenties voor een baan,' zei Fiona plagerig, wat het beter onder woorden bracht dan ze wist, of dan Christianna zou willen toegeven. 'Ik bedoel: hoe zijn ze? Ze zien er lekker uit... Zijn het leuke lui?'

'Heel leuk. Samuel heeft bij de Israëlische commando's gezeten. Hij is ongelooflijk met wapens.' Ze merkte dat ze bijna uit haar rol was gevallen, en ze nam zich voor in de toekomst voorzichtiger te zijn. Ze was moe na de reis.

'Dat lijkt me eng, tenzij we weer oorlog met Ethiopië krijgen. In dat geval kunnen ze goed van pas komen. Ik neem aan dat ze niet getrouwd zijn, anders zouden ze hier niet zijn.' Al wist ze dat Mary Walker vroeger getrouwd was geweest. Ze was voor negentig dagen uitgezonden, was nooit teruggegaan en was vervolgens gescheiden. Ze was veel te verknocht aan Oost-Afrika en de mensen om er weg te gaan. Ze was, afgezien van Geoff, de enige arts van het team en ze was gespecialiseerd in aids. Haar passie lag meer bij de mensen die ze verzorgde dan bij haar huwelijk, dat, besefte ze toen ze hier kwam, al jaren geleden een stille dood was gestorven. Dus bleef ze. 'Hebben ze thuis een vriendinnetje?' informeerde Fiona, waarop Christianna haar hoofd schudde, maar vervolgens aarzelde.

'Ik geloof het niet. Dat heb ik nooit gevraagd.' Zelf zij moest toegeven dat het raar klonk, als ze beweerden dat ze vrienden waren. Het probleem was dat dat een wassen neus was, en Christianna wilde niet dat ze werd betrapt.

'Waar ken je ze van?' vroeg Fiona, die nu op haar eigen bed, naast dat van Christianna, overstapte. Ze zouden elkaar 's nachts als jonge meiden geheimpjes kunnen toefluisteren. 'Ik ken ze al een hele tijd. Ze werken voor mijn vader.' Eindelijk was ze eerlijk geweest – dat was tenminste íéts. 'Toen ik hun vertelde dat ik hierheen zou gaan, meldden ze zich vrijwillig aan om mee te gaan.' En vervolgens hadden ze deze taak op zich genomen, wat ze natuurlijk niet kon vertellen. 'We zijn samen naar Rusland geweest, tijdens het gijzelingsdrama in Digora. De vrouw die daar aan het hoofd stond van de Rode Kruispost was heel bijzonder. Ik werd dolverliefd op haar en op wat ze deed. Ik besloot daarna hiernaartoe te gaan, en die twee ook.' Christianna's gezicht betrok. 'Ik geloof dat die nacht voor ons alle drie heel veel heeft veranderd. Zo zit het dus.' Ze keek haar nieuwe vriendin glimlachend aan. Ze mocht Fiona erg graag – zoals iedereen in het kampement. Ze was hartelijk, gemoedelijk en open, en ze kweet zich onvermoeibaar van haar taak, wat ze heerlijk vond. Zoals veel van de anderen was ook zij verliefd geworden op Afrika. Het was een fascinerend land en, als het eenmaal in je bloed was gekropen, verslavend.

'Hoe heette die vrouw?' vroeg ze belangstellend.

'Marque.'

'Natuurlijk. Die ken ik ook. Iedereen kent haar. Soms komt ze hier langs. Ze is de tante van Laure – vandaar dat die hier is. Laures verloving was verbroken, of haar huwelijk mislukt... zoiets. Ze praat er nooit over. Maar het gerucht gaat dat ze hiernaartoe kwam om bij te komen. Ik ben er niet helemaal zeker van of ze er wel van geniet, of dat ze gewoon ongelukkig is. Dat zijn moeilijke dingen. Ik was ook ooit verloofd.' Weer giechelde ze. 'Tien minuten ongeveer. Met een vreselijke man. Ik ben voor een jaar naar Spanje gevlucht om van hem af te komen, waarna hij met iemand anders trouwde. Een vreselijke vent. Hij dronk.'

Christianna glimlachte en probeerde met haar mee te voelen. Het was heel wat informatie die ze allemaal tegelijk kreeg te verwerken, en ze had zo'n jetlag en ze was zo moe dat ze bang was om onwillekeurig iets te zeggen wat haar zou verraden – dat ze een prinses was en in een paleis woonde. Bij die gedachte huiverde ze. Ze wilde niet dat ook maar iets daarvan inbreuk zou maken op haar leven hier. Dat zou ook niet gebeuren, mits ze voorzichtig was. In het begin zou ze moeten opletten met wat ze zei, tot ze aan haar nieuwe omstandigheden was gewend.

'Heb jij thuis een vriend?' vroeg Fiona nieuwsgierig.

'Nee. Ik ben net in juni teruggekomen na mijn studie in Amerika. Sindsdien heb ik alleen maar wat thuis rondgehangen, en ben toen hierheen gegaan.'

'Wat voor werk wil je gaan doen wanneer je teruggaat? Iets in de medische sfeer? Ik vind het fijn om vroedvrouw te zijn... Misschien moet je eens met me meegaan om te kijken. Telkens wanneer ik een nieuw leven op de wereld zie komen, weet ik niet wat ik zie. Het is echt een wonder, en het is altijd fascinerend, al is het wel eens een keer verdrietig, als er plotseling iets misgaat. Dat komt voor. Maar meestal gaat het goed.'

Christianna wist niet wat ze met haar vraag aan moest. 'Ik dacht zelf aan public relations. Dat doet mijn vader namelijk, en hij doet ook het een en ander in de politiek en economie. Ik vind de zakenwereld erg leuk. Ik ben afgestudeerd in economie.' Het was allemaal waar, tot op zekere hoogte – het hing er maar van af hoe je het bekeek.

'Wiskunde ligt me helemaal niet. Ik kan amper rekenen,' zei Fiona, wat niet helemaal klopte. Christianna wist dat ze er zeven jaar over had gedaan om vroedvrouw te worden, inclusief de opleiding verpleegkunde. Dus ze was waarschijnlijk een behoorlijk goede studente geweest, of op z'n minst een doorzetter. Bovendien was ze duidelijk dol op haar werk. 'De zakenwereld lijkt me veel te saai,' zei Fiona zonder omwegen. 'Al die cijfers. Ik werk graag met mensen. Dat blijft onvoorspelbaar, vooral hier.' Met een zucht ging ze op het bed liggen. Ze ging die avond op patiëntenbezoek, en meestal probeerde ze voordien een poosje te rusten zodat ze fris en alert zou zijn. Ze had enkele patiënten die elk moment konden gaan bevallen. Ze waren van plan een koerier te sturen zodra ze nodig was, en in dat geval zou ze naar ze toe gaan met een stokoude Volkswagen kever, die al jaren dienstdeed op het kamp. Voor Fiona was het elke keer weer een sensatie als er een nieuw leven ter wereld kwam. En hier in Afrika kwam het maar al te vaak voor dat ze zowel de moeder als het kind wist te redden. De omstandigheden waaronder ze werkte waren onvoorstelbaar primitief. Gelukkig was ze goed in haar werk.

Christianna ging even rustig op haar brits liggen. Ze wilde opstaan, uitpakken en wat rondkijken. Ze was te opgewonden om te slapen, maar één moment had ze het gevoel dat haar lichaam loodzwaar was en kon ze haar ogen nauwelijks open houden. Fiona keek naar haar en ze glimlachte. Het leek haar een aardige meid, en ze had er bewondering voor dat ze op haar leeftijd naar Oost-Afrika was gekomen. Dat was behoorlijk moedig. Net op het moment dat ze naar haar keek, gingen Christianna's ogen alweer wijder open, toen ze Fiona op de brits naast de hare zag liggen.

'Hoe staat het met de slangen?' Ze klonk zorgelijk en Fiona moest er hartelijk om lachen.

'Dat vraagt iedereen op de eerste dag dat hij hier is. Ze zijn eng, maar we zien er niet zoveel.' Ze vertelde haar niet dat er twee weken geleden een pofadder de tent in was geglibberd, maar meestal deden adders dat niet. 'We zullen je wel foto's laten zien van de exemplaren waarvoor je moet uitkijken. Na een tijdje raak je eraan gewend.' Fiona kreeg meer slangen te zien dan de meeste collega's, omdat ze vaak de rimboe in trok om haar patiënten te bezoeken.

De twee vrouwen bleven een paar minuten zwijgend liggen, en zonder het te willen doezelde Christianna weg. Ze was absoluut uitgeput. Maar toen ze wakker werd, was Fiona weg. Christianna ging buiten op zoek naar de anderen. Er liep een aantal mensen op het terrein rond.

Toen Christianna Akuba zag, glimlachte ze haar toe. Ze ging met een kind aan de hand een van de hutten binnen. En de man die Yaw heette, was verwoed op iets aan het timmeren. Ze keek om zich heen, en toen zag ze dat de avond een schoonheid met zich meebracht die ze nog nooit had gezien: het licht waar iedereen de mond van vol had en de lucht, die aanvoelde als een streling op haar wang. Toen zag ze dat er achter de hutten nog een tent stond. Ze ging op het geluid af dat daarvandaan kwam en trof het voltallige Rode Kruisteam, dat aan lange tafels zat te eten. Christianna was zichtbaar gegeneerd, al zag ze er veel uitgeruster uit dan toen ze zich had teruggetrokken. Ze had dat dutje nodig gehad, al was ze bang dat ze daarmee een luie indruk had gemaakt, wat geen goed begin was.

'Het spijt me vreselijk,' zei ze toen ze Geoff en Maggie zag. Alleen Fiona ontbrak, die in de rimboe een baby ter wereld hielp en al uren weg was. Christianna, Max en Samuel meegerekend, waren ze nu met zijn zeventienen – allemaal heuse Rode Kruiswerkers. Er waren een stuk of tien lokale Eritreeërs die met hen werkten, plus Akuba en Yaw, die uit

Ghana kwamen. 'Ik was in slaap gevallen.' Ze schaamde zich zichtbaar, maar Samuel en Max waren duidelijk blij haar te zien, net als de anderen. Ze waren net met eten begonnen: kip en groente, en een gigantische schaal met rijst waar fruit doorheen zat. Iedereen werkte hard en de hoeveelheden waren ruim voldoende om de energie in stand te houden.

'Je had gewoon slaap nodig,' merkte Geoff verstandig op. 'Morgen zullen we je alles laten zien wat je nodig hebt. Ik heb Sam en Max al rondgeleid.' Ze hadden hem discreet verzocht of ze alles konden bekijken, wat bij hun taak als haar beschermers hoorde. Maar ze waren gefascineerd geweest bij alles wat ze zagen. Beide mannen waren verrukt van de kinderen, die overal rondliepen, tientallen. Ze waren allemaal lachend en giechelend aan het spelen, net als sommige ouderen. De lokale bevolking maakte een uitzonderlijk gelukkige indruk en er speelde voortdurend een glimlach of een lach op hun gezicht. Zelfs de zieken die in het centrum verbleven, waren vriendelijk en opgewekt.

Mary wees naar een lege plaats waar ze kon gaan zitten, naast Laure. Christianna klom over de bank heen en nam plaats. Didier zat aan de andere kant van Laure, met wie hij in het Frans in gesprek was, en Ernst zat aan Christianna's andere zijde. Hij had met Max en Sam over koetjes en kalfjes gepraat, in Zwitsers Duits, aangezien ze alle drie de Zwitserse nationaliteit hadden, al was Samuel half Joods en had hij zowel in Zwitserland als in Israël in het leger gediend. Christianna, die hen natuurlijk verstond, moest een paar keer lachen. Vervolgens wendde ze zich tot Laure en zei iets in het Frans tegen haar. Er kwam geen reactie. Ze negeerde Christianna volkomen en zette haar gesprek met Didier voort. Ze koesterde duidelijk een wrok, maar Christianna had geen idee waarom. Ze had niets gedaan wat haar gekwetst zou kunnen hebben.

Christianna babbelde toen maar ongedwongen met Mary Walker, die tegenover haar zat. Ze vertelde haar over de aidsepidemie waarmee ze te maken hadden en legde Christianna vervolgens uit wat *kala azar* was: zwarte koorts, wat zo te horen zoiets was als de pest, en waardoor voeten, gezicht, handen en buik zwart werden. Het klonk haar vreselijk in de oren, vooral onder het eten. Geoff voegde er nog een paar onsmakelijke details aan toe. Toch vond Christianna het allemaal fascinerend, vooral hun werk met aidspatiënten. Mary vertelde dat het team van Artsen Zonder Grenzen over een paar weken zou terugkomen. Ze kwamen maandelijks per vliegtuig met een groter medisch team dan ze op de post in Senafe paraat hadden staan. Zo nodig namen ze chirurgen mee om eventuele operaties uit te voeren. Ook voor noodgevallen kwamen ze over, al behandelden Mary en Geoff meestal alles wat zich voordeed, zoals blindedarmoperaties en keizersneden. Ze waren een bedrijf dat volledige service verleende, grapte Geoff. Hij gaf hoog op over de teams van Artsen Zonder Grenzen, die in kleine vliegtuigjes heel Afrika af vlogen en overal waar nodig medische zorg verleenden, zelfs in oorlogsgebieden en in de verste uithoeken.

'Ze zijn ongelooflijk,' zei hij, terwijl hij een gigantische portie van het dessert op zijn bord schepte. Hij was zo mager als een lat en verbrandde kennelijk alles wat hij at. Net als de andere mannen aan tafel had hij flink gegeten. Hoewel de vrouwen minder leken te eten, hadden ook zij een goede maaltijd gehad. Ze werkten allemaal hard en ze vonden het heerlijk om 's avonds onder het eten met elkaar te praten en te lachen. De meesten gebruikten hun lunch staande en Mary had verteld dat het ontbijt om halfzeven in dezelfde tent werd opgediend. Ze gingen vroeg aan de slag. Vrouwen uit de omgeving kookten en ze hadden de Europese gerechten leren klaarmaken die iedereen lekker vond. Maggie was de enige Amerikaanse van de ploeg. Het enige wat ze van thuis miste, zei ze, was roomijs. Daar droomde ze wel eens van. Ze was mijlenver van huis, maar ze had het blijkbaar uitstekend naar haar zin. Dat gold ook voor de anderen, behalve voor Laure, die Christianna tijdens het eten aldoor in de gaten hield. Ze keek de hele tijd bedrukt en zei heel weinig. De enige met wie ze met gedempte stem in het Frans sprak, was Didier. Tegen de anderen zei ze heel weinig, al helemaal niet terwijl ze aan tafel zaten. De anderen deden alle moeite om Christianna en de twee mannen die met haar waren meegekomen te leren kennen. Geoff had voor haar twee glazen ingeschonken van de wijn die ze dronken om hun komst te vieren. En Max en Sam leken al helemaal geïntegreerd met de mannen in de groep. Aan tafel vlogen de plagerijtjes heen en weer en er werden misplaatste grappen gemaakt in het Frans, Engels en Duits – wat ze dus allemaal verstond. Het was een verrukkelijk internationale ploeg.

Het was al laat toen ze uiteindelijk allemaal opstonden en de warme Afrikaanse nacht in liepen, nog altijd pratend en lachend. De mannen nodigden Max en Sam uit om met hen te gaan kaarten, waar ze op ingingen, en ze zeiden dat ze over een paar minuten in de tent terug zouden zijn. Ze konden het natuurlijk niet zeggen, maar ze moesten er zeker van zijn dat Christianna zich voor de nacht in haar tent had geïnstalleerd. Geoff en Maggie liepen gearmd naar hun tent terug, en de groep vrouwen waaierde langzaam, al babbelend, uit naar hun eigen onderkomen. Fiona was nog niet terug; de anderen gingen ervan uit dat ze ergens met een bevalling bezig was. Het sterftecijfer onder pasgeborenen in Oost-Afrika was schokkend, voornamelijk in de vierentwintig uur voor of na de bevalling. Fiona deed haar best om in haar eentje verbetering in die statistieken te brengen. Ze had een groot aantal van de vrouwen tot prenatale zorg weten te bewegen en was bij zoveel mogelijk bevallingen aanwezig.

Christianna informeerde of ze zich zorgen maakten omdat ze 's nachts alleen rondtrok. Mary Walker zei dat ze nergens bang voor was en dat de omgeving relatief veilig was. Ze zaten dicht bij de Ethiopische grens, wat altijd enigszins zorgwekkend was, maar er hadden zich de afgelopen paar jaar geen problemen of schendingen van de wapenstilstand voorgedaan. Niet dat zoiets niet kon gebeuren. Volgens haar stond de wapenstilstand tussen beide landen constant onder druk en waren de Ethiopiërs nog steeds van mening dat ze aan het kortste eind hadden getrokken. Ze waren nog steeds

uit op de havens van Eritrea, maar in Senafe hadden zich
geen problemen voorgedaan. Bovendien was de jonge Ierse
vroedvrouw heel geliefd bij eenieder die ze had verzorgd. Een
van de andere vrouwen die Christianna die avond had leren
kennen, Ushi, was een Duitse onderwijzeres die met de kinderen uit de omgeving werkte. Ze zei dat Fiona altijd een revolver bij zich had als ze er 's avonds op uit moest, en dat
ze niet bang was om die te gebruiken, al was dat nog nooit
voorgekomen. Het in bezit hebben van wapens werd niet ge-
stimuleerd, maar Fiona deed het toch, wat gegeven de omstandigheden, waarschijnlijk wel zo verstandig was. Ushi,
een afkorting van Ursula, was heel hartelijk geweest tegen
Christianna en de twee mannen. Zoals iedereen, in tegenstelling tot Laure, die zwijgend naar haar tent terugliep. Ze
had Christianna voortdurend onverklaarbare maar duidelijk
vijandige blikken toegeworpen.
Eenmaal in de tent raakten de vrouwen ook niet uitgepraat
terwijl ze hun pyjama aantrokken. Christianna had dolgraag
een bad of een douche genomen, maar ze had al gehoord dat
dat niet zou gaan. Buiten was een 'douche', waarvan iedereen 's morgens of vroeg in de avond gebruikmaakte en waar
jonge meisjes uit het dorp water over hen heen goten – jongens deden hetzelfde voor de mannen. Het was primitief,
maar dat was Christianna van tevoren verteld, zodat ze zich
er niet over verbaasde. Ze was niet bang voor de ongemak-
ken waarmee ze geconfronteerd kon worden. De andere
vrouwen plaagden haar met slangen en leeuwen, en ze zeiden dat die 's nachts de tent in konden komen. Daar plaagden ze iedereen mee die net was aangekomen. Het waren allemaal net meisjes op een camping, en Christianna vond het
heerlijk. Beter had ze niet kunnen hopen. Ze had ook die
vriendelijke vrouwen die ze in Senafe had gezien al in haar
hart gesloten. Wat waren ze mooi en exotisch, en ze lachten
constant.
Christianna sliep zodra haar hoofd het kussen raakte. Enkele vrouwen lagen te lezen bij het licht van hun zaklamp.
Ze hadden haar meegenomen naar het buitentoilet, waar een

van hen bij haar was gebleven omdat ze nog steeds bang was voor slangen, maar er was niets vreselijks gebeurd. Het was een zeer primitieve aangelegenheid, die nauwelijks meer was dan een gat in de grond met daarboven een zitting. Ernaast stond een schep en een baal met kalk. Het zou even wennen zijn, bedacht Christianna met een lichte huivering, maar je deed wat je doen moest. Ze verwachtte dat ze er mettertijd wel aan zou wennen. Ze was als eerste vast in slaap, terwijl de anderen fluisterende gesprekken voerden en opmerkten dat ze haar heel aardig vonden. Het leek hun een lieve meid en ze was waarschijnlijk een aanwinst voor het team. Ze hadden het gevoel dat ze van goeden huize was, waarschijnlijk een familie met geld. Ze drukte zich goed uit, was bescheiden en beleefd, en sprak vloeiend diverse talen. Toch was ze ongekunsteld en gespeend van pretenties, en zo te zien was ze rechtdoorzee en heel natuurlijk. Dat apprecieerden ze in haar.

Laure haalde haar schouders op terwijl ze dat allemaal aanhoorde, maar zei niets. Mary vroeg zich af of ze soms jaloers was, omdat ze ongeveer van dezelfde leeftijd waren, maar met de anderen was ze evenmin goed bevriend. Laure was hier het enige knarsende wiel aan de wagen en ze maakte over het algemeen een ongelukkige indruk. Over twee maanden zou ze naar huis gaan, als alles volgens plan verliep. Ze was een van de zeldzame mensen die geen liefde voor Afrika had opgevat – noch voor het continent, noch voor de bevolking – en ze had nergens plezier aan beleefd. Ze had haar problemen en verdriet met zich meegenomen. Mary had van Marque, Laures tante, gehoord dat ze twee dagen voordat ze voor het altaar zou verschijnen was afgewezen door haar verloofde, die ervandoor was gegaan met haar beste vriendin, met wie hij ook was getrouwd. Sinds die tijd had Laure zich zo ellendig gevoeld dat zelfs de afleiding die het werk bood weinig had geholpen. Ze ging weer voor Unicef in Genève werken, maar het leek of ze weinig had geprofiteerd van de buitengewone ervaring die ze hier had gehad. Ze was voor zo'n jong iemand verbazend cynisch en bitter.

Toen Fiona om vier uur 's morgens terugkwam, sliepen alle anderen al. Ze had die nacht twee baby's ter wereld gebracht, en alles was goed gegaan. Ze ging naar bed en sliep binnen enkele minuten. Om zes uur liepen hun wekkers af en kwam er beweging in de dames. Ze waren goedgehumeurd toen ze opstonden en gingen gezamenlijk in hun badjas en met een handdoek over de arm naar de douche. Fiona was, na twee uur slaap, ook weer paraat en eveneens goedgeluimd. Ze was het gewend, want het kwam zo vaak voor. Ze sliep bijna nooit uit, tenzij ze een bijzonder zware nacht achter de rug had. Maar zelfs dan blaakte ze meestal van energie. Ze zong graag uit volle borst Keltische liedjes onder de douche, puur om hen te pesten, waarop ze haar altijd kreunend vertelden dat ze een afschuwelijke stem had. Ze genoot ervan. Zij was de clown van het kampement.

Christianna was, aangekleed en wel, om klokslag halfzeven in de eettent. Ze nam een stevig ontbijt, bestaande uit een bord pap en eieren, met een kom bessen die in het kamp werden gekweekt. Ze dronk een gigantisch glas sinaasappelsap leeg en glimlachte naar Sam en Max toen ze binnenkwamen. Het ontbijten moest snel gebeuren, aangezien iedereen het druk had, en tegen zevenen was iedereen hard aan het werk. Kort daarna zag Christianna Max in een oude auto wegrijden. Samuel vertelde haar met gedempte stem dat hij naar het postkantoor in Senafe ging om haar vader op te bellen om zich te melden. Ze knikte, waarna ze, volgens de aanwijzingen, achter Mary aan de grote hut binnen ging, waar de vrouwen en kinderen met aids werden behandeld en gehuisvest.

Mary legde Christianna uit, net zoals Geoff tijdens de rit had gedaan, dat ze zwangere vrouwen met aids vier uur voor de bevalling één enkele dosis van het medicijn nevirapine toedienden, waarvan de baby de eerste dagen na de geboorte een kleine dosering kreeg. In de meeste gevallen werd daarmee het risico op aids ongeveer met vijftig procent verkleind. De echte problemen begonnen pas wanneer ze de moeders aanraadden om hun baby flesvoeding te geven in plaats van de borst. Als ze hun baby de borst gaven, besmetten ze de kinderen steevast. Maar flesvoeding was hun volkomen vreemd, zodat ze er wantrouwend tegenover stonden. Zelfs wanneer de vrijwilligers in het centrum hun flesvoeding mee naar huis gaven, gebruikten ze die niet zelf, maar verkochten of ruilden ze die voor zaken die ze harder nodig hadden. Het was vechten tegen de bierkaai, zei ook Mary. Aidsvoorlichting om de ziekte te voorkomen, was een belangrijk deel van hun werk. Ze dacht dat Christianna daar misschien goed in zou zijn. Ze had een prettige, vriendelijke manier van doen, die kennelijk aansloeg bij de vrouwen die ze aansprak, terwijl Mary een oogje in het zeil hield en zonodig voor haar vertaalde, tot ze de plaatselijke dialecten beheerste. Op een bijna professionele manier ging ze van het ene bed naar het andere, waarbij ze een paar troostende woorden sprak en de Afrikaanse vrouwen met warmte, vriendelijkheid, compassie en respect tegemoet trad.

'Heb je ooit in een ziekenhuis gewerkt?' vroeg Mary geïnteresseerd. Ze moest eens weten hoeveel ziekenhuizen Christianna in haar leven als prinses had bezocht. Dit was dagelijkse kost voor haar. Ze wist precies hoe lang ze bij iemand kon blijven praten zonder de patiënt uit te putten, maar toch de indruk te wekken dat ze geïnteresseerd was in wat ze zeiden en iedereen het gevoel te geven dat ze haar persoonlijke aandacht hadden.

'Niet echt,' zei Christianna vaag. 'Ik heb wat vrijwilligerswerk gedaan.'

'Je bent erg goed met patiënten,' complimenteerde ze haar. 'Misschien zou je erover moeten denken om arts of verpleegkundige te worden.'

'Dat zou ik graag willen,' zei Christianna glimlachend, terwijl ze maar al te goed wist dat zoiets uitgesloten was. Mary was er ook van onder de indruk dat ze geen spier vertrok bij het zien van de ergste zweren, of de vreselijkste wonden. Wat ze ook te zien kreeg, ze bleef vriendelijk, hartelijk en op het oog onaangedaan. 'Mijn vader verwacht dat ik in het familiebedrijf ga werken wanneer ik thuis ben,' was het enige wat ze zei.

'Zonde. Ik krijg de indruk dat je hier een gave voor hebt.' De twee vrouwen glimlachten elkaar toe, terwijl Mary haar aan nog meer patiënten voorstelde. Daarna nam ze haar mee naar een andere hut, waar Geoff de ronde deed en mensen inentte. De krappe wachtruimte zat vol patiënten en spelende kinderen. Opnieuw bleef Christianna bij iedereen staan om even te praten, alsof ze nooit anders had gedaan.

Fiona kwam haar daarna ophalen om haar kennis te laten maken met een paar van haar zwangere patiënten. Nadat Christianna met Fiona was weggegaan, ging Mary bij Geoff langs om een paar minuten met hem te praten.

'Ze is hier steengoed in,' vatte Mary het kort samen. 'Ze kan erg goed met mensen omgaan. Het lijkt bijna wel of het niet nieuw voor haar is. Ze is schattig met de patiënten. Ik denk dat ik haar graag aidsvoorlichting voor me wil laten doen. Ze kan ook met Ushi en de kinderen werken.'

'Ga gerust je gang,' zei Geoff, boven het gehuil uit van een schreeuwend kind dat hij net een prik had gegeven. Het verbaasde hem niet dat Christianna goed met patiënten kon omgaan. Met wat hij, in tegenstelling tot de anderen, over haar wist, was hij er terecht van uitgegaan dat ze al haar hele leven ziekenhuizen had bezocht. De titel 'prinses' hoefde ze niet te gebruiken: als hij naar haar keek, zag hij dat ze door en door koninklijk was, en lief en aardig. Ze stelde allen om haar heen op hun gemak, zonder bang te zijn voor een grap, plagerijtjes of om plezier te maken, net als iedereen. Hij was erg blij dat ze was gekomen, al had hij er zijn bedenkingen over gehad. Nu zag hij in wat een aanwinst ze voor de ploeg was, hoe goed ze erin paste. Bovendien konden ze die paar handen extra best gebruiken – niet alleen van haar, maar ook die van haar mannen. Tot Geoffs grote verbazing was ze helemaal niet lastig, veeleisend of verwend. Ze was zelfs open, geïnteresseerd en bescheiden.

De hele verdere ochtend bleef Christianna bij Fiona, waar ze gesprekken voerde met zwangere vrouwen. Tijdens de lunch haalde ze wat eten in de eettent, waarvoor ze niet uit-gebreid ging zitten, maar gewoon uit het vuistje at. Daarna werkte ze de rest van de dag bij Ushi en gaf les aan de kin-deren. Ze vond het geweldig, en voor ze weggingen, had ze hun twee Franse liedjes geleerd. Ushi keek haar met een bre-de glimlach aan toen ze buiten een luchtje gingen scheppen en ook zij complimenteerde haar uitgebreid.

'Je hebt echt een gave,' zei Ushi, terwijl ze een sigaret op-stak.

'Welnee,' zei Christianna bescheiden. 'Hier in Afrika te zijn, dat is een gave.' Ze zei het met zo'n overtuigende dank-baarheid dat Ushi zich naar haar toe boog en haar een knuf-fel gaf.

'Welkom in Afrika,' zei Ushi. 'Ik denk dat je hier zult ge-nieten en dat je hier echt op je plaats bent.'

'Dat denk ik ook,' zei Christianna, bedroefd bijna. Ze was er nog maar net, maar ze hield nu al van het land. Ze was al treurig bij de gedachte dat ze op een dag zou moeten ver-trekken. Ze had het leven getroffen waarnaar ze had ver-langd, en ze wist even goed dat ze op een dag dit geschenk zou moeten teruggeven. Met die gedachte in haar hoofd, was ze de hele weg terug naar de vrouwentent heel stil.

'Waarom kijk je zo terneergeslagen?' vroeg Fiona toen ze haar zag. Zelf was ze ook net binnen, en die avond ging ze weer op patiëntenbezoek.

'Ik wil hier nooit meer weg,' zei Christianna met een som-bere blik, waarop Fiona begon te grinniken.

'Luister allemaal, ze heeft het,' zei Fiona tegen iedereen die er was. De vrouwen keken op. De meesten waren klaar met hun werk en hielden voor het avondeten even pauze. 'Ze heeft de Afrika-koorts! Zo snel heb ik het nog nooit zien ge-beuren.' Christianna moest lachen om de omschrijving. Ze ging op haar bed zitten. Ze had tien uur achter elkaar ge-werkt en van elke minuut genoten. 'Wacht maar tot je een slang ziet.'

De anderen lachten met Christianna mee. Daarna speelde ze in het Duits scrabble met Ushi, terwijl Fiona haar nagels verzorgde. Zelfs hier gebruikte ze felrode nagellak. Ze zei dat dit de enige verslaving was waarvan ze niet af kon komen. En toen Christianna om zich heen keek naar de andere vrouwen, wist ze dat ze haar hele leven nog nooit zo gelukkig was geweest.

HOOFDSTUK 8

*T*oen Christianna de volgende ochtend om halfzeven naar de eettent ging, stond Max haar buiten discreet op te wachten. Ze was verbaasd hem te zien.

'Hoogheid,' fluisterde hij haar toe. Ogenblikkelijk legde ze hem het zwijgen op, onthutst door wat hij uit gewoonte en uit reflex had gezegd.

'Je moet me niet zo noemen,' fluisterde ze terug. 'Noem me maar Cricky, zoals ze hier allemaal doen.' De vorige dag had ze iedereen haar bijnaam verteld.

'Dat kan ik niet, Uwe... O, neem me niet kwalijk.' Hij bloosde.

'Dat moet,' zei ze, nog zachter fluisterend. 'Dat is een koninklijk bevel.' Hij grinnikte. 'Waarom sta je me op te wachten?' Het maakte op Maggie en Fiona de indruk van een ernstige samenzwering toen ze op weg naar het ontbijt langs kwamen lopen.

'Ik heb gisteren je vader gesproken. Gisteravond had ik de gelegenheid niet om het te vertellen.' Ze waren inderdaad geen moment alleen geweest.

'Is alles goed met hem?' Even keek ze zorgelijk, tot Max knikte.

'Prima. Hij doet je de hartelijke groeten. Als je met hem wilt praten, kan ik je een keer naar het postkantoor rijden. Het is niet ver.'

'Over een paar dagen misschien. Ik heb op dit ogenblik geen tijd. Er valt hier zoveel te doen.'

'Ik weet zeker dat hij daar begrip voor heeft. Ik heb tegen hem gezegd dat het goed met je gaat.'

'Mooi. Was dat alles?' Hij knikte. 'Dank je, Max.' Ze glimlachte.

'Geen dank, Hoo...' Hij onderbrak zichzelf nog net op tijd, en ze schoot in de lach.

'Ga er maar op oefenen, Max. *Cricky*. Anders ben je ontslagen.' Nu lachten ze allebei, waarna hij met haar meeliep om te ontbijten. Toen ze binnenkwamen, zat iedereen al te eten.

'Te laat!' plaagde Fiona. 'We hebben alles opgegeten.' Ze was met Max aan het flirten, wat Christianna wel komisch vond. Het scheen hem wel te bevallen. Samuel moest er ook om glimlachen. Ze voelden zich al aardig thuis in de ploeg. Christianna vond het prettig om samen met de anderen te ontbijten, en een halfuur later meldde ze zich op het werk. Mary had haar een stapel boeken meegegeven over aids en wat richtlijnen over de lesstof. Ze wilde dat Christianna haar eigen koers uitstippelde en verbeteringen zou aanbrengen. Ze was gevleid dat ze ervoor was gevraagd. Ze ging in het klasje lesgeven in het Tigrinya, met een plaatselijke tolk om te vertalen. Ze las die morgen zoveel mogelijk van het materiaal door, bezocht samen met Mary enkele patiënten, dook daarna weer met haar neus in de boeken en liet de lunch totaal schieten. Daarna meldde ze zich bij Ushi in het klaslokaal. Ze vond de kinderen om op te vreten. Ze waren mooi en lief en ze wilden dolgraag met haar praten. Na school las ze de jongsten een verhaaltje voor en ging toen naar buiten voor wat beweging. Ze was de hele dag binnen geweest.

Toen ze buiten kwam, zag ze Laure stilletjes in haar eentje zitten, terwijl Akuba met een kind aan de hand voorbijliep. Christianna zwaaide en glimlachte. Ze was hier net twee dagen, maar ze voelde zich al helemaal thuis. Het was allemaal nieuw en spannend, maar ze voelde zich hier zo op haar gemak, en ze was zo vol van de mensen en het land, dat het net leek alsof ze er al eerder was geweest. Ze wilde net het terrein af om een wandeling te maken, toen ze besloot terug te gaan om een praatje met Laure te maken. Omdat ze al vriendschap met de anderen had gesloten, wilde ze op zijn minst proberen om contact te leggen met de stuurse Française. De enige keer dat ze haar had zien glimlachen, was toen ze met een kind aan het praten was. Laure hield zich bezig met administratief werk in het kantoor en het invullen en archiveren van medische rapporten. Saai werk, maar kennelijk was ze er goed in. Geoff had verteld dat ze heel ordelijk en zorgvuldig was.

'Hallo,' zei Christianna voorzichtig. 'Heb je zin om een wandeling te maken? Ik heb frisse lucht nodig.' De lucht was heerlijk, hoe heet het ook was. Er hing altijd een geur van bloemen om hen heen. De lange, donkerharige Française leek even te aarzelen. Omdat Christianna dacht dat ze zou weigeren, schrok ze bijna toen de vrouw knikte. Ze richtte zich in haar volle lengte op en keek op Christianna neer. Vervolgens begonnen ze zwijgend aan hun wandeling.

Ze liepen langs vrouwen in schitterende gewaden een pad over dat Laure scheen te kennen en dat langs een smal riviertje liep, wat Christianna plotseling waakzaam maakte.

'Moet ik hier oppassen voor slangen? Ik ben er doodsbang voor,' biechtte ze op.

'Ik denk het niet,' zei Laure met een timide glimlach. 'Ik ben hier wel eerder geweest en ik heb er nog nooit een gezien.' Ze leek zich nu meer op haar gemak bij haar te voelen.

Toen ze verder wandelden, zag Christianna in de verte een wrattenzwijn. Dat herinnerde haar eraan dat ze in Afrika waren en niet op een lieflijke plek op het platteland in Europa. Hier was alles spannend en anders. Na een poosje gingen de twee vrouwen samen op een boomstronk zitten en keken naar de voorbijsnellende stroom. Het was een vredig, enigszins surrealistisch gevoel. Christianna hoopte maar dat er aan hun voeten geen slang zou opduiken.

'Ik ben in Rusland je tante Marque tegengekomen,' zei ze na

een tijdje, niet wetend wat ze anders tegen haar moest zeggen. Zo te zien, had ze veel aan haar hoofd, of ze koesterde een innerlijke wrok. Het was duidelijk dat iets haar dwars zat, misschien al een hele tijd.

'Ik sta er versteld van hoeveel mensen haar kennen,' zei Laure zachtjes.

'Ze is een schat van een vrouw,' zei Christianna emotioneel, nu ze terugdacht aan hoe ze elkaar hadden ontmoet.

'Ze is meer dan dat. Ze is een soort heilige. Wist je dat ze haar man en haar beide kinderen heeft verloren? Ze is te lang gebleven toen de oorlog in Sudan uitbrak. En ondanks dat houdt ze van dit land. Afrika zit haar in het bloed. Nu wijdt ze haar leven aan andere mensen. Ik zou willen dat ik meer op haar leek, zodat ik me aan anderen kon wijden zoals zij. Ik vind het hier vreselijk.' Christianna wist niet wat ze hoorde. Voor Laure was dat een lange monoloog en een verbazingwekkende bekentenis.

'Er zijn niet veel mensen die kunnen wat zij doet,' zei Christianna voorzichtig. Ze was gevleid dat deze vrouw die zo potdicht leek te zitten, zo open tegen haar was geweest. 'Het is een gave, vind ik.'

'Volgens mij heb jij diezelfde gave,' zei Laure, waarop Christianna haar ongelovig aanstaarde.

'Hoe kun je dat nou zeggen? Je kent me niet eens.' Maar ze was gevleid. Het was een enorm compliment, vooral van haar.

'Gisteren zag ik je met Ushi uit het klasje komen. Je maakte met iedereen een praatje en de kinderen hingen letterlijk aan je. En toen ik de rapporten uit Mary's kantoor ophaalde, hadden al haar aidspatiënten het over je. Dat is een gave.'

'Jij bent anders ook goed met kinderen. Ik zie je altijd glimlachen als je met ze praat.'

'Kinderen zijn altijd eerlijk,' zei Laure spijtig. 'Volwassenen zijn dat nooit. Ze liegen, bedriegen en verwonden elkaar. Ik vind de meeste mensen in en in slecht.' Christianna vond het treurig om haar dat te horen zeggen, en het gaf een treurig beeld van het leven van de jonge vrouw en de ervaringen die ze moest hebben opgedaan.

Nu ze zo naar haar luisterde en de blik in haar ogen zag, besloot Christianna het erop te wagen. 'Bedrogen worden is iets verschrikkelijks, vooral door mensen van wie je houdt.' Er viel een lange stilte, waarin Laure haar aankeek alsof ze niet wist of ze haar in vertrouwen kon nemen, wat ze uiteindelijk deed. 'Ze hebben je verteld waarom ik hierheen ben gekomen. Dat zal wel geen geheim zijn. Iedereen in Genève wist het... en in Parijs... waar dan ook... zelfs hier. Ik was verloofd met een man die me totaal voor gek heeft gezet, met mijn zogenaamde beste vriendin.' Ze klonk bitter, maar nog meer gewond en droevig.

'Je moet hem niet de voldoening gunnen dat je eraan kapot gaat. Dat verdient hij niet, en ook je zogenaamde beste vriendin niet, die er met hem vandoor ging. Vroeg of laat zullen ze ervoor boeten. Die dingen zorgen er wel voor dat je jezelf uiteindelijk tegenkomt. Je wordt niet gelukkig ten koste van iemand anders.' Er zat iets geruststellends in wat Christianna zei. Ze had gesmeekt om de juiste woorden te kunnen vinden voor deze gewonde vrouw.

'Ze krijgen een kind. Ze was al zwanger toen ze er samen vandoor gingen. Hij heeft haar zwanger gemaakt terwijl hij met mij verloofd was. Daar ben ik pas later achtergekomen. Alsof het zo niet genoeg was.'

Terwijl Christianna naar haar zat te luisteren, dacht ze opeens aan wat ze in Berkeley bijna dagelijks te horen had gekregen, maar onmogelijk in het Frans kon vertalen. Voorzichtig vroeg ze of Laure Engels sprak. Ze knikte met een ernstig gezicht. Christianna keek haar aan en glimlachte.

'In dat geval is het enige wat ik over hen kan zeggen: *that sucks*. Het was een afschuwelijke streek die ze je hebben geflikt.' Bij het horen van haar woorden, glimlachte Laure nu ook, en plotseling begon ze te grinniken, wat uitmondde in een lachbui.

'Dat is het mafste wat ik ooit heb gehoord,' zei Laure, nog steeds lachend. Ze was nog mooier als ze lachte. Deze vrouw was werkelijk beeldschoon, en het was ongelooflijk dat iemand haar had laten zitten. Hij moest wel getikt zijn om bij haar weg te gaan, vooral op zo'n manier.

'Ja, het ís toch ook maf?' zei Christianna giechelend. 'Maar dat brengt het aardig onder woorden, vind je niet? *'That sucks*,' herhaalde ze krachtig, en ineens waren ze gewoon twee jonge meiden die aan een beekje zaten en ineens leek het leven een stuk gemakkelijker. Ze waren twee kinderen die net uit school kwamen. 'Volgens mij is hij getikt. Toen we twee dagen geleden in de bus kwamen aanrijden, bedacht ik dat jij de mooiste vrouw was die ik ooit had gezien.' Dat was zo. Laure was oogverblindend.

'Doe niet zo gek.' Laure keek gegeneerd. 'Ik lijk wel een boom. Ik heb het mijn hele leven erg gevonden om zo lang te zijn. Ik heb altijd zo klein willen zijn als jij. De vrouw met wie hij er vandoor ging, mijn zogenaamde beste vriendin, lijkt eigenlijk heel erg op jou. Zodra ik je zag, was ik erdoor van slag. En toen je zonet vroeg of ik een wandeling met je wilde maken, bedacht ik dat zij jou niet is. Het spijt me als ik grof tegen je ben geweest. In het begin zag ik haar telkens wanneer ik naar je keek en dan was ik kwaad op jou.'

'Je deed niet grof,' jokte Christianna. 'Je zag er alleen zo treurig uit.'

'Nee,' hield Laure vol. 'Ik was grof. Maar je deed me ook zo aan haar denken.'

'*Sucks for me*,' zei Christianna weer. Het was tijdens haar studie haar favoriete uitdrukking geweest. De beide vrouwen vielen lachend tegen elkaar aan.

'Nee, *it sucked for me*,' probeerde Laure haar met een zwaar Frans accent te overtroeven. En toen Yaw hen op het pad voorbijreed, rolden hun de tranen over de wangen. Hij was een eindje gaan fietsen, hoorde hen lachen, minderde vaart, reed langs, keek omhoog naar een boom en schreeuwde iets, terwijl zij naar hem wuifden. Ze dachten dat hij gewoon groette.

'Weg!' riep hij naar hen. 'Ga weg!' Hij zwaaide koortsachtig met zijn arm. Ze keken elkaar aan, nog altijd lachend, en stonden toen toch maar op. Hij gebaarde dat ze weg moesten gaan. Ze wisten niet wat hij wilde of wat hij bedoelde, maar hij bleef maar naar hen schreeuwen. Ze giechelden nog steeds toen ze het pad weer af liepen. Hij wees naar de boom. Een gigantische groene mamba had al die tijd op de dikke boomtak boven hun hoofd liggen zonnen. En bijna als op een teken liet hij zich vallen op de boomstronk waarop ze hadden gezeten en kronkelde in de richting van de rivier. Toen ze hem zagen, gilden de vrouwen het allebei uit en renden weg, zwaaiend naar Yam, die lachend wegreed.

'*Merde!*' zei Christianna, en ze gilde nog steeds, terwijl ze bijna het hele eind terug naar het kamp bleven rennen. Toen bleven ze plotseling staan en schoten weer in de lach. 'O mijn god, heb je dat ding gezien?' Ze hadden zo hard gehold dat Christianna pijn in haar zij had. 'Jij hebt me wijsgemaakt dat je hier nooit een slang had gezien,' zei Christianna, nog natrillend.

'Misschien heb ik nooit in een boom gekeken,' zei Laure met een grijns. 'Dat was de grootste slang die ik ooit heb gezien.'

'*Sucks for us,*' zeiden ze allebei tegelijk, waardoor ze opnieuw in de lach schoten.

'Goddank ga ik algauw naar huis,' zei Laure, terwijl ze iets langzamer verderliepen vanwege Christianna's steken in haar zij. Ze had nog nooit zo hard gerend. En nu ze die slang had gezien, was haar ergste nachtmerrie bewaarheid geworden. Als Yaw er niet was geweest... Maar terwijl ze verderliepen, bedacht Laure ineens dat ze het jammer zou vinden om weg te gaan. Christianna was de eerste vriendin die ze hier had gemaakt. De anderen waren aardig tegen haar geweest, en het waren best leuke collega's, maar Christianna was de eerste die wezenlijk contact met haar had gemaakt. En zeker de eerste die haar zo aan het lachen had gemaakt. Ook al leek ze nog zo stuitend op de vrouw die haar had bedrogen, het was een lieve meid. Dat straalde ze ook uit. 'Heb je een vriend?' vroeg ze nieuwsgierig.

'Nee, ik heb een broer, een vader en een hond. Voorlopig is dat alles. Ik had wel iemand in Berkeley, maar dat was niet serieus. Soms stuurt hij me een e-mail – althans, dat deed hij voor ik hier kwam.'

'De twee vrienden die met je zijn meegekomen, lijken me ook aardig.' Christianna knikte, niet wetend wat ze moest zeggen. Soms waren ze moeilijk te duiden, behalve dat het gewoon goede vrienden waren die ook naar Afrika wilden.

'We waren samen in Rusland en zij hebben Marque ook ontmoet.' Laure knikte, en toen ze bij de vrouwentent waren aangekomen, bleef ze staan en keek Christianna even aan. 'Bedankt dat je me vroeg om een eindje met je te gaan wandelen. Ik heb ervan genoten, Cricky.' Ze had gehoord dat de anderen haar zo noemden, en dat ging haar nu ook gemakkelijk af.

'Ik ook.' Christianna schonk haar een warme glimlach. Vriendschap sluiten met Laure was best een overwinning voor haar geweest, en een onverwacht geschenk gebleken. Het had veel moeite gekost. 'Behalve de slang,' voegde Christianna eraan toe, waarop ze allebei moesten lachen en de tent binnen liepen die iedereen het Ritz noemde. Iedereen was al terug van het werk en zat in diverse stadia van ontkleding uit te rusten.

'Waar zijn jullie geweest?' vroeg Mary, die verbaasd opkeek toen ze hen samen zag. Iedereen had de kilte tussen die twee opgemerkt en hoe onaangenaam Laure al die tijd tegen Christianna had gedaan.

'We zijn slangen gaan zoeken, en we hebben een grote gevonden die in een boom lag,' vertelde Christianna grijnzend, waarop Laure met haar mee lachte.

'Je gaat in Afrika niet onder een boom zitten,' zei Mary met een streng gezicht, waarna ze met dezelfde afkeurende blik Laure aankeek. 'Jij weet toch wel beter? We kunnen meisjes als jullie ook nooit uit het oog verliezen. Ik zal jullie naar je kamer moeten sturen.' Nog nalachend zei Laure dat ze voor het eten ging douchen, wat, zoals algemeen bekend was, niet zomaar ging. Maar ze was ervan overtuigd dat ze wel iemand zou kunnen vinden om water over haar heen te gieten. Ze trok haar badjas aan en liep de tent uit, terwijl Christianna op haar bed ging liggen en probeerde niet aan de slang te denken die ze hadden gezien. Ze had nog nooit zo gegild of zo hard gelopen. Goddank dat Yaw er was geweest.

'Wat heb je in godsnaam met haar uitgespookt?' vroeg Fiona stomverbaasd. Ze zag er moe uit. Ze had die middag achter elkaar drie baby's ter wereld geholpen, waarvan er een was overleden. Ze was altijd terneergeslagen als er zoiets tragisch voorviel. Ze had gedaan wat ze kon om de zuigeling te redden, en Geoff had haar nog geholpen, maar ze konden niets uitrichten. Zo ging het soms, maar het drukte altijd zwaar op haar.

'We zijn gewoon een eindje gaan lopen,' zei Christianna kalm. 'Volgens mij had ze behoefte aan iemand om mee te praten.'

'Nou, tot jij hier kwam, heeft ze nooit iets tegen een van ons gezegd. Je beschikt waarschijnlijk over bijzondere gaven.'

'Nee, ze was er gewoon nog niet klaar voor.' Christianna had het aangevoeld, al had ze niet verwacht dat het zo goed zou gaan. Ze wilde gewoon niet dat er een vijand in dezelfde tent woonde als zij.

'Je kunt goed met mensen overweg, Cricky,' zei Fiona vol bewondering. Iedereen in het kampement had dat opgemerkt en praatte erover. Het was hun allemaal opgevallen, ook al was ze hier nog maar zo kort. Christianna had een bepaalde charme, of, zoals Laure die middag had gezegd, een 'gave'.

Even later was Laure terug van het douchen. Ze maakte een gelukkige en ontspannen indruk, en toen ze die avond met z'n allen gingen eten, waren die twee alweer om die slang aan het lachen. Voor het eerst sinds ze daar was, nam Laure deel aan het tafelgesprek. Iedereen kwam tot zijn verbazing tot de ontdekking dat ze gevoel voor humor had. Ze plaagde Cricky uitbundig, omdat ze zo hard had geschreeuwd en er als een speer vandoor was gegaan.

'Ik zag jou anders ook niet blijven om foto's te maken,' luidde Christianna's reactie, waarop ze opnieuw in lachen uitbarstten, nog huiverend bij het idee wat er gebeurd zou zijn als het beest uit de boom was gevallen als ze er nog hadden gezeten. Daar moesten ze niet aan denken.

Die avond liepen ze samen terug naar de tent. Christianna vroeg haar waarom ze zo'n hekel aan Afrika had. Ze was geschrokken toen Laure dat die middag zei.

'Misschien heb ik helemaal niet zo'n hekel aan Afrika als ik denk,' antwoordde Laure bedachtzaam. 'Ik ben hier ontzettend ongelukkig geweest. Ik zal het wel allemaal met me meegenomen hebben, alle ellende die me overkwam voor ik hiernaartoe ging. Weet ik veel... Misschien had ik gewoon een hekel aan mezelf.'

'Waarom zou je?' vroeg Christianna voorzichtig.

'Weet ik veel... Misschien omdat hij niet genoeg van me hield om bij me te blijven en me trouw te zijn. Misschien dacht ik: als hij niet van me houdt, waarom zou ik dan... Ik bleef maar zoeken naar wat er aan me schortte, waardoor hij zoiets deed. Het is ingewikkeld, vind ik.'

'Die mensen deugden niet om jou zoiets aan te doen,' verklaarde Christianna. 'Mensen die deugen doen zulke dingen niet. Dat geloof je nu niet, maar op een dag, wanneer je iemand anders ontmoet, zul je blij zijn. De volgende keer zul je een goede man treffen. Dat geloof ik echt. Zo'n noodlot slaat niet twee keer toe. Eens in een mensenleven is genoeg.'

'Ik kan me niet eens voorstellen dat ik ooit weer iemand vertrouw,' zei Laura terwijl ze de tent binnen stapten. De anderen waren nog niet terug, dus waren ze nog even alleen. 'Wacht maar af.'

'Wanneer?' vroeg Laure, met alweer die treurige blik. De pijn van het verraad straalde nog altijd uit haar ogen, maar nu had ze een vriendin.

'Als je er klaar voor bent. Het was waarschijnlijk goed voor je om hiernaartoe te gaan en afstand te nemen.'

'Dat dacht ik ook. Maar ik heb het allemaal meegenomen. Ik was niet in staat om ergens anders aan te denken.'

'Mocht dat weer gebeuren,' zei Christianna bedaard, 'weet je dan wat je voortaan moet doen?'

'Wat dan?' Laure verwachtte paarlen van wijsdom uit de

mond van haar nieuwe vriendin. Tot nu toe had ze zo'n wijsheid aan de dag gelegd en de spijker op de kop geslagen dat Laure ervan onder de indruk was.

'Dan denk je gewoon aan de slang die vandaag bijna boven op ons viel, en dan ben je blij dat we nog leven. Dat zijn dan twee slangen waaraan je op het nippertje bent ontsnapt: die man en die van vandaag.' Laure barstte in lachen uit. Ze was nog niet uitgelachen toen de anderen binnenkwamen, die opnieuw met verbijstering naar hen keken. Niemand kon zich enige voorstelling maken van wat Christianna had gedaan met de vrouw die nooit een mond opendeed. Ze waren het er allemaal over eens, geen twijfel mogelijk: Christianna had een gave. Ze waren blij haar in hun midden te hebben, en zijzelf nog meer om hen om zich heen te hebben.

HOOFDSTUK 9

$\mathcal{D}$e dag voordat Artsen Zonder Grenzen zou komen, was iedereen druk in de weer. Geoff bracht de gevallen bij elkaar die hij door hen wilde laten bekijken. Hij vermoedde dat ze een paar kleine operaties zouden willen uitvoeren. Er waren twee ernstige gevallen van tbc waarover hij zich nogal zorgen maakte, en er was een kleine uitbraak van kala-azar waarover hij weliswaar nog niet in paniek raakte, maar hij was altijd blij als ze er waren om hun om advies te kunnen vragen, vooral in september, de malariaperiode, die gelukkig nog ver weg was. Er zouden een week lang vier artsen en twee verpleegkundigen bij hen komen werken, wat altijd een taakverlichting voor Mary en Geoff betekende. Er waren ook altijd aidspatiënten om over te beraadslagen. Artsen Zonder Grenzen bracht nieuwe medicijnen voor hen mee. Bovendien was het altijd aangenaam om vertrouwde gezichten te zien, maar ook nieuwelingen. Een paar weken van tevoren hadden ze het kampement getelegrafeerd dat ze een nieuwe arts in hun midden hadden, die best een paar maanden bij hen zou willen werken. Het was een jonge Amerikaan, die in Harvard aidsonderzoek deed. Geoff had geantwoord dat hij heel blij zou zijn om hem een maand in hun midden te hebben, als het hem zou bevallen tenminste. Omdat het aantal kampbewoners dan tot achttien zou stijgen, had hij beloofd een extra brits in het George v bij te zetten, aangezien ze al helemaal vol zaten.

Christianna had haar vader inmiddels tweemaal gesproken, en hij had gezegd dat hij haar verschrikkelijk miste. Het was pas februari, en hij kon zich niet nog eens vijf maanden zonder haar voorstellen, laat staan langer. Hij wilde dat ze aan het eind van het halfjaar naar huis kwam, waarop ze geen commentaar had gegeven. Ze had geen zin om daar nu al met hem over te strijden. Ze was van plan dat later in het jaar te doen. Ze had absoluut geen zin om Oost-Afrika ook maar een minuut eerder te verlaten dan nodig was. Hij was opgelucht dat het tenminste goed met haar ging en dat ze gelukkig was, al wist ook hij dat het er dan niet naar uitzag dat ze vroeger naar huis zou komen. Christianna voelde zich schuldig dat ze hem in Liechtenstein alleen had gelaten, maar deze periode was haar heilig. Ze wist maar al te goed dat ze zo'n kans nooit meer zou krijgen.

Intussen had ze haar planning voor aidsvoorlichting afgerond en voor de vrouwen uit de omgeving kleine klassen samengesteld. Ze werd geassisteerd door haar tolk, een aardig meisje dat fatsoenlijk Engels sprak, wat haar door de zendelingen was bijgebracht. Vaak moesten Christianna en haar pupillen lachen om haar vertaling. Ze giebelden erop los om de grappige dingen die Christianna zei, maar verder leken ze haar serieus te nemen. Mary vond dat ze goed werk verrichtte, wat ze dikwijls tegen Geoff zei, en ook tegen Christianna zelf, al dacht de laatste dat Mary het alleen uit aardigheid zei.

Elke middag gaf ze samen met Ushi les, en de kinderen waren dol op haar. Ze had Laure een paar keer meegenomen om te helpen, en die genoot ervan. Nu ze een vriendin had die ze in vertrouwen kon nemen en met wie ze 's middags lange wandelingen maakte, was de ooit zo sombere Française echt opgebloeid. Toen de anderen opmerkten dat zich een wonderbaarlijke verandering had voorgedaan, hield Christianna vol dat het slechts een kwestie van timing was geweest. Laure was er gewoon aan toe geweest om zich meer te uiten, en Christianna was er toen gewoon op het goede moment – een soort gelukkig toeval. De anderen geloofden er niets van. Ze zagen immers wat er was gebeurd, misschien wel duidelijker dan zijzelf, en hoe Christianna haar voorzichtig uit haar cocon had gepeld. Van dat bozige, zwijgzame meisje dat ze maandenlang was geweest, was niets meer over. Nu praatte, lachte en grapte ze er net zo op los als alle anderen. Ze legde 's avonds zelfs een kaartje met de mannen, en vond het geweldig wanneer ze 's avonds in de vrouwentent terugkwam met een handvol *nafka*, de plaatselijke valuta.

Maar meer nog dan Laure was het meisje dat ze allemaal Cricky noemden, in haar element. Zelfs Geoff was nu vergeten dat ze een Doorluchtige Hoogheid was, wat het gemakkelijker maakte om dat geheim te houden. In nog geen maand was ze een van hen geworden. Ze konden zich het leven zonder haar niet meer voorstellen, wat wederzijds was. Ze had het gevoel dat ze in Oost-Afrika eindelijk wist wie ze was en ze wilde dat ze voor altijd kon blijven. De gedachte om er weg te gaan, kon ze niet verdragen. Ze wilde elk moment vasthouden en overal ten volle van genieten.

Op de ochtend dat Artsen Zonder Grenzen zou komen, deed Christianna, voordat ze naar haar aidsvoorlichtingsklasje ging, samen met Mary de ronde. Toen het hoofd van het bezoekende team samen met Geoff er binnen stapte, stelde hij hem aan Christianna voor. Zoals tegenwoordig doodnormaal was, noemde hij haar Cricky. Het hoofd van het team was een Nederlander en hij sprak Duits. Hij had een interessant gezicht en hij werkte al jarenlang voor Artsen Zonder Grenzen. Ooit in Sudan, vervolgens in Sierra Leone, Zaïre, Tanzania, en ten slotte in Eritrea. Tijdens het grensgeschil met Ethiopië had hij van beide kanten talrijke slachtoffers behandeld en hij was net zo blij dat dat voorbij was als de bevolking. Velen die destijds waren gevlucht en naar elders geëmigreerd, waren nu terug in Eritrea.

Hij en Geoff waren oude vrienden, die blij waren om elkaar terug te zien, al was hij aanzienlijk ouder dan Geoff. Hij beweerde aldoor dat hij te oud voor het werk was, maar geen mens die hem geloofde. Hij had een jeugdige, vitale uitstraling en genoot als hij zelf het vliegtuig mocht besturen. Aan het eind van de Tweede Wereldoorlog, nadat hij uit Nederland was gevlucht, had hij voor de Engelsen gevlogen. Het was een hoogst interessante man, en Christianna was verrukt om kennis met hem te maken. Ze had al sinds haar aankomst over hem horen praten.

Die avond was het gezellig onder het eten, toen de twee ploegen gezamenlijk in de eettent zaten en de Nederlandse arts hen onthaalde op komische verhalen. De jongere teamleden legden onderlinge contacten en waren blij om met elkaar kennis te maken of oude vriendschappen te verstevigen. Het was altijd leuk om nieuwe gezichten in het kampement te zien, net als bij de komst van Cricky en haar mannen. De jonge Amerikaan was naast Mary aan tafel gaan zitten, en ze raakten in een geanimeerd gesprek over de nieuwe protocollen waarmee in Harvard op aids werd getest. Hij was weliswaar jong, maar hij was uiterst deskundig op zijn vakgebied. Mary vond het geweldig om alle laatste ontwikkelingen te horen en met hem haar huidige ziektegevallen door te nemen. Hij had die middag samen met haar al haar patiënten onderzocht en had een aantal voortreffelijke suggesties gedaan. Toen Christianna zo naar iedereen om haar heen zat te luisteren, vond ze het net een medisch congres, maar ze vond het allemaal reuze boeiend. Bovendien waren er tijdens het eten genoeg momenten waarop ze over andere dingen spraken, en er werd tussen de serieuze onderwerpen door oeverloos gelachen.

Ook zag Christianna tot haar genoegen dat Laure met een van de jonge Franse artsen in gesprek was. Zo te zien spraken ze bijna de hele tijd over ernstige zaken, en na het eten stelde Laure een fanatiek spelletje poker voor. Ze had zich ontpopt tot een van de populairste en succesvolste gokkers van het kamp, en die avond was geen uitzondering. Een paar keer wisselde ze een blik met Christianna, en als er niemand keek, stak ze haar duim omhoog met betrekking tot de Franse arts, waar Laure dan om moest lachen. Ze had er in tijden niet zo stralend uitgezien, en daar was Christianna blij om.

Aan het eind van de avond, toen het pokeren nog in volle gang was, werd Christianna voorgesteld aan de Amerikaanse arts die bij hen zou achterblijven. Hij heette Parker Williams en ze had hem tegen iemand horen zeggen dat hij uit San Francisco kwam. Toen ze onder de koffie met elkaar in gesprek raakten, vertelde Christianna dat ze in Berkeley had gestudeerd. Hij zei uiterst beleefd dat het een heel goede opleiding was, al wist zij dat hij in Harvard had gestudeerd.

'Hoe ben je hier terechtgekomen?' vroeg hij belangstellend. Ze vertelde hem over de bezetting van de Russische school, dat ze daar Marque had ontmoet en toen tot het besef was gekomen dat ze één jaar van haar leven iets dergelijks wilde gaan doen voordat ze zich inwerkte in het familiebedrijf. En als antwoord op haar vragen vertelde hij dat hij eigenlijk geen deel uitmaakte van Artsen Zonder Grenzen. Hij zei ook dat hij hen alleen volgde met het oog op zijn onderzoeksproject over aids voor Harvard, maar dat hij dit fantastisch vond en zich verheugde op de tijd die hij in Senafe zou verblijven.

'Ik vind het hier geweldig,' zei ze zacht, en uit de blik in haar ogen las hij dat ze het meende. Laure had al eerder gezegd dat hij zo aantrekkelijk was en veel met Christianna gemeen had. Hij was even blond, hij had dezelfde donkerblauwe ogen, al was hij groot en zij zo klein. Maar er was niets kleins aan haar geest, zoals haar collega's al hadden ontdekt.

Zij en Parker zaten nog een poosje te praten – over het kampement, de mensen in Senafe en het werk dat ze er deden. Ze vertelde hem over het aidspreventieproject dat ze met behulp van Mary had opgezet. Nadat hij haar had horen beschrijven waar ze allemaal mee bezig was, zei hij dat hij onder de indruk was van de opvallende vooruitgang die ze in korte tijd had geboekt.

Daarna schoof hij aan bij Laure om te gaan pokeren en bleven de meeste mannen in de eettent hangen, terwijl Christianna en de andere vrouwen naar hun eigen tent teruggingen.

'Het is een lekker ding,' kwetterde Fiona tegen Christianna op de terugweg naar het Ritz.

'Wie?' vroeg Christianna onnozel, omdat ze even was afgeleid. Ze bedacht dat ze haar vader al een paar dagen niet had gebeld en de volgende dag maar naar Senafe zou gaan om dat goed te maken. Anders zou hij ongerust worden.

'Schei nou toch uit,' zei Fiona gnuivend. 'Ik zag je met hem praten. Je weet best wie ik bedoel. Die jonge arts uit Harvard. Jezus, als jij hem niet wilt, ga ik hem zelf proberen te versieren.' Fiona stond altijd op de uitkijk naar nieuwe mannen, al was dat bij haar eerder een kwestie van woorden dan van daden. Niemand had hier veel gelegenheid voor dergelijke escapades. En in tegenstelling tot Mary en Geoff hielden de meesten zich verre van interne romances. Omdat dat later veel te ingewikkeld werd, leefden ze samen als broers en zussen. Maar de komst van Artsen Zonder Grenzen had altijd aller aandacht.

'Je mag hem hebben,' zei Christianna, en ze lachte haar uit. Weliswaar flirtte Fiona nog altijd met Max, maar tot dusver had dat niets uitgehaald. Het bleef bij woorden, en het was voor allebei een spelletje.

'Vind jij hem dan niet leuk?' vroeg Fiona, weer op Parker Williams doelend.

'Hij lijkt me best aardig. Ik heb hier gewoon nooit aan die dingen gedacht. Er moet te veel worden gedaan om me daarmee bezig te houden.' Christianna was hier te zeer verdiept in andere verworvenheden, en een man zoeken was zo ongeveer het laatste waar ze aan dacht. Ze wist maar al te goed dat zoiets haar leven alleen maar ingewikkelder zou maken. Als studente in Berkeley was dat wat anders geweest. Maar niet hier, in deze uithoek van de wereld, vooral gezien de beslommeringen van haar echte leven. Mocht ze hier iets met iemand krijgen, dan zou dat afgelopen moeten zijn wanneer ze terugging. En dat zou ditmaal, in tegenstelling tot de vorige keer, best wel eens pijn kunnen doen.

Alle vrouwen kleedden zich uit en gingen naar bed. Een uur later volgde ook Laure hun voorbeeld. Ze had zich kostelijk geamuseerd, en 's morgens werd ze door iedereen geplaagd over al het geld dat ze had gewonnen. Ze had ze allemaal het vel over de oren gehaald.

'Je bent de enige die ik ken die als een rijke vrouw uit Senafe vertrekt,' zei Geoff, waarop Laure moest grinniken. Ze had het leuk gehad en de Franse arts was aardig.

Zoals altijd was iedereen rond zeven uur weer hard aan het werk. Parker Williams deed samen met Mary de ronde, het hoofd van het team hield samen met Geoff patiëntenspreekuur, geassisteerd door de overige medewerkers van Artsen Zonder Grenzen, die tevens hun voorraden aanvulden. Christianna bevond zich in het krappe kantoortje waarin ze voorlichting gaf over aidspreventie, toen Mary bij haar langskwam en tot haar verbazing vroeg of ze soms met hen mee wilde. Uiteindelijk maakte ze geen deel uit van het medische team, en dus was het een compliment om betrokken te worden bij medische discussies, ook al gingen ze haar boven de pet. Ze stak er altijd iets van op, en in de korte tijd dat ze hier was, had ze een hoop geleerd.

Intussen kende ze al hun aidspatiënten tamelijk goed, met name de kinderen. Ze bezocht iedereen dagelijks en nam kleine verrassingen voor hen mee: fruit voor de vrouwen en spelletjes voor de kinderen. Ze zette verse bloemen op hun afdeling neer, die ze altijd fraai schikte. Ze wist iedereen het leven aangenamer te maken, zoals Mary doorlopend opmerkte. Maar ze was stil toen ze met hen meeliep. Ze wilde niet storen bij Parkers tweespraak met Mary. Slechts één keer stelde ze hem een vraag, over een bepaald medicijn waarover ze de anderen had horen praten, maar wat ze niet had begrepen. Hij legde het haar nauwkeurig uit en voerde vervolgens gesprekken met de patiënten. Tot twee keer toe tolkte Christianna voor hem, toen de patiënten alleen Frans spraken. Dat waren de twee enige vrouwen uit Mozambique op de afdeling. 'Bedankt voor de hulp,' zei hij terloops, toen ze wegliep om haar klasje les te geven.

'Graag gedaan.' Ze glimlachte en ging aan haar eigen werk. Die dag sloeg ze de lunch rigoureus over en ging rechtstreeks naar de klas om Ushi te helpen. En toen ze klaar was, ging ze Laure in haar kantoor opzoeken. Toevallig was de Franse arts daar om een praatje met haar te maken. Cricky keek haar glimlachend aan, waarna ze zich snel uit de voeten maakte. Toen ging ze naar buiten om dan maar in haar eentje een eind te gaan wandelen. Fiona was al de hele dag weg, dus ze had niemand om mee te praten of met haar mee te lopen. De anderen waren al naar de tent teruggegaan om even te rusten.

'Nogmaals bedankt voor je hulp van vanmorgen,' hoorde ze een stem naar haar roepen, waarop ze zich omdraaide om te zien wie dat was. Het was Parker. Hij had de hele dag gewerkt en ze waren tegelijkertijd klaar.

'Het mag nauwelijks naam hebben.' Ze glimlachte vriendelijk, en vervolgens, uit beleefdheid en omdat ze niet zomaar wat wilde blijven staan, vroeg ze hem of hij zin had in een wandeling, waar hij geen nee tegen zei. Hij vond de omgeving, die hem volledig vreemd was, prachtig. Hij vertelde dat hij nog maar een maand in Afrika was.

'Ik ook – net iets langer, misschien,' zei ze, terwijl ze dezelfde kant op liepen waar ze meestal met Laure heen ging.

'Waar kom je eigenlijk vandaan?' vroeg hij geïnteresseerd. Hij had gedacht dat ze Française was, maar dat had Mary tegengesproken.

'Uit een piepklein land in Europa,' vertelde ze hem lachend. 'Liechtenstein.'

'Waar ligt dat precies? Ik hoor er wel altijd over, maar eerlijk gezegd zou ik niet weten waar ik het op de kaart zou moeten plaatsen.' Hij was heel spontaan en hij had een warme glimlach.

'De meeste mensen niet. Het ligt tussen Oostenrijk en Zwitserland in. Het is maar honderdzestig vierkante kilometer. Erg klein, vandaar dat je niet wist waar het lag.' Ze glimlachte nu ook. Niet dat ze aan het flirten waren, verre van dat, ze praatten gewoon over koetjes en kalfjes onder het lopen. Ze vond dat hij iets weg had van haar broer Freddy, maar ze bedacht dat ze rustig kon aannemen dat hij zich beter gedroeg. Zoals de meeste mensen deden.

'Wat spreken ze daar?' Zo te zien, zoog hij als een spons informatie op. 'Duits?'

'Voornamelijk, en een dialect dat ervan is afgeleid maar heel moeilijk te verstaan is.'

'En Frans?' Omdat ze dat die ochtend volgens hem uitstekend had gesproken, was hij nu onder de indruk als dat haar moedertaal niet was.

'Soms, maar de meeste mensen spreken Duits. Ik heb zelf thuis altijd Frans gesproken. Mijn moeder was namelijk Française.'

'Was?' vroeg hij met een meelevende blik.

'Ze is overleden toen ik vijf was.'

'De mijne overleed toen ik vijftien was.' Dat hadden ze dus gemeen, al ging ze niet verder op het onderwerp in. Ze wilde niet grof of nieuwsgierig lijken en pijnlijke vragen stellen.

'Mijn broer en ik zijn alleen met mijn vader opgegroeid.'

'Net als mijn broer en ik.' Ze glimlachte.

'Wat doet jouw broer nu, aangenomen dat hij oud genoeg is om iets te doen?' Hij lachte. Ze leek hem nog erg jong, vooral omdat ze zo klein was. Ze was amper groter dan een kind, al wist hij dat ze als ze voor het Rode Kruis werkte, toch aan een bepaalde leeftijd moest voldoen – op zijn minst eenentwintig.

'Hij ís oud genoeg,' zei Cricky ironisch. 'Hij is eenendertig. Eigenlijk reist hij meestal, zit achter vrouwen aan en rijdt in snelle auto's.'

'Fijn werk, als je dat kunt vinden,' zei hij plagerig. 'De mijne is medicus, net als mijn vader. Mijn vader is chirurg in San Francisco en mijn broer kinderarts in New York. En ik woon in Boston.' Hij verschafte alle relevante informatie, zoals Amerikanen wel vaker doen – veel vaker dan Europeanen, die veel minder persoonlijke informatie loslaten. Maar dat vond Christianna niet erg. Die openhartigheid van de Amerikanen beviel haar juist wel. Dat had ze gemist sinds ze in juni uit Berkeley was vertrokken.

'Ik weet dat je in Boston woont.' Ze glimlachte vriendelijk – hij leek haar aardig. 'Je doet onderzoek op Harvard.' Hij leek blij verrast dat ze dat wist.

'Wat doe je in Liechtenstein... Hoe heet je woonplaats trouwens?'

'Ik woon in de hoofdstad, Vaduz. En als ik naar huis ga, ga ik voor mijn vader werken. Maar eerst hoop ik het hele jaar hier te kunnen blijven. Als hij dat goedvindt. Hij wordt een beetje zenuwachtig als ik weg ben. Maar mijn broer komt binnenkort terug uit China... Dat zal hem afleiden, hoop ik. Of hij wordt er gek van, afhankelijk van wat mijn broer doet.' Ze schoten allebei in de lach.

'Is hij racewagencoureur? Je had het over snelle auto's.'

'Nee.' Nu lachte ze nog harder. Ze liepen over een door struikgewas, bloemen en bomen omzoomd pad. De geur van de bloemen was zwaar en zoet; een geur die ze voortaan altijd met Afrika zou associëren. 'Het is gewoon een heel ondeugend jongetje.'

'Werkt hij überhaupt?' Hij keek verbaasd. Dat concept was nieuw voor hem, maar niet voor haar. De meeste prinsen werkten niet. Kroonprinsen, zoals haar broer, al helemaal niet, al gedroegen ze zich voor het merendeel heel wat respectabeler dan hij en vonden ze kalmere methoden om hun tijd mee te vullen.

'Soms werkt hij ook voor mijn vader, maar dat bevalt hem niet erg. Hij reist liever. Hij is nu al een paar maanden op reis door Azië. Daarvoor was hij in Japan, en nu in China. Hij is van plan om op weg naar huis een tussenstop in Birma te maken.' Zo te horen een interessant gezin, vond hij.

'En je vader?'

'Hij zit in de politiek en de pr.' Dat antwoord had ze inmiddels paraat. Ze had het intussen al zo vaak gezegd dat ze er bijna zelf van overtuigd was. 'Als ik thuis ben, ga ik de pr voor hem doen.'

'Dat lijkt me leuk,' zei hij edelmoedig, waarop ze kreunde. 'Ik kan me niets ergers voorstellen. Ik ben veel liever hier.'

'En wat vindt hij daarvan?' vroeg hij, terwijl hij haar steels aankeek. Ze begon hem te intrigeren. Ze was reuze pienter. 'Hij is er niet blij mee, maar hij liet me gaan. Een halfjaar vond hij goed, maar ik ga proberen het tot een jaar te rekken.' Hij begreep dat ze zo jong was dat haar vader nog iets over haar te zeggen had en dat ze op de een of andere manier afhankelijk van hem was. Hij had natuurlijk geen idee hoezeer ze gebonden was aan familieverplichtingen, of aan de eisen die als prinses aan haar werden gesteld. Hij zou versteld hebben gestaan.

'Ik moet in juni terug zijn in Harvard, maar mij bevalt het hier ook wel. Ik ben nog nooit in zo'n interessant land geweest. Afrika, bedoel ik. Ik heb een paar jaar geleden onderzoek gedaan in Centraal-Afrika. Ik ben gespecialiseerd in aids in ontwikkelingslanden. Dit is een geweldige kans voor me.'

'Artsen Zonder Grenzen is een geweldige groep. Iedereen heeft een erg hoge pet van hen op.'

'Het zal in Senafe ook interessant voor me zijn, en fijn om er een poosje te blijven. Wat ik de afgelopen maand heb gedaan, was wat meer hapsnap, al ben ik reuze blij dat ze me hebben laten meelopen.' Ze knikte, terwijl ze langzaam terugliepen. Ze had het leuk gevonden om met hem te wandelen. Vervolgens informeerde hij naar Berkeley, of het haar daar was bevallen, en ze vertelde dat ze het er fantastisch had gevonden.

'Het speet me enorm dat ik in juni terug moest.'

'Zo te horen zijn jij en je broer niet zo graag thuis,' merkte hij met een ondeugende grijns op.

'Je hebt gelijk. Liechtenstein is erg klein. Er valt niet zo veel te beleven. Hier heb ik veel meer te doen.' Het werken met aidspatiënten beviel haar goed, evenals het 's middags lesgeven aan kinderen. Ze voelde zich nuttig hier, wat veel voor haar betekende.

'Ik zal er eens een bezoek aan moeten brengen,' zei hij beleefd. 'Ik ben in Oostenrijk geweest, en in Lausanne en Zürich, maar nog nooit in Liechtenstein.'

'Het is er heel mooi,' zei ze loyaal, wat haar zelf niet erg geloofwaardig in de oren klonk.

'En heel saai,' vulde hij voor haar aan.

'Ja, héél saai,' gaf ze met een glimlach toe.

'Waarom ga je dan terug?' Hij keek verbaasd. In de Verenigde Staten verhuisde je gewoon als de plek waar je woonde je niet beviel, net als hij en zijn broer hadden gedaan. Hij hield wel van San Francisco, maar het was hem er ook te rustig.

'Ik heb geen enkele keus,' zei ze treurig, maar ze kon hem met geen mogelijkheid uitleggen waarom. Hij maakte uit haar woorden op dat haar vader haar het familiebedrijf opdrong, vooral als ze zo'n losbol van een broer had. Het leek hem niet eerlijk. Maar de waarheid over de situatie waarin ze verkeerde had hij zich in geen lichtjaren kunnen voorstellen. 'Zo is het nou eenmaal. Ik heb dit jaar vrijaf, maar daarna moet ik voorgoed terug.'

'Misschien kun je daar nog eens goed over nadenken terwijl je hier bent.' Daar moest ze hartelijk om lachen, en ze schudde haar hoofd.

'Ik vrees dat ik er onmogelijk omheen kan. Soms moet je gewoon je verantwoordelijkheden aanvaarden en doen wat er van je wordt verwacht, hoe vervelend het ook is.'

'Je kunt in het leven doen wat je wilt,' hield hij vol. 'Of niet doen wat je niet wilt. Ik heb nooit gevonden dat je je door anderen de wet moet laten voorschrijven. Dat heeft mijn vader me bijgebracht toen ik nog heel klein was.'

'Ik zou willen dat mijn vader er zo over dacht, maar dat is niet zo. Integendeel bijna. Hij vindt dat plicht boven alles gaat. Evenals traditie.' Zo te horen was hij een stijfkop, op het onredelijke af, bedacht Parker, maar dat zei hij maar niet tegen haar. Ze leek zo gelukkig om hier te zijn.

Inmiddels waren ze bij het kampement terug, en Parker zei dat hij voor het eten ging douchen – alsof hij terugging naar een hotelkamer.

'Haast je dan maar, voor de jongens alweer naar huis gaan,' waarschuwde ze hem, waarop ze het systeem uitlegde dat ze hier hanteerden voor het nemen van een bad. Dat had hij al die morgen gemerkt, maar hij had zich niet gerealiseerd dat je na een bepaalde tijd niet meer kon douchen als de water-jochies eenmaal weg waren. Hij bedankte haar voor de informatie en de leuke wandeling, waarna hij haastig terug-ging naar de tent. En terwijl Christianna naar haar eigen tent liep, bedacht ze hoe gemoedelijk en aardig hij was. Ze wist het niet zeker, maar ze vermoedde dat hij even oud was als Freddy. Ze dacht nog steeds aan hem toen ze, eenmaal terug in de tent, voor het eten een paar minuutjes ging liggen. Op haar bed lag ze in de ruimte te staren, met het beeld van Parker voor haar ogen, en voor ze het wist, voelde ze zich zo rustig dat ze in slaap viel.

HOOFDSTUK 10

*D*e groep van Artsen Zonder Grenzen bleef een week bij hen. Zij aan zij met het in Senafe gestationeerde Rode Kruis-team werd er hard gewerkt, en van hun vereende inspanningen hadden de patiënten die ze behandelden veel profijt, vooral – met Parkers hulp – de aidsafdeling. En elke avond zorgden de twee ploegen gezamenlijk voor een feestelijke sfeer in de eettent. Ze konden het enorm goed met elkaar vinden. Vooral Laure en de Franse arts. Tegen de tijd dat het bezoekende team vertrok, was er duidelijk een vonk tussen die twee overgesprongen, en telkens wanneer Laure er met Christianna over sprak, straalde ze.

'En?' vroeg Christianna verwachtingsvol toen ze over hun vertrouwde pad naar de beek liepen. Ze gingen echter niet meer onder een boom zitten. Ze waren geen van beiden de slang vergeten waarvan Yaw hen had gered.

'Ik vind hem aardig,' bekende Laure met een verlegen glimlach, maar het volgende moment deed ze ineens zenuwachtig en angstig. 'Maar weet ik veel? Waarschijnlijk is hij net zo'n leugenaar en bedrieger als alle andere mannen.' Christianna vond het treurig om haar dat te horen zeggen, vooral toen ze de gewonde blik in haar ogen zag. Haar verloofde had haar met iets lelijks opgescheept: een argwaan tegen elke man die bij haar in de buurt kwam.

'Niet alle mannen zijn leugenaars en bedriegers,' zei Christianna voorzichtig. Doordat de twee vrouwen in korte tijd hechte vriendinnen waren geworden, namen ze elkaar vaak in vertrouwen, meestal over de hoop, de dromen en de angsten over de toekomst die ze koesterden. Christianna had haar graag meer willen vertellen, over haar eigen merkwaardige situatie bijvoorbeeld, maar dat durfde ze niet. Het was een groot geheim en dat zou ze hier met niemand kunnen delen, zelfs niet met Laure, hoezeer ze ook op haar was gesteld. Omdat ze bang was dat alles dan anders tussen hen zou worden, hield ze het voor zichzelf: wat ze als haar duistere geheim beschouwde – het feit dat ze een prinses was. 'Sommige mannen zijn heus wel integer en fatsoenlijk, Laure. Kijk maar naar het leven dat hij leidt en wat hij voor de mensheid doet. Dat zegt toch wel iets over hem, vind je niet?'

'Ik weet het niet,' zei Laure treurig, en met tranen in haar ogen voegde ze eraan toe: 'Ik ben bang om hem te vertrouwen. Ik wil nooit meer zo gekwetst worden.'

'Wat dan?' merkte Christianna praktisch op, op de vriendelijke, weloverwogen manier die haar eigen was. 'Ga je het klooster in? Ga je nooit meer met iemand uit? Geef je het helemaal op? Je hele leven single blijven, bang om je aan iemand te binden of mannen te vertrouwen? Dat wordt dan een eenzaam leven voor je, Laure. Niet iedereen is zo verdorven als de man die je heeft laten zitten.' Of die beste vriendin die met hem is meegegaan. 'Misschien is dit niet de juiste man, of wie weet is het gewoon te vroeg voor je om weer vertrouwen te koesteren, maar ik zou het vreselijk vinden om te zien dat je die deur voor altijd op slot doet. Dat mag gewoon niet. Je bent een veel te goed mens, en veel te mooi om dat te laten gebeuren.'

'Dat zegt hij ook,' zei Laure, terwijl ze haar tranen afveegde. 'Ik heb hem verteld wat er is gebeurd. Hij vond het verschrikkelijk.'

'Het wás ook verschrikkelijk. Het was regelrecht verdorven om je zoiets aan te doen. Hij was een echte proleet, in elke betekenis van het woord,' zei Christianna heftig, waarop

Laure haar glimlachend aankeek. Ze was dol op haar nieuwe vriendin.

'Hij had het recht om zich te bedenken over het huwelijk met mij,' zei Laure, in een poging om sportief te zijn. 'Zelfs om verliefd te worden op iemand anders.'

'Ja, maar niet in de volgorde waarop hij het deed en niet met je beste vriendin. Hij heeft vast wel eerder dan twee dagen voor de bruiloft geweten dat hij ernstige twijfels had, en hij had duidelijk al langer een verhouding met haar. Hoe je het ook bekijkt, het was een afschuwelijke streek. Maar dat wil niet zeggen dat iemand anders hetzelfde zal doen.' Ze probeerde de twee kwesties gescheiden te houden, zodat Laure het duidelijker zou kunnen zien.

'Antoine is hetzelfde overkomen,' zei ze zacht. Hij was de bewuste Franse arts. 'Ze waren niet verloofd, maar hij had al vijf jaar een relatie met haar – gedurende zijn hele medische studie en daarna. Zij is hem ook gesmeerd met zijn beste vriend en is daarna met zijn broer getrouwd, dus hij komt haar constant tegen. Vandaar dat hij naar Afrika is gegaan en zich bij Artsen Zonder Grenzen heeft aangesloten, zodat hij ze niet meer hoefde te zien. Hij heeft zijn broer niet meer gesproken sinds ze zijn getrouwd, wat me triest lijkt voor hem.'

'Ze lijkt me een uitgekookte tante. Zo te horen mogen jullie je allebei in de handen knijpen dat je van zulke mensen af bent, ook al lijkt dat op dit moment niet zo. Ik vind echt dat je deze man een kans moet geven. Wanneer kun je hem zien na zijn vertrek?' Ze wist niet precies wanneer het team weer deze kant op zou komen, al gebeurde dat ruwweg eens per maand. Maar Laure zou over relatief korte tijd weggaan, over ongeveer een maand. Dus ze zou hem kunnen mislopen als de Artsen Zonder Grenzen niet voor die tijd terugkwamen. Het leek Christianna zonde als ze niet de kans zouden krijgen om elkaar te leren kennen. Er was duidelijk iets tussen hen aan de hand, anders zou ze er niet zo over inzitten. Ze voelde zich onmiskenbaar tot de man aangetrokken, waardoor ze tegelijkertijd kwetsbaar en angstig was.

'Hij wil me in Genève ontmoeten. Over een paar maanden vertrekt hij uit Afrika. Hij heeft een baan aangenomen in een ziekenhuis in Brussel, waar ze gespecialiseerd zijn in tropische ziekten. Hij zei dat hij me zou komen opzoeken wanneer hij terugkomt. Ik ga twee maanden eerder weg dan hij.'
'Dat geeft jou de tijd om aan het idee te wennen. Kijk nou maar hoe je erover denkt tegen de tijd dat je teruggaat. Misschien dat jullie intussen met elkaar kunnen corresponderen of zo.' Daarop moest Laure lachen, en Christianna moest toegeven dat het, gegeven hun werk en de locaties waar ze zich dan bevonden, inderdaad niet eenvoudig voor hen zou zijn om in Afrika met elkaar in contact te blijven. Maar drie maanden was niet zo lang om te wachten, en Laure had tijd nodig om de wonden te laten helen. 'Ik vind dat je het een kans zou moeten geven, of in elk geval de deur moet openlaten, en dan maar zien wat er gebeurt. Je hebt in dit stadium weinig te verliezen. Laat hem jou bewijzen dat hij deugt. Wees op je hoede, maar geef die arme man ten minste een kans. Hij heeft ook heel wat meegemaakt.'
'Ik zit niet opnieuw te wachten op een gebroken hart,' zei Laure, met nog steeds een zorgelijk gezicht. Maar er was geen twijfel mogelijk dat ze er oren naar had en dat alles wat Christianna tegen haar had gezegd redelijk klonk.
'In het gebruik loopt alles wel een barstje op,' haalde Christianna aan. 'Dat is niet helemaal een juist citaat, maar het komt geloof ik van Yeats. Ieders hart wordt ooit gebroken, maar uiteindelijk worden we er sterker van.'
'Het jouwe ook?' Laura keek haar glimlachend aan.
'Mijn hart is nog maagd,' antwoordde Christianna. 'Er waren wel mensen die ik mocht – heel erg zelfs – maar ik denk niet dat ik ooit verliefd ben geweest. Ik weet het wel zeker, eigenlijk.' Ze kreeg er zo weinig gelegenheid voor, behalve tijdens de jaren in Berkeley, maar voor de rest was haar wereld ontzettend klein en haar keuzemogelijkheden waren zo beperkt dat die nauwelijks bestonden. Om haar vader tevreden te stellen, zou het een prins moeten zijn, of op z'n minst iemand van adel, uit haar eigen milieu. Zo niet, dan

zou het een enorme rel veroorzaken. Ondanks het feit dat de laatste jaren mensen van koninklijken bloede met een burger trouwden, had haar vader altijd voet bij stuk gehouden dat zij met een man van koninklijken bloede moest trouwen. Dat was een belofte die hij haar moeder tijdens haar sterfbed had gedaan, een traditie waar hij aan hechtte, en hij voerde altijd aan dat er maar een paar van die gemengde huwelijken waren geslaagd. Het ging hem niet alleen om een stamboom; hij was er heilig van overtuigd dat het van essentieel belang was niet met iemand te trouwen die heel anders was. Bovendien had hij haar altijd duidelijk gemaakt dat hij nooit zijn goedkeuring zou geven, tenzij ze met iemand van koninklijken bloede trouwde. Ze geloofde hem. Bovendien kon ze zich niet voorstellen dat ze zonder de zegen van haar vader zou trouwen. Maar dat kon ze Laure natuurlijk niet vertellen.

'Ik kan het niemand aanraden, verliefd worden, bedoel ik. Ik heb me mijn hele leven nooit zo ellendig gevoeld als toen hij het huwelijk annuleerde en wegliep. Ik dacht dat ik dood zou gaan.'

'Maar je ging niet dood. Dat moet je goed onthouden. En als deze man, of een andere man, een beter mens is, mag je van geluk spreken.'

'Je zult wel gelijk hebben,' zei Laure, zo te zien wat filosofischer en ook enigszins bemoedigd. Christianna had een paar uitstekende opmerkingen gemaakt, en die waren niet aan dovemansoren gezegd. Laure was bereid ernaar te luisteren, al was ze ook wel bang. Ze vond de man die ze net had leren kennen echt aardig – heel aardig zelfs. Er was zodra ze elkaar ontmoeten, direct sprake geweest van aantrekkingskracht en begrip, bijna alsof ze zielsverwanten waren, al wist ze niet helemaal zeker of ze daar nog wel in geloofde. Ze was ervan overtuigd geweest dat haar ex-verloofde haar zielsverwant was, al was gebleken dat hij dat allesbehalve was, en nota bene de zielsverwant van iemand anders was. Maar deze man was anders. Hij leek ook kwetsbaar en voorzichtig, en ook om een goede reden. In menig opzicht pasten ze uitstekend bij elkaar, en ze gingen met respect met elkaar om. 'Misschien ga ik hem toch ontmoeten wanneer ik terug ben,' zei ze met een verlegen glimlach.

'Flinke meid,' zei Christianna, en ze sloeg haar arm om haar heen, waarna ze naar het kamp terugliepen. Daarbij kwamen ze langs een paar vrouwen uit de omgeving die met hun kinderen uit wandelen waren. Ze merkten allebei op hoe vriendelijk de bevolking van Eritrea was, ook onderling. In dit land spraken ze negen verschillende talen, maar wat ze ook spraken, iedereen had altijd een glimlach op zijn gezicht en was altijd bereid om te helpen. Ze wilden dat iedereen zich welkom en op zijn gemak voelde. Daardoor was elke ontmoeting met hen een plezier.

Het enige wat Christianna pijn deed, was als ze de ondervoede kinderen zag – meestal uit de randgebieden, maar soms zelfs hier in Senafe. Ze hadden jaren van honger en droogte achter de rug, en bij het zien van de opgezwollen buikjes van uitgehongerde kinderen die voor medische zorg bij hen werden gebracht, sprongen haar steevast de tranen in de ogen. Er was zo weinig wat ze voor hen konden doen om een eind te maken aan de ziekten, de zorgen en de armoede waarvan ze te lijden hadden en die ze zo moedig tegemoet traden. Het Rode Kruis deed al het mogelijke voor hen, net als andere groepen, maar waar het land behoefte aan had, was meer dan een handvol meevoelende mensen die voor hen zorgde. Er waren politieke en economische oplossingen nodig die voor een normaal mens te ingewikkeld waren. Onder degenen die hier waren, heerste een besef van hulpeloosheid, maar tegelijkertijd een gevoel van dankbaarheid en vreugde, louter om tussen deze mensen te verkeren. Christianna was van plan, wanneer ze terug was, met de familiestichting te gaan praten over een enorme subsidie ten bate van hen. Maar intussen besteedde ze al haar tijd aan hen en stelde haar hart en ziel voor hen open. Alleen al hier te mogen zijn was voor haar een immens geschenk, en ze zou hen voor altijd dankbaar blijven dat ze haar zo hartelijk hadden ontvangen. Maar ook het Rode

Kruis, dat haar deze ervaring gunde, en haar vader, vanwege zijn toestemming om haar hiernaartoe te laten gaan. Soms stroomde haar hart over als ze daar alleen maar aan dacht.

Ze waren op tijd terug in het kamp om voor het eten nog te kunnen douchen. De watermeisjes waren al naar huis, maar de vrouwen goten water over elkaar heen. Fiona kwam er ook bij toen ze hen buiten de tent in de geïmproviseerde badruimte hoorde lachen.

'Zeg, wat is hier aan de hand, meisjes?' vroeg Fiona, met haar eeuwig ondeugende blik. Ze maakte een moeilijke tijd door, waarin ze moest beslissen of ze jacht moest maken op Max, of op een van de artsen die bij hen te gast waren, op wie ze ook viel. Maar laatstgenoemde vertrok de volgende dag, waardoor ze weinig tijd voor hem zou hebben. Max was een betere langetermijninvestering, omdat hij nog een hele tijd in de buurt zou blijven. Omdat Christianna en de twee mannen van plan waren pas over maanden naar huis te gaan, en misschien zelfs pas aan het eind van het jaar, was Max een betere kandidaat dan een minnaar voor één nacht, hoe leuk ze hem ook vond. Ze besprak het met de twee vrouwen, die om haar dilemma moesten lachen.

Fiona was in haar eentje bezig verloskunde een ander gezicht te geven in de streek rond Debub, met name in Senafe. Voor haar komst moesten vrouwen een reis van drie dagen per ezel ondernemen om in een ziekenhuis ver van huis te kunnen bevallen, waardoor ze vaak hun baby langs de kant van de weg ter wereld brachten. Door toedoen van Fiona stierven er veel minder baby's onmiddellijk voor of na de geboorte. En wanneer ze op een probleem stuitte dat de assistentie van een arts bij de bevalling noodzakelijk maakte, stond ze erop dat ze hun kind in het centrum ter wereld brachten. De lokale bevolking was onder de indruk van haar vriendelijkheid en kundigheid, van haar energie en van het feit dat hun baby's bij hun geboorte veel gezonder waren. Zowel moeder als kind floreerde bij Fiona's zorg. Ze was hard op weg een legende te worden en ze was heel populair.

'Wat hebben jullie uitgespookt?' vroeg Fiona nieuwsgierig, terwijl ze zich afdroogde.

'We hebben gewoon wat gepraat,' zei Laure bedeesd, al deed ze tegenwoordig vriendelijker tegen iedereen. Sinds haar vriendschap met Christianna was opgebloeid, was ze veel openhartiger. Fiona vond het een wonderbaarlijke verandering, wat haar niet eens meer verbaasde. Daar leek Christianna bij iedereen een talent voor te hebben. 'Over Antoine,' bekende ze blozend. 'Hij is heel aardig.'

Fiona lachte. 'Hij is veel meer dan dat. Het is een heel knappe man, en ik geloof dat hij totaal idolaat van je is.' En Laure van hem.

'Misschien zie ik hem weer als ik terug ben,' zei Laure, met een steelse blik naar haar andere vriendin. Christianna had haar die middag overtuigd. In elk geval was ze van plan voor hem de deur open te houden, en dan zou ze wel zien wat er zou gebeuren. Dat was een belangrijke stap voor haar.

De maaltijd in de eettent was die avond opnieuw een feestelijk gebeuren. De bewoners van het kamp aan de rand van Senafe vonden het jammer dat de anderen weggingen. Het was veel gezelliger wanneer ze er waren. Er werd veel gepraat en gelachen en het eten leek lekkerder dan anders. Geoff had een paar flessen tamelijk goede Zuid-Afrikaanse wijn opengetrokken. Iedereen amuseerde zich kostelijk, en na afloop stond Laure buiten met Antoine te praten. Na haar gesprek met Christianna leek het wel of ze nu heel wat vrijer was. Toen Christianna en Fiona de tent uit kwamen, zagen ze dat Antoine en Laure een eindje verderop aan het zoenen waren. Ze zeiden niets, in de hoop de jonge geliefden niet te storen, en liepen zwijgend terug naar het Ritz – ontroerd door wat ze zojuist hadden gezien. Het was goed om te zien dat Laure, na maanden van verdriet over haar verbroken verloving, er eindelijk bovenop krabbelde. Ze hoopten allebei dat zij en Antoine elkaar, eenmaal terug in Europa, zouden terugzien. Zo te zien waren ze gek op elkaar.

'Ik ben blij dat hier íémand wordt gekust,' merkte Fiona grijnzend op, waar Christianna om moest lachen. 'Ik in elk geval niet,' klaagde ze monter. Iedereen leefde zo dicht op elkaar en kende elkaar zo goed dat ze eerder als broers en zusjes waren. Ze had zelfs al minder zin om Max te versieren, maar ze werden steeds betere vrienden. Hij en Samuel konden het met iedereen goed vinden en hoorden er helemaal bij. Ze werkten elke dag net zo hard als de anderen, voornamelijk met het in ontvangst nemen en uitpakken van voorraden, reparaties, het invullen van aanvraagformulieren om dingen aan te vullen die bijna op waren en naar de markt gaan om noodvoorraden in te slaan. Iedereen was blij met hun hulp en onuitputtelijke inzet. Een paar keer per dag hielden ze voeling met Christianna, bij wie ze nooit ver uit de buurt waren, maar ze zaten nooit op haar lip en stoorden haar nooit bij haar bezigheden. Het was hun gelukt de volmaakte balans te vinden. Er was nog steeds niets uitgelekt over haar identiteit noch door hen, noch door Geoff.

'Hoe staat het met jou en onze nieuwe Amerikaanse arts?' vroeg Fiona aan Christianna, terwijl ze hun bed in stapten. 'Volgens mij mag hij je wel,' stelde Fiona vast. Ze wilde zo graag geloven dat het om haar heen een en al seks en romantiek was, al kwam dat niet of nauwelijks voor in het kamp. Iedereen had andere dingen aan zijn hoofd en had, tot Fiona's grote spijt, de romantiek voor de duur van hun verblijf uit hun hoofd gezet.

'Hij mag iedereen wel.' Christianna keek haar glimlachend aan en geeuwde. Ook zij zag het medische gastteam met lede ogen vertrekken. Ze waren tijdens hun verblijf aangenaam gezelschap geweest en hadden enorm veel en indrukwekkend werk verzet. 'Zo zijn Amerikanen nu eenmaal. Ik vond het zalig om in Amerika te studeren. Ik heb er een heerlijke tijd gehad.'

'Ik ben er nooit geweest,' zei Fiona. 'Ik zou er heel graag naartoe willen, ooit, als ik het kan betalen.' In Ierland had ze als vroedvrouw voor een habbekrats gewerkt en hier verdiende ze nog minder, maar het doel heiligde de middelen. Ze had een heuse roeping voor wat ze voor elkaar kreeg met de inheemse vrouwen, bij wie ze al vele levens had gered.

'Waarschijnlijk zal ik altijd arm blijven.' Ze wist niet waarom, maar ze had aldoor het gevoel gehad dat dat bij Christianna niet het geval was. Weliswaar droeg ze eenvoudige kleren en geen sieraden, maar ze was duidelijk goed opgeleid en ze had keurige manieren. Alles aan haar wees op een goede afkomst. Fiona had allang gemerkt dat ze van nature edelmoedig was en zich in haar wereld met het grootste gemak bewoog en goed in haar vel stak. Jaloezie of wrok was haar vreemd. Ze was heel zorgzaam voor iedereen en sprak nooit over geld of de privileges die ze thuis al dan niet genoot. Fiona vermoedde, zonder dat ze enig idee had waarom, dat ze een heel gerieflijk bestaan had geleid. Dat was het woord dat Mary gebruikte wanneer ze over haar sprak en waarvan iedereen vond dat het haar het beste omschreef. Christianna had klasse, die even natuurlijk was als de glimlach op haar gezicht.

'Misschien kunnen we op een dag samen naar Amerika, als ik ooit uit Afrika vertrek, wat ik begin te betwijfelen. Soms denk ik dat ik voor altijd zal blijven, en dat ik hier misschien zal doodgaan,' zei Fiona met een dromerige blik in haar ogen. Christianna keek haar glimlachend aan, liggend op haar kussen, met haar handen achter haar hoofd. 'Ik zou willen dat ik ook kon blijven. Ik vind het hier heerlijk. Alles valt hier op z'n plaats. Ik heb steeds het gevoel dat dit de plek is waar ik hoor. Voorlopig althans.'

'Dat is een goed gevoel,' zei Fiona, terwijl ze het licht uitknipte. De anderen waren nog altijd niet terug. Mary was buiten achtergebleven om nog één avond met de artsen te praten. Laure was nog steeds ergens bij Antoine, misschien nog altijd aan het zoenen, of om hem nog beter te leren kennen voordat hij vertrok. Christianna en Fiona hoorden nog dat er buiten werd gelachen, maar ze waren allebei diep in slaap toen de anderen binnenkwamen.

Iedereen was de volgende morgen paraat om het team van Artsen Zonder Grenzen uit te zwaaien. Het was een van de schitterende, in een gouden gloed gevangen dagen die zo typisch voor Afrika waren en waardoor ze allemaal zo verliefd op het land waren. Ze vonden het allemaal erg dat de artsen vertrokken. Met hen erbij was het in het kamp veel plezieriger geweest. Christianna zag dat Antoine, terwijl ze afscheid van hem nam, Laures hand vasthield en dat zij glimlachend naar hem opkeek. Zo te zien was het iets moois geweest, wat er de afgelopen nacht tussen hen was voorgevallen. Laure keek alsof ze elk moment in tranen zou uitbarsten.

'Je ziet hem gauw weer terug,' zei Christianna vol overtuiging toen ze, na afscheid van het team te hebben genomen, samen naar hun werk liepen.

'Dat zegt hij ook,' mompelde Laure amper hoorbaar, waarop Christianna grinnikte.

Toen Christianna, zoals elke morgen, de aidsafdeling binnen liep, zag ze dat Mary samen met Parker de ronde aan het doen was. Hij had net een jonge moeder onderzocht van een baby die met aids was besmet. In een verder gesprek met haar was gebleken dat ze geen gebruik had gemaakt van de flessenmelk die haar was verstrekt, maar haar baby de borst had gegeven. Volgens haar had haar man, die bedenkingen had tegen de flessenmelk en dacht dat het kind er ziek van kon worden, het allemaal weggegooid. Het was een drama waarmee Mary dagelijks werd geconfronteerd. Aids en ondervoeding waren de plagen waar ze hier constant tegen vocht.

Christianna liep snel langs hen heen om de vrouwen en kinderen te bezoeken die ze kende. Ze wilde Parker en Mary niet storen, en kweet zich stilletjes van haar eigen taak, fluisterend in het beetje Tigrinya en Tigre dat ze intussen machtig was. Die twee talen vertegenwoordigden negentig procent van wat er in Eritrea werd gesproken. Er werd ook wel Arabisch gesproken, al had Christianna daar nog niets van opgestoken. Ze werkte er hard aan die andere twee talen onder de knie te krijgen, met hulp van Fiona, die beide talen vloeiend beheerste vanwege haar intensieve contacten met de barende inheemse vrouwen. De vrouwen met wie ze op de aidsafdeling sprak, hadden namen als Mwanaiuma, dat vrijdag betekende, Weseka, dat volgens zeggen oogstseizoen betekende, Nsonowa (zevende kind), Abeni, Monifa, Chiumbo, Dada en Ife, wat stond voor liefde. Ze vond die namen prachtig klinken. De vrouwen moesten lachen om haar pogingen in het Tigre, dat ze nog niet zo goed sprak, en knikten goedkeurend als ze probeerde op z'n minst de beginselen van het Tigrinya te beheersen. Het waren absoluut geen talen die ze na haar vertrek ooit nog zou spreken. Maar hier kwamen ze van pas, voor haar werk met de inheemse vrouwen en kinderen en wanneer ze zich buiten Senafe begaf. Maar de vrouwen vonden het aardig van haar dat ze die moeite nam, ook al maakte ze gênante fouten. Daar werd dan op de hele afdeling over gegiecheld. Nadat ze iedereen een fruitmand had gebracht en twee vazen had neergezet met bloemen die ze zelf had geplukt, ging ze naar haar kantoor, waar een stuk of zes vrouwen op haar zaten te wachten die haar cursus aidspreventie volgden.

Ze was net aan het afronden, toen Parker binnenkwam, net op tijd om te zien hoe ze de vrouwen bij het afscheid elk een balpen en een paar potloden gaf.

'Waar was dat voor? De pennen, bedoel ik?' Hij keek haar vol bewondering aan. Het had hem al eerder getroffen dat ze zo vriendelijk en attent voor iedereen op de afdeling was. En hij was erg onder de indruk van de lessen in aidspreventie die ze had bedacht.

Christianna glimlachte alvorens daar antwoord op te geven. Hij had een slobberige short tot op zijn knieën aan, en onder zijn witte jas droeg hij een t-shirt. Het ging er hier allemaal informeel toe. 'Vraag me niet waarom, maar iedereen hier is verzot op pennen en potloden. Ik koop ze per doos in het dorp.' Eigenlijk deden Samuel en Max dat, die ze bij terugkomst aan haar gaven, zodat zij ze bij bijna elk bezoek aan de afdeling en na de les aan iedereen kon uitdelen. 'Ze hebben liever een pen dan wat ook, behalve voedsel.' Het hele land had met ondervoeding te kampen. Eten was het grootste geschenk en het centrum deelde er veel van uit. Dat was hun belangrijkste voedingsbron.

'Dat zal ik in mijn oren knopen,' zei Parker, terwijl hij haar aankeek. Zo te zien had ze in de korte tijd dat ze hier was heel wat geleerd. Hij was vooral onder de indruk geweest van haar pogingen om hen in hun moedertaal aan te spreken. Hij vond de talen die ze spraken bijna onmogelijk om op te pikken. Hij vond het ongelooflijk hoe goed zij ze na amper een maand al beheerste. Christianna was met behulp van haar tolk druk bezig geweest om de belangrijkste woorden en zinnen in de eenvoudigste plaatselijke dialecten te leren. 'Ben je op weg naar de eettent om te gaan lunchen?' vroeg hij met een sympathieke glimlach. Ze vroeg zich af of hij eenzaam was nu het team van Artsen Zonder Grenzen was vertrokken.

'Ik moet over een paar minuten lesgeven,' legde ze uit. 'Samen met Ushi. Het zijn zulke schatten van kinderen.'

'Spreek je met hen ook in de plaatselijke dialecten?' vroeg hij belangstellend.

'Dat probeer ik wel, maar ze lachen me meestal uit – nog veel erger dan de vrouwen.' Ze moest erom glimlachen. De kinderen kregen altijd een giechelbui als ze iets verkeerd zei, wat vaak gebeurde. Maar ze was vastbesloten om hun taal te leren, zodat ze rechtstreeks met ze kon praten.

'Geef je hun ook pennen?' Ze begon hem te intrigeren. Ze had een soort rustige, welgemanierde houding die hij aantrekkelijk vond – meer dan hij zou willen. Hij was absoluut niet van plan om hier iets met iemand te beginnen. Het zou heel wat eenvoudiger zijn om het bij vriendschap te houden, en hij had de indruk dat zij dat ook goed zou kunnen. Ze kon goed luisteren en ze maakte de indruk dat ze belang stelde in mensen.

'Jazeker,' zei ze als antwoord op zijn vraag. 'Max en Sam kopen ze met dozen tegelijk voor me. Kleurenpennen slaan altijd geweldig aan.'

'Ik zal er ook eens een paar kopen, om aan patiënten te geven. Je zou denken dat ze iets nuttigs zouden willen hebben.'

'Pennen zijn hier een enorm statussymbool. Ze zijn een teken van ontwikkeling en dat je belangrijke dingen hebt om

op te schrijven. Dat vertelde Maggie me toen ik hier kwam.'
'Zullen we lunchen?' Het was zes uur geleden dat ze voor
het laatst hadden gegeten, en hij was uitgehongerd. Hij gaf
die middag samen met Geoff een lezing over voeding, waarbij ze levensmiddelen gingen uitdelen.
'Ik heb geen tijd,' zei ze naar waarheid. 'Ik pak wel wat op
weg naar de klas. Meestal lunch ik alleen met fruit. Maar ze
zetten elke dag sandwiches klaar – niet alleen wanneer het
team hier op bezoek is.' Het kamp en de gewoonten waren
nog nieuw voor hem.
'Dat hoopte ik al. Ik krijg hier zo'n honger – het zal wel door
de lucht komen.' Of doordat ze zo hard werkten, niemand
uitgezonderd, ook hij niet. Ze vond ook dat hij goed met
mensen omging. Hij maakte een vriendelijke en competente
indruk en elk ziektegeval had zijn totale aandacht. Hij leek
spontaan te reageren op de warme houding van de mensen
die hij behandelde. Je kon in een oogopslag zien dat hij goed
was in zijn werk. Hij straalde een vanzelfsprekende zelfver-
zekerdheid uit en door zijn manier van doen wisten de mensen dat hij wist wat hij deed.
Ze liepen samen naar de eettent, en daar aangekomen, pakte Christianna een handje fruit uit een reusachtige mand. Ze
hadden ook yoghurt, die de kok altijd in Senafe kocht, maar
die zij nooit aanraakte. In Afrika hield ze zich verre van zui-
velproducten. Een heleboel mensen werden vreselijk ziek,
niet alleen van ernstige ziekten die het gebied teisterden,
maar ook van iets gewoons als dysenterie. Zelf had ze het
nog niet gehad, en ze hoopte ervan verschoond te blijven.
Parker pakte twee sandwiches, wikkelde ze in een servet en
nam een banaan.
'Aangezien je niet met me wilt lunchen, Cricky' – hij lachte
– 'zal ik ook mijn eten maar meenemen naar mijn werk.' De
anderen kwamen en gingen. Niemand deed ooit lang over
zijn lunch. Hij liep met haar mee naar het klaslokaal waar
ze samen met Ushi lesgaf, en ging daarna naar de andere hut
om een aantal van hun gevallen met Mary te bespreken. 'Tot
straks,' zei hij vrolijk, waarna hij nonchalant en opgewekt

wegliep. Het was Christianna duidelijk dat hij probeerde vriendschap te sluiten, maar daar dacht Ushi anders over. Volgens haar had hij iets in gedachten wat een tikkeltje persoonlijker was.

'Een lunchdate?' vroeg ze plagerig.

'Nee. Ik had geen tijd. Ik geloof dat hij eenzaam is zonder zijn vrienden.'

'Volgens mij is er meer aan de hand.' Ushi had hem dagenlang geobserveerd en ze vond hem zelf heel aantrekkelijk, maar zoals Christianna en de meeste anderen, had ze geen zin in de complicaties van een kampromance. Bovendien begreep ze dat hij veel meer belangstelling had voor Cricky dan voor haar. Dat had hij behoorlijk duidelijk gemaakt met zijn avances, terwijl hij tegen Ushi nauwelijks een woord had gezegd.

'Ik heb geen tijd voor meer dan dat, en ook niet de interesse,' zei Christianna beslist. 'Trouwens, zo zijn Amerikanen nu eenmaal. Ze zijn amicaal. Ik durf te wedden dat hij, ondanks al die gissingen in het kamp, absoluut geen belangstelling voor romantiek heeft. Net als wij allemaal, is hij hier om te werken.'

'Dat wil niet zeggen dat je ook een beetje lol mag hebben,' merkte Ushi met een glimlach op. Ze ging graag met mannen om, maar ze was hier geen begerenswaardige mannen tegengekomen. Parker was, na het team dat hen maandelijks kwam bezoeken, de eerste echt aantrekkelijke kandidaat die zich had gemeld, al vond ze hem te jong voor zichzelf. Hij was van dezelfde leeftijd als Max en Samuel, die ze om dezelfde reden niet voor romantiek in aanmerking vond komen. Uit het dossier over Parker, dat ze op kantoor had ingekeken, wist ze dat hij tweeëndertig was. Ushi was tweeënveertig. Leeftijd deed er hier niet toe, en meestal vermaakten ze zich in groepsverband. Maar ze had sterk het gevoel dat hij in Christianna was geïnteresseerd, al waren er nog geen duidelijke bewijzen voor, ondanks zijn op het oog terloopse pogingen om vriendschap te sluiten. Ze had stiekem gezien hoe Parker tijdens het avondeten naar Christianna keek, al had zij dat kennelijk helemaal niet in de gaten. Ze dacht niet aan romantiek, alleen aan werk, en in gesprekken had ze een beleefde, wat gereserveerde manier van doen, vooral met mannen, bijna alsof ze zich er voortdurend van bewust was dat ze zich in geen enkel opzicht mocht blootgeven. Tegenover vrouwen was ze veel spontaner en openhartiger. 'Volgens mij heeft hij een oogje op je,' zei Ushi zonder omwegen, waarop Christianna heftig haar hoofd schudde.

'Doe niet zo mal,' weerde ze de suggestie af, en even later gingen ze aan het werk. Maar Ushi was ervan overtuigd dat haar mening klopte.

Een paar dagen later had ze het er terloops over met Fiona: dat Parker elke gelegenheid te baat nam om een praatje te maken met Christianna en tegenwoordig ook al boeken van haar leende en haar advies inwon over enkele aidspatiënten die ze langzamerhand goed had leren kennen. Het leek wel alsof hij altijd iets had dat hij met haar wilde bespreken of wilde vertellen, iets wat hij aan of van haar wilde lenen. En op haar suggestie deelde hij pennen uit aan iedereen die hij bezocht. Dat werd door hen zo in hem geapprecieerd dat hij binnen enkele weken na zijn komst bij iedereen populair was om zijn aardige manier van doen. 's Avonds bleef hij in de mannentent tot laat op om de aantekeningen door te nemen die hij voor zijn onderzoeksproject had gemaakt. Vaak zag Fiona dat er in een deel van de tent nog licht brandde als ze laat van een bevalling terugkwam. Dikwijls kwam hij, als hij haar hoorde, naar buiten om haar even gedag te zeggen en dan maakten ze een paar minuten een praatje, ook al was het drie of vier uur 's ochtends. En het was opvallend dat hij de volgende dag altijd een frisse en montere indruk maakte. Vaak vroeg hij aan het einde van hun werkdag of Christianna zin had om een wandeling met hem te maken. Daar zag ze geen kwaad in. Ze genoot van zijn gezelschap en samen ontdekten ze nieuwe paadjes en nieuwe, tot dan toe onontdekte plekken. Ze waren eensgezind in hun liefde voor Afrika, de bevolking, de sfeer en het enthousiasme over het feit dat ze de omstandigheden konden verbeteren van de mensen die zonder uitzondering zo vriendelijk waren, voor hen openstonden en om hun hulp zaten te springen.

'Ik heb het gevoel dat mijn leven eindelijk betekenis heeft gekregen,' zei ze op een dag, terwijl ze voor ze teruggingen even op een boomstronk gingen zitten, deze keer niet onder een boom. Ze had hem verteld over haar belevenis met Laure van een paar maanden geleden. Inmiddels was het al bijna april en Laure trof al voorbereidingen voor haar vertrek. Haar correspondentie met Antoine was intensief en ze verheugde zich erop hem in juni in Genève te ontmoeten. 'Ik heb me nog nooit zo gevoeld,' vertelde Christianna verder. 'Ik had altijd het gevoel dat ik mijn tijd verdeed en nooit iets nuttigs voor iemand deed... Tot die nacht in Rusland... en toen ik hier kwam.'

'Je moet jezelf niet zo hard vallen,' zei Parker goedmoedig. 'Je hebt net je studie achter de rug, Cricky. Niemand van jouw leeftijd heeft de aarde al doen trillen of al haar kwalen bestreden. Ik ben bijna tien jaar ouder dan jij, en ik sta zelf nog maar aan het begin. Mensen helpen is een levensvervulling, en ik heb de indruk dat je hier een uitstekende start hebt gemaakt. Is er in Liechtenstein iets dergelijks dat je kunt doen als je terugbent?' Hoewel ze allebei wisten dat je in een mensenleven maar heel weinig kansen kreeg zoals zij die hier kregen.

Ze lachte bitter om zijn vraag, waarbij ze even vergat dat hij niet wist wie ze was. Bij Parker was het net alsof je met een broer praatte, ook al hoefde dat niet haar eigen broer te zijn. 'Was het maar waar! Het enige wat ik thuis doe, is linten doorknippen en samen met mijn vader diners bijwonen. Voor ik hier kwam, leidde ik een uiterst afgestompt leven. Ik werd er krankzinnig van,' zei ze, wat al frustrerend klonk als je er alleen maar aan dacht.

'Wat voor linten?' vroeg hij met een vragende blik in zijn ogen. 'Linten doorknippen' zei hem niets. Het idee van een prinses die linten doorknipt om een kliniek of een kindertehuis te openen, ging zijn voorstelling te boven en zoiets zou nooit in hem opkomen. 'Zit je vader in de fabricage van linten? Ik dacht dat hij aan politiek en pr deed.' En zelfs die verklaring was vaag geweest.

Ondanks zichzelf moest Christianna hard lachen. 'Neem me niet kwalijk... Dat was volkomen onzin. Het geeft niet. Ik ga gewoon weer de klusjes doen waar hij me op uitstuurt... Je kent dat wel: de openingsceremonie van een winkelcentrum. Soms stuurt hij mij erop af als hij het te druk heeft. Dat is het pr-gedeelte. De politieke kant is ingewikkelder om uit te leggen.' Ze was zich even doodgeschrokken, omdat ze zich bijna had versproken en haar mond voorbijgepraat.

'Daar lijkt me niet veel aan,' zei hij meevoelend. Hij had hetzelfde gevoel gehad over het meewerken in de praktijk van zijn vader in San Francisco. Hij hield zich veel liever bezig met het project waar hij in Harvard aan werkte, of met wat hij nu hier deed. Christianna had hem veel dingen uitgelegd en ze was zo vriendelijk geweest hem wegwijs te maken in het leven in Senafe. De anderen waren niet minder behulpzaam en hartelijk geweest.

'Het is ook geen lolletje,' zei ze uit de grond van haar hart, terwijl ze een ogenblik een peinzende blik in haar ogen kreeg toen ze aan haar vader dacht en het leven vol plichten dat ze in Vaduz leidde. Ze had de vorige dag met hem gesproken. Freddy was een paar weken geleden eindelijk uit China teruggekomen, in maart, zoals gepland, en volgens haar vader werd hij nu al rusteloos. Hij had in het paleis Liechtenstein in Wenen gelogeerd en daar feesten gegeven. Hij zei dat hij gek zou worden als hij in Vaduz moest blijven. Ze vermoedde, net als haar vader, dat Freddy, als hij eenmaal de troon had geërfd, het hof weer naar Wenen zou overplaatsen, waar het vóór hem generaties lang was geweest. Wenen was veel gemakkelijker bereikbaar en mondainer, en hij amuseerde zich daar veel beter. Maar als hij eenmaal aan de regering was, zou hij veel serieuzer moeten worden dan hij ooit was geweest. Dat overdacht ze allemaal met een betrokken gezicht, terwijl Parker haar observeerde.

'Waar dacht je zonet aan?' vroeg hij kalm. Ze had een paar minuten gezwegen.

'O, aan mijn broer. Hij is soms zo onmogelijk, en hij maakt altijd mijn vader overstuur. Ik hou van hem, maar hij gedraagt zich alleen zo onverantwoordelijk. Hij is net een paar weken geleden uit China teruggekomen, en nu zit hij alweer in Wenen, waar hij gokt en feesten geeft. Iedereen in de familie maakt zich zorgen om hem. Hij vertikt het om volwassen te worden, wat voorlopig niet nodig is. Maar dat zal toch ooit moeten, en als dat niet gebeurt, zou het echt verschrikkelijk zijn.' Ze had eraan willen toevoegen 'voor ons land', maar dat wist ze nog net te voorkomen.

'Ik neem aan dat er daarom zoveel van jou wordt verwacht en waarom je vindt dat je naar huis terug moet om je vader met zijn bedrijf te helpen. Stel dat je dat niet zou doen en ophield met je broer alle ruimte te geven? Misschien dat hij dan wel volwassen móét worden en verantwoordelijkheden van je over moet nemen.' Dat was een logische oplossing, en voor hem onbekend terrein. Zijn eigen broer was een opvallend goede student geweest en was nu een zeer gerespecteerde arts met een vrouw en drie kinderen. Het was lastig voor hem om mee te voelen met de verhalen die ze hem over haar broer vertelde.

'Je kent mijn broer niet,' zei ze met een mistroostige glimlach. 'Ik heb geen idee of hij ooit volwassen zal worden. Ik was pas vijf toen mijn moeder overleed – hij was vijftien, en ik denk dat hij er heel erg van in de war was. Volgens mij vlucht hij weg voor zijn gevoelens. Hij vertikt het om iets serieus te nemen of ergens verantwoordelijk voor te zijn.'

'Ik was ook vijftien toen mijn moeder overleed. Het was voor ons alle drie verschrikkelijk. Mijn broer is een tijdje min of meer doorgedraaid, maar toen is hij gaan studeren. Sommige mensen doen er nou eenmaal lang over om volwassen te worden, en wie weet behoort jouw broer tot die categorie. Maar ik begrijp niet waarom jij je leven voor hem moet opofferen.'

'Dat ben ik mijn vader verschuldigd,' zei ze eenvoudig, en

hij zag in dat dat een band en een verplichting was waar ze sterk aan hechtte. Daar bewonderde hij haar om, maar het verbaasde hem ook dat ze hiernaartoe had mogen gaan. Toen hij ernaar vroeg, legde ze uit dat haar vader, na eindeloos aandringen van haar kant, op het laatst was gezwicht en haar zes maanden tot een jaar bij het Rode Kruis had gegeven voor ze thuis haar verplichtingen in Vaduz zou hervatten.

'Je bent te jong om aan al die verwachtingen te moeten voldoen,' zei Parker, terwijl hij haar met een bezorgde blik in de ogen keek. Daarin lag iets ondoorgrondelijks waaruit sprak dat hij het over dingen had waar hij niets van wist, maar de droefheid in haar ogen raakte hem in zijn ziel. Zonder erbij na te denken strekte hij zijn arm uit en nam haar hand in de zijne. Ineens wilde hij haar in bescherming nemen tegen alle ondraaglijke lasten die op haar schouders werden gelegd en haar afschermen voor eenieder die haar zou kunnen kwetsen. Hij knipperde geen moment met zijn ogen, die de hare geen moment loslieten, en bijna alsof het zo had moeten zijn, boog hij zich naar haar toe en kuste haar. Ze had het gevoel alsof iemand anders de beslissing voor haar had genomen. Er was geen sprake geweest van een beslissing, van keuze evenmin, en er was ook geen angst. Ze liet zich in zijn armen glijden, waarna ze elkaar kusten tot ze buiten adem waren. Het was troost, begeerte en hartstocht die samensmolten tot iets heel bedwelmends waar ze allebei van duizelden. Na afloop zaten ze daar in de Afrikaanse zon en keken elkaar aan alsof ze elkaar voor het eerst zagen.

'Dat had ik niet verwacht,' zei Christianna zachtjes, zonder zijn hand los te laten, terwijl hij haar met nog meer liefde aankeek. Ze had iets wat hem diep in zijn hart raakte – zo goed als zeker al sinds de dag waarop ze elkaar hadden ontmoet.

'Ik ook niet,' zei hij in alle oprechtheid. 'Vanaf het moment dat ik je heb leren kennen, heb ik ontzettend veel bewondering voor je. Ik vind het prachtig zoals je met mensen praat en met de kinderen speelt. Ik vind het geweldig zoals je voor iedereen zorgt en altijd respecteert wie ze zijn.' Ze was de charme en vriendelijkheid zelve.

Het was lief dat hij dat over haar zei, en ze was ontroerd, maar zelfs als ze van plan waren iets te beginnen wat mooi kon worden, was ze zich er volledig van bewust dat als het een begin had, het ook een einde zou moeten hebben. Wat ze ook samen besloten te delen, zou alleen hier in Afrika kunnen bestaan. Hun levens liepen te veel uiteen, vooral wanneer ze allebei weer thuis waren. Met geen mogelijkheid zou ze ooit toestemming krijgen om een relatie met hem te onderhouden. Ze was nu nog net op een leeftijd dat er voortdurend met argusogen naar haar werd gekeken – thuis en in de pers. En de jonge Amerikaanse arts zou, hoe intelligent of respectabel ook, nooit aan de strenge criteria voldoen die de regerende prins voor haar had vastgesteld. Hij wilde dat ze op z'n minst met iemand van haar eigen stand zou trouwen. Als de tijd daarvoor was gekomen, als ze gehoor zou geven aan de wensen van haar familie en de traditie die tot dan toe in stand was gehouden, zou ze verplicht zijn zich te binden aan iemand van adellijke komaf. Met zijn ouderwetse, rigide ideeën zou haar vader een burger nooit als echtgenoot voor haar accepteren. Dus waar ze nu aan begonnen, zou alleen levensvatbaar zijn voor de duur van hun verblijf in Senafe. Het daarna voortzetten zou een oorlog met haar vader veroorzaken, wat wel het laatste was wat ze wilde. Zijn goedkeuring ging haar boven alles en ze wilde hem niet tegen de haren in strijken. Dat deed Freddy al genoeg, en na alles wat hij voor hen had opgeofferd, had hun vader dat niet aan hen verdiend. Christianna was er al jarenlang van overtuigd dat hij omwille van haar en haar broer nooit was hertrouwd. Om de gevoelens van haar vader te sparen zou, eenmaal weer thuis, haar verhouding met Parker taboe voor haar zijn. Dat lag niet alleen aan de strenge voorschriften die haar vader voor haar had opgesteld. Voor Christianna ging het ook om het respecteren van eeuwenoude tradities, hoe ouderwets die ook mochten zijn, en van het volk dat haar zo na aan het hart lag, en zelfs om het respecteren van de gelofte die hij tegenover haar stervende moeder had afgelegd.

Ze keek Parker aan, en wist niet wat ze tegen hem moest zeggen en of dat wel nodig was. Maar net als een getrouwde vrouw had ze het gevoel dat ze het tegenover hem verschuldigd was om haar situatie zo goed mogelijk uit te leggen. Hoe je het ook wendde of keerde, Christianna was getrouwd met de troon van Liechtenstein. Zelfs al kwam ze zelf niet in aanmerking voor die troon, ze was eraan gebonden en aan alles wat haar vader en haar landgenoten van haar verwachtten. Ze vond dat ze een voorbeeld moest stellen voor de manier waarop iemand van koninklijken bloede zich behoorde te gedragen. Ondanks haar eigen tweestrijd over dat feit, was ze een prinses in hart en nieren.

'Je kijkt zo verdrietig. Heb ik je van streek gemaakt?' vroeg Parker met een bezorgd gezicht. Het lag evenmin in zijn bedoeling om iets te doen wat zij niet prettig vond. Hij was al wekenlang verzot op haar, maar als ze er niet voor openstond, zou hij dat ondanks zijn teleurstelling hebben begrepen. Hij was te dol op haar om iets te doen wat haar geluk of evenwicht zou verstoren.

'Nee, natuurlijk niet,' zei ze, terwijl ze hem glimlachend aankeek, met nog steeds haar hand in de zijne. 'Je hebt me erg gelukkig gemaakt,' zei ze eenvoudig, en het was waar. De rest was minder eenvoudig. 'Het is moeilijk uit te leggen. Het enige wat ik kan zeggen is, dat wat er ook tussen ons gebeurt, hier zal eindigen.' Het was de enige manier die ze kon bedenken om het te formuleren. 'Ik wil eerlijk zijn door het nu al tegen je te zeggen. De vrouw die ik hier ben, zal moeten verdwijnen wanneer ik vertrek. Zodra ik naar huis ga, is er geen plaats meer voor haar. Eenmaal terug in Liechtenstein, zal dit voor ons nooit mogelijk zijn.' Terwijl ze dat zei, keek hij zorgelijk. Het was voor hem te vroeg om al na één kus aan de toekomst te denken, maar hij voelde wél dat wat ze zei een veel diepere betekenis voor haar had.

'Het klinkt alsof je dan teruggaat naar de gevangenis, of weer het klooster in,' merkte hij op, waarop ze knikte en dichter naar hem toe schoof, alsof ze zich in zijn armen wilde verschuilen. Hij sloeg ze om haar heen en keek haar diep in de ogen om te zien wat hij daarin zou kunnen lezen. Het waren twee diepe meren, net zo blauw als die van hemzelf.

'Ik gá ook terug naar de gevangenis,' zei ze somber, precies zoals ze erover dacht. 'En tegen die tijd moet ik alleen teruggaan. Niemand kan met me mee.'

'Dat is belachelijk,' zei hij geprikkeld. 'Niemand kan je zomaar opsluiten, Cricky. Tenzij je dat zelf toelaat. Laat dat je niet gebeuren.'

'Dat heb ik al gedaan.' Op de dag dat ze werd geboren. En vijf jaar later, op de dag dat haar moeder op haar sterfbed haar man had laten beloven dat hij Christianna nooit met iemand mocht laten trouwen die niet van koninklijken bloede was.

'Laten we ons daar nu geen zorgen over maken. Goed? We hebben zeeën van tijd om het er later over te hebben.' Parker was al vastbesloten dat als hij van haar ging houden, zoals hij al begon te doen, hij haar zich niet zou laten ontglippen. Ze was veel te lief en speciaal voor hem voor een los avontuurtje. Hij vroeg haar niet om haar hand, maar hij was er absoluut zeker van dat hij haar niet zou laten wegvluchten, ongeacht de verplichtingen die ze dacht te hebben aan haar vader en het familiebedrijf. Dat vond hij onzinnig. En in plaats van daarover met haar in discussie te gaan, trok hij haar opnieuw heftig in zijn armen en kuste haar, terwijl Christianna het gevoel had dat ze wegzonk in een droom. Ze zei tegen zichzelf dat ze hem had gewaarschuwd, dat ze had geprobeerd eerlijk tegen hem te zijn en hem te waarschuwen. Maar nu ze dat had gedaan, gaf ze zich over aan zijn kus, zonder de geringste behoefte om weerstand te bieden.

HOOFDSTUK 11

$\mathcal{D}$e romance die tussen Parker en Christianna was ontsproten, was aanvankelijk onzichtbaar. Maar daarna, naarmate ze dichter naar elkaar toe werden getrokken en intiemer werden, de passie toenam en ze zich meer terugtrokken, groeide die uit. Het was voor geen van tweeën zomaar een seksueel avontuur. Ze gingen steeds meer van elkaar houden. In mei waren ze stapelverliefd. En hoe! Ze brachten elk vrij uur dat ze hadden met z'n tweeën door, zochten elkaar diverse keren per dag op en zaten bij elke maaltijd naast elkaar. Omdat in het kamp iedereen zo dicht op elkaar woonde, was het onvermijdelijk dat binnen enkele weken, zo niet dagen, de verandering in hun relatie door iedereen werd opgemerkt.

Zoals altijd was Fiona de eerste die het in de gaten had. Ze kende Christianna inmiddels goed – dat dacht ze althans – en ze had een scherp oog voor intermenselijke contacten. Ze had Christianna de laatste tijd stiller en minder communicatief gevonden. Eerst was ze bang dat ze een ziekte onder de leden had. Dat was de manier waarop dat soms begon. Ze had haar enkele dagen in de gaten gehouden, uit bezorgdheid. Maar toen de romance een paar weken aan de gang was, had ze de twee tortelduiven na een van hun middagwandelingen naar het kamp terug zien lopen, met allebei een stralend gezicht en een schuldbewuste grijns. Fiona grinnikte in zichzelf en kon zich die avond niet inhouden om Christianna er mee te plagen.

'En ik maar denken dat je malaria of kala-azar te pakken had. Ik maakte me al zorgen over je... Terwijl het alleen maar een beetje romantiek is. Nou, nou, mijn kleine Cricky, dat staat je netjes! Knap werk!' Eerst bloosde Christianna, en ze maakte al aanstalten het te ontkennen, maar één blik op de alwetende uitdrukking in Fiona's ogen, en het enige wat ze kon doen was glimlachen.

'Oké, oké... Het stelt weinig voor. Het is gewoon iets leuks voor het moment.'

'Zoals jullie eruitzien? Vergeet het maar, meisje. Ik heb mensen op huwelijkreis zien gaan die heel wat minder verliefd uit hun ogen keken. Als er vandaag een leeuw op jullie was afgekomen, zouden jullie het volgens mij geen van beiden hebben gemerkt – een slang nog niet eens!' Ze maakte maar een grapje, maar ze zat er niet ver naast.

Christianna was nog nooit zo gelukkig geweest, maar ze hield zichzelf elke dag voor dat dat uiteindelijk zou moeten eindigen. Bovendien zou hij in juni naar Harvard teruggaan. Ze hadden twee maanden om van een idyllische roes te genieten tegen het wonderschone decor waarin die was begonnen, en daarna zou het afgelopen zijn. Dat was iets wat Christianna van zichzelf mocht vergeten wanneer ze bij hem was.

'Hij is zo fantastisch,' biechtte ze op, en ze zag eruit als een kind. Fiona was in haar nopjes. Het was mooi om twee mensen gelukkig te zien, en ze vond het heerlijk voor haar vriendin.

'Als we op uiterlijk af mogen gaan, en daarbij vertrouw ik op mijn intuïtie, is hij verzot op je. Wanneer is dat allemaal begonnen?'

'Een paar weken geleden.' De avond voordat Laure vertrok hadden ze zich bijzonder geamuseerd. Het kamp had een feest voor haar georganiseerd en ze was vertrokken als een andere vrouw dan toen ze was gekomen. Ze had gehuild terwijl ze hen ten afscheid allemaal een voor een omhelsde, met de belofte met iedereen contact te houden, vooral met Cricky, die ze alle lof toezwaaide, omdat ze dankzij haar de moed had opgebracht haar hart voor Antoine open te stellen. 'Ik weet het niet. Het gebeurde gewoon,' probeerde Christianna het uit te leggen. Ze wist niet eens zeker of ze het voor zichzelf kon verklaren. Ze was voor het eerst echt verliefd.

En Parker zei dat hij dat ook was. Hij zei dat hij tijdens zijn medicijnenstudie één serieuze relatie had gehad en dat hij een tijdje met haar had samengewoond. Zij was toen intern en hij co-assistent, maar binnen een paar maanden hadden ze allebei bedacht dat het een vergissing was en waren ze als vrienden uit elkaar gegaan. Volgens hem, en Christianna geloofde hem, was er nooit echt iemand in zijn leven geweest – daarvoor of erna. Met het werk dat hij in Harvard op zich had genomen, had hij geen tijd. En nu, in Senafe, ontdekte hij de liefde voor de eerste keer, net als zij. Het stond in koeienletters op haar gezicht te lezen.

'O mijn god,' zei Fiona, als door de bliksem getroffen. 'Is het serieus?' Uit de uitdrukking in Christianna's ogen, en in die van Parker toen ze hen die middag samen zag, sprak dat die kans erin zat.

'Nee,' zei Christianna beslist, en haar ogen stonden nu triest. 'Het is niet serieus. Dat kan niet. Dat heb ik hem verteld voordat we eraan begonnen. Ik moet weer naar huis vanwege mijn verplichtingen. Ik zou nooit in Boston kunnen wonen en hij kan niet met mij mee naar huis. Mijn vader zou het nooit goedvinden.' Er stond niet de geringste twijfel op haar gezicht.

'Een arts is niet goed genoeg?' Fiona keek gechoqueerd. Haar eigen ouders zouden dolblij zijn geweest. 'Zo te horen heeft hij onredelijk hoge eisen.'

'Misschien,' zei Christianna bedaard, net zoals ze het in bedekte termen tegen Parker had gezegd. 'Maar zo is het nu eenmaal. Daar heeft hij vele redenen voor. Het is gecompliceerd,' zei ze treurig.

'Je kunt niet je hele leven voor je vader leven,' zei Fiona verwijtend, in de war door wat Christianna had gezegd en haar bereidheid zich er onvoorwaardelijk bij neer te leggen. 'Dit zijn verdorie de middeleeuwen niet. Hij is een geweldige man en hij heeft een uitstekende baan. Hij probeert in een van de meest gerenommeerde medisch academische instellingen ter wereld de mensheid van de aidsramp te redden. Kan het soms nog beter?'

'Het wórdt nog beter.' Christianna grijnsde, waardoor de donkere wolken op haar gezicht eensklaps opentrokken. 'Hij is ook nog een ongelooflijk goed en fantastisch mens, en ik hou van hem... en hij houdt van mij.' Ze was zichtbaar stapelgek op hem.

'Wat zit je dan te bazelen dat het hier tot een eind moet komen?'

'Dat is een ander verhaal,' verzuchtte Christianna, terwijl ze op haar brits ging zitten en haar laarzen uittrok. Af en toe miste ze het echt om mooie schoenen te dragen. Voor hem zou ze dolgraag op hoge hakken lopen, maar dat was hier uitgesloten. 'Het is te ingewikkeld om uit te leggen,' zei Christianna nogmaals, waarna ze onder de geamuseerde blik van Fiona verderging met hem op te hemelen.

'Zo te horen kun je beter van huis weglopen als je eenmaal terug bent. Ze zeggen dat Boston een erg leuke stad is. Ik heb er familie,' wat Christianna niet verbaasde, omdat de hele wereld wist dat Boston Iers was. 'Als ik jou was, zou ik 'm smeren.'

'Hij heeft het me niet gevraagd,' zei Christianna benepen, al hadden ze wel een breed scala van onderwerpen besproken, onder andere hun respectieve plannen na hun terugkeer. Parker vond die van haar afgrijselijk klinken. Het bleef hem in de oren klinken als een gevangenisstraf.

'Dat zal hij vast nog wel doen,' zei Fiona vol vertrouwen. 'Hij was duidelijk smoorverliefd toen ik jullie tweeën vandaag zag. En nu ik erover nadenk, straalde hij dat al een poosje uit. Ik dacht dat hij alleen maar bezeten was van de onbekende omgeving en het werk. Nu realiseer ik me dat het door jou kwam.' Bij dat idee moesten ze allebei lachen. 'Dus wat ben je van plan eraan te doen, Cricky?' Ze keek haar onderzoekend aan.

'Het is nog veel te vroeg om me daar nu al druk over te ma-ken.' Maar ze wisten alle twee dat Christianna, om wat voor reden dan ook, een muur aan het optrekken was – niet tussen haar en de Amerikaanse arts, maar tussen hen en een eventuele toekomst samen. Fiona had geen idee wat ze aan het doen was, maar het was duidelijk dat Christianna ervan overtuigd was dat hun liefdesaffaire niet langer kon duren dan de tijd dat ze in Senafe bij elkaar waren. En die gedachte stemde Fiona treurig. Ze mocht hen allebei erg graag.

De romance tussen Parker en Christianna bloeide verder op. Nadat ze samen met de anderen hadden gegeten, brachten ze 's avonds urenlang in elkaars gezelschap door. Ze maakten wandelingen, voerden gesprekken en vertelden elkaar verhalen over hun kindertijd en hun verleden. Christianna moest de hare om voor de hand liggende redenen altijd enigszins aanpassen, maar bovenal bracht ze de essentie van haar gevoelens onder woorden, plus al haar gedachten. Vroeg in de ochtend troffen ze elkaar voor het ontbijt en tussendoor lunchten ze uit het vuistje. De romance stond in mei in volle bloei, toen de Afrikaanse lente afliep en overging in de zomer. Maar hoe verliefd ze ook waren, geen van beiden lieten ze hun werk erdoor versloffen. Zo mogelijk werkten ze zelfs harder, gelukkiger dan ze ooit van hun leven waren geweest. Hun gebundelde krachten overstegen wat ze als individu waard waren – wat al ontegenzeggelijk aanzienlijk was. Of ze nou alleen waren of samen, iedereen was blij met hun aanwezigheid, en iedereen was het erover eens dat ze allebei uitzonderlijke persoonlijkheden waren die iets extra's aan het kamp hadden toegevoegd. Tegenover Christianna's vriendelijke manier van doen, haar charme, inlevingsvermogen en haar opvallende talent om met mensen om te gaan, beschikte Parker over edelmoedigheid, intelligentie en een uitzonderlijke vakkennis. Ze hadden alle twee een opgeruimd karakter, je kon met ze lachen en in iedere groep waar ze zich bij aansloten zorgden ze voor het zout in de pap. Zoals Fiona altijd zei: ze waren het volmaakte paar, maar elke keer dat ze dat tegen Cricky zei, kwam er een trieste uitdrukking in haar ogen. Er was iets waardoor ze niet over haar toekomst kon denken of praten. Het enige wat ze met Parker kon of wilde doen, was in het hier en nu leven. Hij had geleerd om zijn vingers niet te branden aan het onderwerp van een toekomst met haar, of eventuele ontmoetingen als ze eenmaal terug waren. Ze leefden gewoon van dag tot dag, waarin hun wederzijdse liefde met het uur groeide, blij met hun werk en het leven dat ze in dit bijzondere land mochten delen te midden van mensen op wie ze zo gesteld waren.

Hun relatie verliep maandenlang zonder seks, waarna zowel Parker als Christianna eindelijk vroeg of ze een weekend vrijaf mochten nemen. In hun vrije tijd ging bijna niemand het kamp uit, al waren er overal in de buurt mooie plekken om te bekijken. Maar de meeste mensen die er werkten, besteedden uiteindelijk hun vrije tijd aan het helpen van de lokale bevolking. Geoff zei dat hij er geen probleem mee had om ze een paar dagen vrij te geven, omdat ze geen van beiden in medisch opzicht onmisbaar waren. Christianna beschikte over een paar bereidwillige, toegewijde en liefdevolle, hardwerkende handen. En hoewel Parker samen met Mary en Geoff patiënten bezocht en regelmatig diagnoses stelde, was het overgrote deel van zijn werk op onderzoek gericht. Fiona zou, als de enige vroedvrouw, veel moeilijker te missen zijn. Of Mary, of Geoff, als de twee kampartsen, of Maggie, de enige verpleegkundige.

Na met mensen gepraat te hebben en plaatselijk wat te hebben rondgevraagd, besloten ze om een bezoek te brengen aan Metera en Qohaito, allebei op nog geen dertig kilometer van het kamp. Metera stond bekend om de bijzondere ruïnes die tweeduizend jaar oud waren, en de ruïnes in Qohaito, van het Aksumite-vorstendom, waren niet minder mooi. Bovendien wilden ze in Qohaito de Saphira-dam bekijken, die ook meer dan duizend jaar oud was. Eritrea was gebouwd op de resten van een aantal oude beschavingen, waarvan een groot aantal gedeeltelijk was opgegraven en sommige nog maar voor een heel klein deel. Het leek hun allebei een opwindend uitje. En een mooi eerste avontuur, een huwelijksreis bijna. Er werden hun een paar hotelletjes aangeraden om te logeren, wat heel romantisch klonk. Klaus en Ernst hadden tijdens hun eerste verblijf vergelijkbare tripjes gemaakt en konden het Parker en Christianna zeer aanraden. De andere excursies die ze op hun verlanglijstje hadden staan, waren naar Keren, ten noorden van de hoofdstad, en naar de havenstad Massawa, waar ze konden waterskiën in de Rode Zee.

De enige hindernis die Christianna voor de reis moest nemen was een kort onderonsje met Samuel en Max. Ze wist dat ze ernstig in de problemen zou komen als ze zonder hen met Parker wegging. Ze discussieerden er twee uur lang over, waarin geen van haar lijfwachten een millimeter wilde toegeven.

'Waarom kun je niet gewoon tegen hem zeggen dat wij het leuk zouden vinden om mee te gaan?' vroeg Samuel met een weerbarstig gezicht. Tot dan toe hadden ze zich allebei als een buldog gedragen, maar ze wist dat ze verantwoording moesten afleggen tegenover de prins. En hoewel het niet eerlijk was om van hen te vragen om het voor hem geheim te houden, deed ze het toch. Ze wisten maar al te goed dat als haar iets onaangenaams zou overkomen, ook al was dat per ongeluk, zij alle schuld zouden krijgen en misschien zelfs in de gevangenis zouden belanden. Ze vroeg veel van hen, hoewel ze haar vader nog niets over de romance hadden verteld. Ze hadden onderling besloten om de prins niets over Parker te vertellen. Dat was hun cadeau aan haar.

'Nee!' bleef Christianna hen tegenspreken. 'Ik wil niet dat er iemand bij ons is, en hij ook niet. Het zou alles bederven.' Bovendien waren Metera en Qohaito helemaal niet ver van het kamp. Ze was alweer bijna in tranen, nadat ze tot twee keer toe echt in tranen was uitgebarsten, maar ze waren niet te vermurwen. Het kon hun de kop kosten.

'Luistert u nou, Hoogheid.' Op het laatst wendde Max zich tot haar, omdat hij begreep dat het tijd was om open kaart met haar te spelen. Tot dan toe had niets iets kunnen uitrichten. 'Het maakt ons niet uit met wie u gaat, wat u doet of wat de reden van uw reis is. Dat zijn uw zaken en die van Parker, niet de onze.' Gelukkig mochten ze hem bijzonder graag, maar wat ze van hen vroeg, was hun baan te riskeren – en erger: misschien wel haar leven. 'We zijn heus niet van plan uw vader details over de reis te vertellen. Gewoon een toeristisch weekend. Meer hoeft hij niet te weten. Maar als wij niet meegaan en er overkomt u iets...' Hij maakte zijn zin niet af, maar ze vatte de boodschap. Wat hij zei was volkomen redelijk. Daarmee leven, als vrouw van drieëntwintig die verliefd is op een man, was dat niet.

'Waarom moeten jullie mijn vader vertellen dat ik ga, of zelfs maar het kamp verlaat? En noem me nooit meer Hoogheid,' hielp ze hem herinneren, waarop hij knikte. 'Er zijn al in geen jaren politieke problemen in Eritrea voorgevallen. De wapenstilstand met de Ethiopiërs mag weliswaar wankel zijn, niemand heeft sinds wij hier zijn iets bezwaarlijks of beangstigends gedaan. Er zal niets gebeuren, dat beloof ik jullie. Parker en ik redden ons wel. Ik zal jullie zo vaak ik kan opbellen, en als ik me niet op mijn gemak voel, kunnen jullie alsnog naar ons toe komen. Maar alsjeblieft, ik smeek het jullie, gun me die paar dagen, voor eens in mijn leven. Max, Sam, dit is werkelijk mijn laatste kans. Als ik eenmaal weer thuis ben, zal ik zoiets nooit meer kunnen doen. Ik smeek jullie... alsjeblieft.' Terwijl ze hen aankeek, stroomden de tranen over haar wangen, waardoor de twee mannen niet wisten waar ze moesten kijken. Ze wilde haar helpen, maar ze waren bang.

'Laat ons erover nadenken,' zei Samuel op het laatst, niet in staat om helder na te denken nu hij zag hoe overstuur ze was. Ze mochten haar ontzettend graag, en ze hadden respect voor haar, maar ze vroeg hun om de voorschriften van hun werkzaamheden, en sowieso de reden dat ze samen met haar in Senafe waren, met voeten te treden.

Zwijgend liep Christianna weg, helemaal van slag. Fiona zag haar toen ze terugliep naar de tent, duidelijk in tranen.

'Wat is er aan de hand?' Ze leefde meteen met haar mee en

sloeg een arm om Cricky's schouders. 'Hebben jij en Parker ruzie gehad? Hebben jullie de trip afgezegd?'

Christianna kon haar niet vertellen wat er was gebeurd. Ze schudde alleen maar haar hoofd als antwoord op Fiona's goedbedoelde vragen. Ook tegen Parker zei ze niets, maar onder het eten was ze duidelijk gedeprimeerd, wat hem zorgen baarde.

'Alles goed?' informeerde hij voorzichtig, waarop ze opnieuw in tranen uitbarstte. Maar ze kon hem niet vertellen wat er aan de hand was, en ook niet dat Max en Samuel waarschijnlijk mee zouden gaan op hun trip, waardoor ze het voor hen totaal zouden bederven. Ze kon het niet over haar hart verkrijgen om het hem te vertellen tot ze er zeker van was. Maar voor haar stond het bijna vast dat geen van de bewakers zou toegeven. Er stond gewoon te veel op het spel – voor hen, en eventueel ook voor haar.

'Jawel... Neem me niet kwalijk. Alleen had ik onder het eten wat hoofdpijn.' Het was een doorzichtig excuus, en daar trapte hij niet in. Hij vroeg zich af of ze soms een tropische ziekte onder de leden had, maar hij vond dat ze er goed uitzag. Omdat ze meestal zo goedgehumeurd was, vond hij het meteen verdacht dat ze zo somber was.

'Maak je je zorgen over ons reisje?' vroeg hij voorzichtig, omdat hij zich afvroeg of ze misschien helemaal niets zou voelen voor het plotseling opgekomen idee er met hem tussenuit te knijpen. Hij had het niet gevraagd, maar ineens kwam het zelfs in hem op dat ze misschien nog maagd was en het eng vond om met hem naar bed te gaan. Hij kuste haar en sloeg toen, voor ze kon antwoorden, zijn armen om haar heen. 'Wat je ook dwarszit, Cricky, ik weet dat we er samen wel uit kunnen komen. Laten we het gewoon proberen.' Hij keek haar aan met de liefde en tederheid van een vader voor zijn kind, wat haar nog meer aan het hart ging. Het enige wat ze wilde, was dat ze dit uitje alleen met hem mocht maken.

Ze wilde net tegen hem zeggen dat hij het niet zou begrijpen, toen Max haar achter Parkers rug een seintje gaf, dat duidelijk iets dwingends had. Ze stond daar met Parkers armen om zich heen en knikte in Max' richting, ten teken dat ze over een minuut bij hem zou zijn. Langzaam maakte ze zich los uit Parkers omhelzing en zei, tot zijn grote ontzetting, dat ze zo terug zou zijn, maar dat ze iets tegen Max moest zeggen wat ze had vergeten en dat het dringend was. Iets over een medicijn dat ze in de stad voor hem probeerden te halen. Parker stelde geen vragen, maar ging op een stoel zitten wachten. Kort daarna kwam Ushi met Ernst binnen, en ze maakten een praatje, terwijl Cricky samen met Max en Sam in de lege eettent verdween.

'Wat is er?' Ze keek angstig en beide mannen maakten een zenuwachtige indruk. Max voerde namens hen tweeën het woord.

'We zullen er waarschijnlijk voor op het matje worden geroepen, maar we zullen je laten gaan.' Wat voor allebei de doorslag had gegeven, was dat ze naar vredige gebieden zouden gaan, en dat ze maar al te goed wisten dat dit voor haar een eenmalige gelegenheid was. Eenmaal terug in Liechtenstein zou ze nooit meer alleen zijn. En gegeven de omstandigheden en de locatie van hun geplande trip, hadden ze allebei het gevoel dat ze bij Parker veilig zou zijn en dat hij goed op haar zou passen. Hij kende als geen ander zijn verantwoordelijkheden en ze wisten dat ze in goede handen was.

'Er is alleen één voorwaarde... Twee eigenlijk.' Hij keek haar glimlachend aan, en ook Samuel had een glimlach op zijn gezicht. 'Eén: je moet absoluut een zender meenemen, en een revolver.' Op de zender kon je in die omgeving waarschijnlijk niet vertrouwen, zodat het onmogelijk zou zijn om hen te bereiken. Maar ze wisten dat de revolver niet kon falen, en dat zij zo nodig wist hoe ze ermee moest omgaan. Ze was een uitstekende schutter en had voldoende verstand van vuurwapens.

'De tweede voorwaarde is dat je er goed van doordrongen bent dat als jou op deze reis iets overkomt, wij liever onszelf zullen doodschieten dan je vader onder ogen te komen. Dus liggen er, behalve dat van jezelf, twee levens in die kleine handjes van je.' Ze wisten allebei dat het iets totaal krankzinnigs was om te doen, wat het hele doel van hun aanwezigheid hier onderuithaalde, maar ze hadden besloten ter wille van haar een risico te nemen en haar en Parker de gelegenheid te geven om alleen te zijn. Omdat ze zich er terdege van bewust was wat ze deden, vloog ze eerst Max om de hals en daarna Sam, terwijl de tranen over haar wangen stroomden. Tranen van vreugde ditmaal.

'Dankjewel, dankjewel... Bedankt...' Ze was buiten adem van opwinding en verrukking, en ze rende de eettent uit naar de plaats waar Parker bij de anderen zat. Hij zag ogenblikkelijk de vreugde in haar ogen.

'Zo, jij ziet er blij uit, Cricky,' zei hij blij. Al haar zorgen leken in rook te zijn opgegaan, al had hij geen idee hoe. 'Wat heeft Max tegen je gezegd dat je er zo uitziet?'

'Niets. Ik heb zijn medicijnen voor hem te pakken gekregen, dus heeft hij me terugbetaald wat ik hem van mijn winst met pokeren had voorgeschoten. Nu ben ik een rijke vrouw!'

'Ik weet niet of de wisselkoers van de nafka heden ten dage wel zo fantastisch is om zo blij te kijken, maar laat ik in geen geval je vreugde vergallen als jij er blij mee bent.' Wat het ook was, hij was dolblij dat ze weer zo goed in haar vel leek te steken. Tot hun vertrek zweefde ze op een wolk. En twee dagen later vertrokken ze naar Qohaito. Net zoals Fiona al had voorspeld, had ze – en hij ook – het gevoel alsof ze op huwelijksreis gingen.

Ze hadden een van de wrakke auto's van het kamp geleend en reden in een traag tempo door het land, met het gevoel van kinderen die het avontuur tegemoet gaan. Het was de meest romantische trip die Christianna ooit had beleefd, en elke dag leerde ze Parker beter kennen en ging ze meer van hem houden. De eerste nacht bedreven ze de liefde in een hotelletje, met volle overgave en met alle liefde die sinds het begin van hun turbulente romance tussen hen was gegroeid. Ze zwierven van de ene schitterende locatie naar de andere en verzamelden herinneringen als bloemen. Ze hadden zich niet beter kunnen wensen. Ze zouden drie dagen wegblijven.

Pas op de tweede avond stuitte Parker op haar vuurwapen, in een tasje in haar koffer. Ze had gevraagd of hij even haar nachthemd wilde pakken, zonder te bedenken wat ze daarin had verstopt, en hij keek verbijsterd toen hij opeens het wapen in zijn hand had.

'Heb je altijd een revolver bij je?' vroeg hij, terwijl hij het ding voorzichtig in haar koffer terugstopte. Hij had geen idee of het wapen was geladen, of waaraan je dat kon zien. Van vuurwapens had hij duidelijk geen verstand. Hij maakte mensen beter, in plaats van ze te vernietigen, al leek zij hem ook niet een type voor revolvers. Hij was hoogst verbaasd.

'Nee,' zei ze lachend, terwijl ze het nachthemd van hem aannam en uit het bad stapte. Ze had geen idee wat ze met dat nachthemd moest, dat vijf minuten nadat ze in bed waren gestapt voor de rest van de nacht ergens op de grond zou eindigen. 'Natuurlijk niet. Max heeft hem meegegeven, voor het geval we in de problemen komen.'

'Ik weet niet of ik op iemand zou kunnen schieten,' zei hij, en hij klonk wat zenuwachtig. 'Zou jij dat kunnen?' Ze vertelde hem maar niet dat ze uitstekend kon schieten, al was ze zelf ook niet dol op vuurwapens. Maar haar vader had haar gedwongen om het te leren.

'Nee eigenlijk. Maar hij bedoelde het goed. Ik heb het gewoon in de koffer gegooid en er verder niet meer aan gedacht,' zei ze luchtig, terwijl ze haar armen om zijn hals sloeg en hem kuste.

'Is het ding geladen?' Hij vond het nog steeds maar zozo en haar verklaring vond hij wat luchthartig klinken, en ook ondoordacht.

'Waarschijnlijk wel.' Ze wist dat de revolver wel degelijk was geladen, maar ze wilde hem niet bang maken. Hij trok haar dichter tegen zich aan, omhelsde haar en keek haar diep in de ogen. Hij wist dat er meer achter zat dan ze hem vertelde. Hij kende haar al goed.

'Cricky, er is iets wat je me niet vertelt, hè?' zei hij kalm. Zijn ogen lieten de hare geen moment los en hij zag dat ze lang aarzelde en vervolgens knikte. 'Wil je me vertellen wat dat is?' Zijn greep verslapte geen seconde – op haar lichaam, haar hart, en nu op haar ogen.

'Een andere keer,' fluisterde ze, terwijl ze zich tegen hem aan drukte. Ze wilde niet alles bederven, wat zou gebeuren als ze verder sprak. Maar op een dag zou het wel moeten. Op een dag zou ze hem moeten vertellen dat ze zou terugkeren naar haar leven als prinses, om haar land en haar vader te dienen, en dat daarin geen plaats voor hem zou zijn. Ze kon zich er niet toe brengen. 'Nog niet.'

'Wanneer dan wel?'

'Voor we uit Senafe vertrekken, wie van ons ook als eerste vertrekt.' Ze nam aan dat hij dat zou zijn. Hij knikte. Hij besloot er niet op aan te dringen. Hij voelde aan dat het iets betrof wat diep in haar zat en iets treurigs was dat haar enorm bezighield. Dat was het verdriet dat hij soms in haar ogen zag. Een intens verloren blik, vol droefheid en berusting. Het was niet zijn bedoeling haar geheim uit haar te trekken, maar hij wilde dat ze het uit eigen beweging zou vertellen, als ze daar klaar voor was. Ze was diep dankbaar voor zijn begrip. Hij was werkelijk ongelooflijk en ze hield meer van hem dan ooit, dankbaar voor de tedere manier waarop hij van haar hield.

De verdere trip was nog mooier dan ze ooit hadden durven hopen of verwachten. Met tegenzin waren ze aan de terugtocht begonnen, hadden onderweg talloze foto's genomen en kwamen maandag laat in de middag langzaam het kamp binnenrijden met het gevoel alsof ze maanden waren weg geweest, alsof ze waren teruggekeerd van hun huwelijksreis. Christianna had diep in haar hart het gevoel dat ze met hem was getrouwd. Voordat ze uitstapten, kuste hij haar, waarna hij haar koffer naar de vrouwentent bracht. Ze vond de gedachte onverdraaglijk dat ze die nacht niet bij hem kon slapen om de volgende morgen naast hem wakker te worden. Op dat moment voelde het als een straf.

Fiona was de eerste die hen zag toen ze terug waren. Zelf was ze net terug van een moeilijke bevalling die de hele dag had geduurd maar uiteindelijk goed was afgelopen. Ze zag er moe uit, maar zoals altijd was ze blij hen te zien.

'Hoe was het tripje?' vroeg ze met een vermoeide glimlach. Ze was bijna afgunstig, maar ze was te veel op die twee gesteld om echt jaloers te zijn. Bovendien was het goed om te zien hoe gelukkig ze waren. Ze glunderden allebei toen ze binnenkwamen.

'Het was geweldig,' zei Christianna, waarbij ze, wachtend op bijval, over haar schouder naar Parker keek.

'Nou en of,' zei hij, met een trotse blik op haar.

'Stelletje geluksvogels!' riep Fiona quasi klaaglijk uit, waarna ze haar de bijzonderheden over de reis vertelden, maar al het andere natuurlijk niet.

Tijdens het eten die avond plaagde iedereen het jonge paar, en Max en Sam waren bijzonder opgelucht. Ze had hen vlak na hun terugkomst al omstandig bedankt en Max de revolver teruggegeven. Ze hadden haar allebei vurig omhelsd, immens blij dat ze haar ongedeerd terugzagen. Ze hadden een angstig weekend gehad, waarin ze zich zorgen over haar hadden gemaakt, en ze verzekerde hun er nogmaals van dat het een ongelooflijk cadeau was geweest dat ze alleen met Parker had mogen gaan.

'Laten we het niet elk weekend doen,' zei Max uitgeblust, terwijl hij het vuurwapen weer in zijn eigen zak stak.

'Dat beloof ik,' zei ze, al hadden zij en Parker op de terugweg tegen elkaar gezegd dat ze nog wel een keertje weg wilden. De volgende keer naar Massawa, voor de watersport. Dat was de haven waar de Ethiopiërs al jarenlang op aasden.

Het werd die avond een feestelijke maaltijd en iedereen was opgewekt. De band tussen Parker en Christianna leek hechter dan ooit. De drie dagen die ze met z'n tweeën alleen in hotels hadden doorgebracht, hadden de band van hun liefde versterkt. Christianna moest zich die nacht bijna van hem losrukken om naar haar eigen tent terug te gaan, waarna ze slecht sliep zonder hem. De volgende morgen zagen ze elkaar om zes uur in de eettent, als eerste aanwezigen. Ze vielen elkaar in de armen als geliefden die elkaar uit het oog hadden verloren, waarna Parker zei dat hij zich een leven zonder haar met geen mogelijkheid kon voorstellen. Erger nog, zij evenmin, en dat gevoel was riskant voor haar. Als ze zich zo aan hem zou binden, zou het op den duur haar hart breken. Maar voor dergelijke bedenkingen was het al te laat.

Eind mei, op een dag dat de bewakers haar vader gingen opbellen, ging Parker met Max en Sam mee naar het postkantoor. Hij belde naar zijn mentor in Harvard en kreeg respijt om wat langer te blijven. Hij had tegen hem gezegd dat hij vond dat het werk waarmee hij bezig was en de gegevens die hij verzamelde belangrijk waren en dat het een vergissing zou zijn om volgens plan in juni voortijdig weg te gaan. De medicus onder wiens leiding hij aan zijn project werkte, geloofde hem op zijn woord en gaf hem uitstel tot eind juli, misschien zelfs augustus, als hij dat nodig vond. Hij slaakte een vreugdekreet toen hij ophing, want hij wilde alleen maar bij Christianna blijven. Sam liep samen met hem naar buiten om zijn blijdschap te vieren, zodat Max rustig zou kunnen telefoneren. Sam wilde niet dat Parker zou horen dat Max met het paleis belde, of naar Zijne Doorluchtige Hoogheid zou vragen. Parker was blij toe dat hij met Sam naar buiten kon, waarna Max zijn gebruikelijke verslag uitbracht aan Christianna's vader: dat alles naar wens verliep en dat het goed ging met zijn dochter. Zelf ging ze zo ongeveer eens per week naar de stad om met hem te praten, en dan vertelde hij altijd hoeveel hij haar miste en dat hij niet kon wachten tot ze terugkwam. Als ze zijn stem hoorde, voelde ze zich steevast schuldig, maar niet zo schuldig dat ze wilde vertrekken. Integendeel. Bovendien was ze veel te gelukkig met Parker om waar dan ook zonder hem heen te gaan. Ze stelde alles in het werk om hun kleine universum zo lang mogelijk in stand te houden. Op een dag zou dat onvermijdelijk tot een einde komen, maar daar was ze nu nog niet aan toe en ze kon zich niet voorstellen dat ze dat stadium ooit zou bereiken. Maar omdat ze het een gegeven moment onder ogen zouden moeten zien, wist ze dat ze hem de waarheid moest vertellen. Ze hoopte van harte dat dat moment niet snel zou aanbreken.

Parker was in een uitgelaten stemming toen ze naar het kampement terugreden. Hij rende ogenblikkelijk op Christianna af om haar het goede nieuws te vertellen. Ze was even verrukt als hij. Ze sloeg haar armen om zijn hals, waarna hij haar als een veertje optilde en met haar in de rondte draaide. Hun post was die dag aangekomen, en iedereen was in een goed humeur. Christianna ging na het werk met Parker een wandeling maken en ze bespraken hun plannen om naar Massawa te gaan, waar tot dan toe niets van was gekomen, maar wat ze nog wel van plan waren.

Toen ze van hun wandeling terugkwamen, gingen ze elk terug naar hun eigen tent, wat ze nog steeds een vervelende regeling vonden. Ze smachtte ernaar om de nacht weer met hem door te brengen en weer een trip te gaan maken. Ze hadden het ook over een eigen tent voor z'n tweeën gehad. Maar ze was dolblij met zijn goede nieuws en de verlenging die hem door Harvard was verleend. Ze wilde het net aan Fiona vertellen, die op haar bed een tijdschrift lag te lezen, toen ze zag dat de kleine Ierse, op wie ze zo dol was, doodsbleek was. Even was ze bang dat ze ziek was, tot Fiona naar haar vriendin opkeek. Een paar minuten zei ze niets. Haar melkwitte huid werd soms zomaar doorschijnend wanneer ze zich niet goed voelde, overstuur was of woedend werd. Ze was nogal opvliegend, iets waar het hele kamp haar mee plaagde. Op een keer had ze zelfs in blinde drift met haar voeten gestampt en na afloop hartelijk om zichzelf gelachen. Ze was toen net zo bleek geweest als nu.

'Voel je je wel goed?' vroeg Christianna met een bezorgd gezicht. Er was duidelijk iets mis, zoals Fiona het tijdschrift opzijlegde en naar haar opkeek. 'Wat is er aan de hand?'

'Dat mag je mij vertellen,' antwoordde ze cryptisch, en ze gaf haar het tijdschrift, zodat Christianna het zelf kon zien. Christianna had geen idee waar Fiona zo van overstuur was, en ze wierp een blik op de bladzijde. En toen zag ze het. Een foto van zichzelf van vijf maanden geleden, samen met haar vader op het huwelijk dat ze in januari in Parijs hadden bijgewoond. Ze had de blauwe, fluwelen avondjurk aan en droeg de saffieren van haar moeder. Op het bijschrijft onder de foto stond simpelweg: 'Hare Doorluchtige Hoogheid, prinses Christianna van Liechtenstein met haar vader, de heersende prins Hans Josef.' Er viel weinig te zeggen. Het sprak voor zichzelf. Christianna's gezicht trok onmiddellijk even wit weg als dat van Fiona. Op dat moment was er niemand anders in de tent, wat Cricky goed uitkwam. Dit was geen nieuwtje dat ze met iemand wilde delen, zelfs niet met Fiona. Ze had liggen lezen in het blad *Majesty*, waarin melding werd gemaakt van het wel en wee van alle Europese koningshuizen. Christianna had er vaak in gestaan en ze was hevig geschrokken dat Fiona het tijdschrift in handen had gekregen. Haar moeder stuurde het haar altijd op. Alleen had Christianna niet verwacht dat ze in een actueel nummer zou staan, anders zou ze zich er wel zorgen over hebben gemaakt. Maar de foto was vijf maanden oud. Daar had ze niet op gerekend. 'Zou je dit willen uitleggen?' vroeg Fiona met een woedende blik in haar ogen. 'Ik dacht dat we vriendinnen waren. Nu blijkt dat ik niet eens wist wie je was. Je vader doet aan pr... laat me niet lachen!' Volgens Fiona hoorden vriendinnen geen geheimen voor elkaar te hebben. Ze was witheet en ze voelde zich duidelijk verraden. En als Fiona er zo over dacht, werd Christianna nog banger voor Parkers reactie als hij erachter kwam.

'Nou ja, het is een sóórt pr,' opperde Christianna zwakjes, nog steeds even bleek. 'En we zijn vriendinnen, Fiona... Alles wordt anders als mensen het eenmaal weten. Ik wilde niet dat dat hier zou gebeuren. Voor één keer in mijn leven wilde ik net zo zijn als iedereen.'

'Je hebt tegen me gelogen,' zei Fiona, terwijl ze het tijdschrift op de grond gooide.

'Ik heb niet tegen je gelogen. Ik heb het je niet vertéld. Dat ligt anders.'

'Rot op!' Ze voelde zich een ontzettende oen en duidelijk

verraden, zoals ze Christianna met vuurspuwende ogen en woede in haar hart aankeek. 'Weet Parker het?' vroeg ze, terwijl ze nog kwader werd. Misschien hadden ze haar achter haar rug uitgelachen omdat ze het niet wist.

'Nee,' zei Christianna met tranen in haar ogen. 'Luister nou, ik hou van je, Fiona. Je bént mijn vriendin, maar het zou hier met jou of met wie dan ook anders zijn als iedereen het wist. Kijk nou eens naar jezelf. Jij hebt de theorie bewezen.'

'Rot toch op!' tierde ze. 'Ik ben pisnijdig omdat je hebt gelogen.'

'Ik had geen keus – anders had ik net zo goed niet kunnen komen. Denk je soms dat ik wil dat iedereen hier mijn kont kust en zich voor mij de benen uit z'n lijf loopt, me Uwe Doorluchtige Hoogheid noemt of met de lunch een vingerdoekje onder mijn sandwich legt, terwijl ik intussen geen belangrijk werk kan doen? Dit is de kans van mijn hele leven om gewoon en echt te zijn. Ik heb mijn vader moeten smeken om hiernaartoe te mogen gaan. En wanneer ik hier wegga, is het voor mij allemaal voorbij. Ik zal de rest van mijn leven dat mens moeten spelen, of ik dat nu leuk vind of niet. En ik vind het niet leuk. Maar het is mijn plicht. Dit is het enige moment van het "echte leven" dat ik ooit zal krijgen. Kun je dat niet op z'n minst proberen te begrijpen? Je hebt geen idee hoe het is. Alsof je in de gevangenis zit. Voor altijd. Tot levenslang veroordeeld, tot mijn dood.' Zo zag ze het echt, wat treurig was. De tranen stroomden haar over de wangen terwijl ze dat zei. Er viel een lange stilte, waarin Fiona naar haar keek en langzaam de kleur op haar gezicht terugkwam. Ze had aangehoord wat Christianna zei, maar ze reageerde niet, terwijl Christianna bijna gesmoord werd door haar snikken. Ze zocht geen steun meer bij de Ierse; ze zat daar alleen maar, in tranen en bijna bezwijkend onder het gewicht van de kroon die ze al dan niet zichtbaar op had en die ze weer op haar hoofd voelde, zelfs hier.

'En wie mogen Max en Samuel dan wel zijn?' vroeg Fiona met een argwanende blik in haar ogen, nog altijd boos, al was dat al wat minder. Het was moeilijk om zich een voorstelling te maken van de ellende van haar vriendin. Het leek haar juist zo leuk, maar nu ze de pijn in Christianna's ogen zag, begon ze in te zien dat het misschien niet zo'n lolletje was als het in dat tijdschrift leek. Tot dan toe had ze de mensen die ze daarin zag altijd benijd.

'Dat zijn mijn lijfwachten,' zei Christianna zachtjes, alsof ze een afschuwelijke misdaad bekende.

'Shit. En ik probeerde Max nog wel maandenlang het bed in te krijgen. Zonder resultaat, moet ik erbij zeggen,' zei ze, waaruit bleek dat haar gevoel voor humor langzaam terugkeerde, zij het nog niet volledig. 'Waarschijnlijk had hij me neergeschoten als ik werkelijk het lef had gehad om hem te versieren.'

'Welnee.' En toen glimlachte Christianna bij zichzelf bij de herinnering aan Parker, toen hij de in haar nachthemd gewikkelde revolver aantrof. Dat vertelde ze aan Fiona, en nu moesten ze allebei lachen.

'Wat ben je toch een doerak,' zei ze oneerbiedig, niet in het minst onder de indruk van haar titel of kennelijk verheven status. 'Hoe kon je het me nou verzwijgen?'

'Ik kon het niet vertellen. Denk je eens in. En wat dan? Als ik dat had gedaan, zou iedereen het vroeg of laat weten.'

'Ik zou het geheimgehouden hebben, als je dat erbij had gezegd. Ik kan heus wel een geheim bewaren, hoor,' zei Fiona beledigd, en toen bedacht ze iets. 'Hoe ga je dat met Parker aanpakken? Ga je het hem vertellen?'

Christianna knikte met een ongelukkig gezicht. 'Ik moet wel. Voor hij vertrekt, of voor ik wegga. Hij heeft het recht om het te weten. Ik wil het hem alleen nu nog niet vertellen. Als hij het weet, zal het alles kapot maken.'

'Waarom?' Fiona staarde haar niet-begrijpend aan. Het leek haar nog steeds fantastisch, al deed Christianna alsof het een dodelijke ziekte was waarmee ze bij haar geboorte was besmet, genetisch. 'Misschien staat het idee hem wel aan om verliefd te zijn op een Doorluchtige Hoogheid. Ik vind het nogal cool klinken – misschien geldt dat ook voor hem. De sprookjesprinses en de knappe jonge arts uit Boston.'

'Dat is het nou juist,' zei Christianna. 'Alles is voorbij wanneer we hier weggaan. Mijn vader zou me nooit met hem laten trouwen. Nooit. Ik moet trouwen met een prins, met iemand van koninklijken bloede. Een hertog, of op z'n minst een graaf, en hij zou niet blij zijn met iemand die lager was dan een prins. Hij zou me nooit toestemming geven om nog langer met Parker om te gaan. Nooit.' En ze wilde geen permanente verwijdering met haar vader riskeren.

'En je hebt zijn toestemming nodig?' Fiona keek stomverbaasd.

'Voor alles. En ook van zijn parlementsleden, voor alles wat maar even anders is dan normaal. Het zijn er vijfentwintig. En honderd leden van de familieraad, die allemaal enigermate met me zijn verwant. Ik moet doen wat me wordt gezegd. Ik heb geen enkel recht om zomaar te doen wat ik wil – wat dan ook. Mijn vaders wil is wet, letterlijk.' Ze was duidelijk kapot van haar eigen woorden. 'En als ik hem niet gehoorzaam en een enorm schandaal veroorzaak, zou het zijn hart breken. Dat heeft mijn broer hem al genoeg aangedaan. Hij rekent op me.'

'Maar in plaats daarvan gaat hij jóuw hart breken.' Het drong langzaam tot Fiona door wat Christianna te wachten stond – haar hele leven lang. Honderdtwintig mensen beslisten over haar lot, als ze zich aan de regels hield. 'Misschien is het toch niet zo leuk als het lijkt,' gaf ze toe, waarop Christianna knikte.

'Ik kan je verzekeren dat het geen pretje is.' En ze stak haar hand uit om Fiona's arm aan te raken. 'Het spijt me dat ik heb gelogen. Ik dacht dat ik geen andere keus had. Alleen Geoff weet het, en hij is er heel goed mee omgegaan. En natuurlijk de directeur in Genève.'

'Wauw! Het lijkt de geheime dienst wel.' En toen strekte ze haar armen naar haar uit en omhelsde haar. 'Het spijt me dat ik zo kwaad werd. Ik was alleen maar gekwetst omdat je het me niet had verteld. Nu zit je met een ontzettend probleem met Parker. Weet je zeker dat er geen enkele kans is dat ze goed zullen vinden dat je hem nog ziet als je terug bent?'

'Dat zal nooit gebeuren. Misschien voor een keertje, op de thee, als ik zeg dat we hier collega's waren, maar verder niet. Mijn vader zou me ogenblikkelijk opsluiten.'

'Echt waar? In een kerker of zo?' Fiona keek haar vriendin doodsbenauwd aan, terwijl Christianna in lachen uitbarstte.

'Nou ja... Nee, maar dat zouden ze dan wat mij betreft net zo goed mogen doen. Hij zou zeggen dat ik er onmiddellijk een punt achter moet zetten, en dan zou ik geen andere keus hebben dan zijn bevelen op te volgen. Als ik dat niet doe, zal dat een schandaal in de pers veroorzaken en niet alleen het hart van mijn vader breken, maar ook zijn gelofte aan mijn moeder. Mijn vader gelooft niet in al die moderne monarchieën, waar hun kinderen met een burger trouwen. Hij vindt dat je de onschendbaarheid en de zuiverheid van koninklijke bloedbanden in stand moet houden. Dat is belachelijk, maar we leven in een achterlijk landje. Vrouwen hebben pas drieëntwintig jaar stemrecht. Het zou mijn vader een heel leven kosten om anders tegen de dingen aan te kijken.'

Dat vond ze duidelijk een onvoorstelbaar idee. Ze was wanhopig verliefd op Parker, en hij op haar. Hun liefdesrelatie was vanaf het begin gedoemd geweest, en hij wist het niet. Het klonk Fiona tragisch in de oren, net een slechte opera.

'En al die prinsen en prinsessen over wie je in de bladen leest en die zich misdragen, met iedereen het bed in duiken en allerlei gekkigheid uithalen?'

'Dat zou over mijn broer kunnen gaan. Mijn vader wordt er gek van, en van mij zou hij het nooit tolereren. Trouwens, hij trouwt niet met die mensen – hij gaat alleen maar met ze naar bed. Ik denk dat mijn vader hem zou onterven als hij met zo iemand trouwde.'

'Ik vind het ongelooflijk dat ik nooit mijn vermoedens heb gehad,' zei Fiona opnieuw toen Christianna vroeg of ze die pagina uit het blad zou willen scheuren en verbranden voor iemand anders hem zou zien, vooral Parker. 'Het zal zijn hart breken wanneer je het hem vertelt,' zei Fiona, die plotseling met alle twee medelijden kreeg.

'Ik weet het,' zei Christianna treurig. 'Zo voel ik me nu al. Waarschijnlijk had ik nooit iets met hem moeten beginnen. Dat was niet eerlijk tegenover hem. Maar ik kon er niets aan doen. We werden verliefd.'

'Dat recht zou je toch moeten hebben, net als iedereen.' Fiona vond het, nu ze erover nadacht en de pijn in Christianna's ogen zag, allemaal zo onrechtvaardig klinken. Ze had ook met Parker te doen, als hij erachter kwam dat hun liefdesrelatie geen toekomst had en in Senafe zou eindigen.

'Ik heb dat recht niet,' zei Christianna, terwijl Fiona haar armen om haar heen sloeg.

'Het spijt me dat ik zo kwaad werd. Misschien kun je als je terug bent met je vader gaan praten.'

'Het zal niets uithalen. Hij zou nooit goedvinden dat ik iets met een burger heb, vooral niet met een Amerikaan. Hij is ontzettend ouderwets in die dingen en apetrots op het feit dat onze bloedbanden helemaal zuiver zijn en dat zo'n duizend jaar zijn gebleven. Een Amerikaanse arts is niet wat hij voor mij in zijn hoofd heeft.' Nu ze het zo uitlegde, vond ze het zelf stom klinken – iets uit de middeleeuwen, maar voor haar was het de realiteit.

'Nou, ik verschoon me,' zei Fiona, die haar gevoel voor humor herwon. Het was een enorme schok geweest. Voor hen allebei. Christianna was nog steeds wat trillerig doordat ze was ontmaskerd, al was het alleen nog maar door Fiona, die ze vertrouwde. Stel dat iemand anders een nummer van het tijdschrift in handen kreeg – dat risico bestond immers altijd – en het vervolgens aan Parker liet zien? Bij het idee huiverde Christianna, ook al wist ze dat hij het vroeg of laat te weten moest komen. Het liefst van haar, op het juiste moment, als er een juist moment wás. Maar als zijn eerste reactie net zo zou zijn als die van Fiona? Misschien zou hij weglopen en nooit meer een woord tegen haar zeggen. Wie weet zou dat uiteindelijk het beste zijn, en een gemakkelijker manier om uit elkaar te gaan dan verscheurd door verdriet.

'Trouwens,' zei Fiona, terwijl ze haar met een verwarde frons aankeek, 'hoe moet ik je noemen, nu ik het weet?' Ze plaagde maar, en Christianna moest lachen om haar vraag.

'Ik vond doerak tamelijk op z'n plaats. Wat vind jij ervan?'

'Uwe Doorluchtige Doerak misschien? Uwe Grote Koninklijke Doerak!' Ondanks de ernst van het gespreksonderwerp vielen ze als twee kleine meisjes gierend van het lachen achterover op het bed. Ze lachten tot de tranen over hun wangen rolden – van het lachen, ditmaal niet van verdriet. Ze waren nog steeds niet uitgelachen toen Mary Walker met Ushi binnen kwam lopen en informeerde wat er zo grappig was. De twee jongere vrouwen kónden niet meer van het lachen.

'O, ik zei net tegen Cricky dat ze zo'n ontzettende sukkel is. Ze was mijn tijdschrift aan het lezen en ze scheurde er een bladzij uit. Ze is soms zo'n prinsesje,' zei Fiona met rollende ogen, terwijl Christianna haar vol ontzetting aankeek.

'Kleine doerak!' zei Christianna op haar beurt tegen Fiona, waarop ze weer slap lagen van het lachen, terwijl de oudere vrouwen hen ongelovig aanstaarden en maar naar buiten gingen om een douche te nemen.

'Ze zijn vast bevangen door de hitte,' zei Ushi grijnzend tegen Mary toen ze de tent uit liepen, en Christianna en Fiona keken elkaar veelbetekenend aan. Uiteindelijk had Fiona's ontdekking de verstandhouding tussen hen verdiept. Degene over wie Fiona zich nu zorgen maakte, was Parker. Net als Cricky. Hier zou hij kapot van zijn.

HOOFDSTUK 12

*C*hristianna en Parker gingen, zoals ze hadden gehoopt, in juni een weekend naar Massawa. Samuel en Max lieten haar alleen gaan. De tweede keer genoten ze nog meer van hun uitje. Elk moment dat ze samen waren was idyllisch, en toen ze deze keer van hun sprookjesweekend terugkwamen, begon Parker vaag te zinspelen op trouwen. Onder andere omstandigheden zou Christianna niets liever hebben gewild. Maar daar was tussen hen geen sprake van. Ze deed haar best het onderwerp te omzeilen en uiteindelijk zei ze dat ze haar vader onmogelijk in de steek kon laten. Dat hij van haar verwachtte dat ze naar huis kwam en daar bleef om bij hem in het familiebedrijf te werken. Ze had het Parker allemaal al eerder verteld, maar ditmaal was hij duidelijk van slag en geïrriteerd. Het leek hem onzin, wat ze nu trouwens zelf ook vond. Maar ze had het gevoel dat ze net zo vastzat aan de wensen van haar vader als aan geschiedenis en traditie. Haar was sinds haar geboorte bijgebracht dat ze zich moest opofferen voor haar land en haar onderdanen en dat ze al haar vaders beslissingen moest eerbiedigen. Hem tarten zou hij, en zelfs zijzelf, opvatten als het ultieme verraad. Ze was niet zo opgevoed dat ze zo iemand van koninklijken bloede was die met haar trainer trouwde, of met een barmeisje, of zelfs maar een respectabele arts als Parker. Als ze dit wilde doorzetten, had ze de goedkeuring van haar vader nodig – en die wilde ze ook – en ze wist dat ze die nooit zou krijgen. Het zou gewoon niet gebeuren.

'In godsnaam, Cricky, dat is belachelijk. Wat verwacht hij dan van je – dat je thuis blijft en een oude vrijster wordt die voor hem werkt?' Ze glimlachte droefgeestig om zijn vraag. Haar vader verwachtte niet anders dan dat ze zou trouwen, maar het moest wel met iemand zijn aan wie hij zijn goedkeuring hechtte, of zelfs iemand die hij had uitgezocht. Iemand uit een vergelijkbare familie als de hare. Parker kwam uit een heel goede familie en hij was goed opgeleid. Zijn broer en zijn vader waren medici. Zijn moeder was een societymeisje, had hij haar een keer verteld, lachend, omdat hij het allemaal zo'n onzin vond. Dat Christianna een Doorluchtige Hoogheid was, was nog onzinniger. Maar het gevolg daarvan zou hij niet zo'n onzin vinden als hij wist wat dat inhield. Het zou voor hem ook een drama zijn.

'Dat verwacht hij nou eenmaal van me,' zei ze beslist. 'En ik zal nog een hele tijd niet kunnen trouwen. Bovendien ben ik te jong,' zei ze, zoekend naar een plausibel excuus om hem te ontmoedigen. Over een paar weken zou ze vierentwintig worden, wat niet te jong was om te trouwen. Bovendien begon haar vader te sputteren dat ze naar huis moest komen. Ze was al bijna een halfjaar weg, en dat vond hij lang genoeg. Parker was van plan om in juli te vertrekken. En mocht het überhaupt mogelijk zijn, dan zou Christianna haar jaar in Senafe willen afmaken. Ze had er, de laatste keer dat ze met haar vader sprak, hard voor gestreden en het was nu even op de lange baan geschoven. Wat hem betreft, althans. Maar Parker zette haar stevig onder druk.

'Cricky, hou je van me?' vroeg hij uiteindelijk zonder omwegen, met een benauwde blik in zijn ogen. Hij had nog nooit van zijn leven zoveel van iemand gehouden, evenmin als zij.

'Ja,' zei ze ernstig. 'Ik hou heel veel van je.'

'Ik stel niet voor dat we hier trouwen, of al de volgende week. Maar omdat ik binnenkort vertrek, wil ik voor het zover is, dat je weet hoe serieus ik het bedoel. Je zei dat je misschien weer zou gaan studeren. Waarom ga je dat dan niet in Boston doen? Daar heb je de keuze uit een heleboel opleidingen: Harvard, Boston University, Tufts, Boston College. Je mocht ooit van je vader in de States studeren, waarom zou hij niet goedvinden dat je er een vervolgstudie ging doen?'

'Ik denk dat ik al mijn punten heb verspeeld. Hij wil dat ik nu of in Parijs ga studeren, omdat het dichter bij huis is, of voor altijd in Vaduz blijf.'

'Boston is zes uur van Europa af.' En hij had inmiddels begrepen dat geld voor hen geen probleem was. Niet dat ze er ooit hoog over had opgegeven, maar hij wist het. Zijn eigen vader was ook in vrij goeden doen. Zijn vader was een geslaagd man, evenals zijn broer, en zijn moeder had hem een bescheiden aandelenpakket nagelaten. Hij zat er warmpjes bij. De financiering van zijn studie was nooit een probleem geweest. Hij was zelfs de bezitter van een huisje in Cambridge en als ze trouwden, kon hij haar een goed, degelijk leven bieden. Maar niet als ze zo nodig dienstmeid wilde spelen voor haar vader en haar leven door hem liet leiden. Wat hij zo hoorde, stuitte hem danig tegen de borst. 'Je hebt het recht om je eigen leven te leiden,' hield hij vol.

'Nee, dat is niet zo,' zei ze vastberaden. 'Je begrijpt het niet.'

'Nee, verdomme, ik begrijp er niets van. Misschien dat hij, als we elkaar ontmoeten, zou inzien dat ik respectabel ben. Cricky, ik hou van je... Als ik uit Afrika wegga, wil ik weten dat je op een dag mijn vrouw zult zijn.' Terwijl hij dat zei, vulden haar ogen zich met tranen. Dit was afschuwelijk. Meer dan ooit besefte ze dat ze hier nooit aan had mogen beginnen. Het onvermijdelijk droevige einde had van begin af aan vastgestaan.

'Dat kan ik niet.'

'Waarom niet? Wat heb je me nog niet verteld? Er is een duister, vreselijk geheim dat je de hele tijd voor me verborgen hebt gehouden. Het kan me niet schelen wat het is. Zo vreselijk kan het niet zijn. Ik hou van je, Cricky. Wat het ook is, we komen er heus wel uit.' Ze kon hem alleen maar hoofdschuddend aankijken. 'Ik wil dat je het me nu vertelt.'

'Het maakt niet uit wat het is. Geloof me, Parker, ik wil niets liever dan wat jij me aanbiedt. Maar van mijn vader zou het nooit mogen.' Zo te horen was ze daar absoluut zeker van, terwijl Parker er met de minuut verslagener bij zat.

'Heeft hij een hekel aan Amerikanen? Of aan medici? Waarom weet je zo zeker dat we dit niet kunnen oplossen?' Er viel een eindeloze stilte waarin ze hem wanhopig aankeek. Het moment was aangebroken. Ze wist dat ze geen andere keus had dan het hem nu te vertellen. Het duurde eeuwen voor ze haar mond opendeed om de woorden te vormen, en toen stak ze eindelijk van wal.

'Hij heeft aan niemand een hekel. Zeker niet aan jou, als hij je zou kennen. Ik weet zeker dat hij je heel graag zou mogen – als ik er niet geweest zou zijn.' Dat klonk wreed, net als de waarheid over de situatie waarin ze verkeerde. Voor hen alle twee. 'Mijn vader is de prins die over Liechtenstein regeert.' Weer een eindeloze stilte, waarin Parker haar aanstaarde en zijn best deed om te bevatten wat ze zojuist tegen hem had gezegd. Het idee was hem zo vreemd, dat hij haar een hele tijd roerloos en met een uitdrukkingsloos gezicht zat aan te kijken.

'Zeg dat nog eens,' zei hij zacht, waarop ze haar hoofd schudde.

'Je hebt me wel gehoord. Ik denk alleen niet dat je weet wat dat betekent. Ik word totaal geregeerd – door hem, onze grondwet en onze traditie. En wanneer het ooit zover komt, zal hij me nooit met iemand laten trouwen die niet van koninklijken bloede is. In bepaalde landen denken ze heel anders over die dingen, in tegenstelling tot mijn vader. Hij is ouderwets en noch hij, noch de familieraad die dergelijke beslissingen neemt, zal ooit goedvinden dat ik met je trouw, hoeveel ik ook van je hou.' Haar stem eindigde in nauwelijks meer dan een gefluister, waarna Parker haar ongelovig aankeek.

'De familieraad neemt die beslissingen? Niet jij?' Ze schudde haar hoofd.

'Ik neem geen beslissingen over mezelf. Dat doet hij, en dat doen zij,' zei ze. Terwijl hij haar bleef aanstaren, drong alles in volle hevigheid tot hem door. 'Volgens onze grondwet moeten alle leden van het paleis een huwelijk goedkeuren en mag het niet schadelijk zijn voor de reputatie, het welvaren en de waardigheid van het prinsdom Liechtenstein. Ik weet zeker dat de familieraad en mijn vader zouden vinden dat ons huwelijk schadelijk zou zijn voor het land.' Zelfs haar klonk het absurd in de oren, wat nog meer gold voor het feit dat ze hun grondwet aan hem citeerde.

'Cricky, je bent een prinses?' Zijn stem brak, en hij was absoluut onthutst. Hij was zo goed als sprakeloos. En hij werd overmand door een gevoel van verlies en droefheid. 'Zoiets als Koninklijke Hoogheid?' Hij hoopte dat ze het zou ontkennen.

Maar ze glimlachte droefgeestig naar de man van wie ze ontzettend veel hield, waarna ze haar hoofd schudde. 'Uwe Doorluchtige Hoogheid. We zijn een klein land. Mijn moeder was een Koninklijke Hoogheid – ze was Française en een Bourbon. Ik zou misschien kunnen kiezen. Ik heb altijd de voorkeur gegeven aan Doorluchtig. Mijn vader en mijn broer zijn ook Doorluchtig.' Op dat moment voelde ze zich allesbehalve doorluchtig en wilde ze dat ze niet van koninklijken bloede was, maar daar had ze niets aan.

'In godsnaam, waarom heb je het me niet verteld?' Het was hetzelfde wat Fiona had gevraagd toen ze erachter kwam. En in Parkers geval was dat terecht. Aan hem was ze het verplicht. In zijn geval had ze hem bedrogen vanuit de absolute zekerheid dat hun romance geen toekomst zou hebben en uiteindelijk hun beider hart zou breken. Nu ze zo naar hem keek en de tranen over haar wangen rolden, besefte ze hoe egocentrisch ze was geweest.

'Het spijt me... Ik wilde niet dat je het wist... Ik wilde gewoon mezelf zijn, samen met jou. En nu besef ik wat ik heb aangericht. Ik had het recht niet om je dit aan te doen.' Hij stond op en begon te ijsberen, waarbij hij haar af en toe aankeek, terwijl zij verdrietig toekeek. Toen kwam hij weer naast haar zitten en nam haar handen in de zijne.

'Geen idee hoe dit in elkaar zit, maar soms zien mensen daar allemaal van af. Zoals de hertog van Windsor, toen hij afstand van de troon deed om met Wallis Simpson te trouwen.' Het volgende moment keek Parker nog bezorgder. 'Je wordt toch niet ooit koningin, hè, dat je de troon bestijgt of zo? Is je vader daarom zo streng voor je?' Ze schudde glimlachend haar hoofd.

'Nee, in mijn land mag een vrouw niet regeren. Mijn broer zal ooit het land regeren, mocht hij besluiten volwassen te worden. Maar hij is zo'n losbol dat mijn vader heel erg op mij terugvalt. Ik kan hem niet in de steek laten, Parker. Ik kan er niet zomaar voor wegvluchten. Het gaat om familie en traditie, over bloedbanden en eer en duizenden jaren geschiedenis. Het is niet iets wat je zomaar afzet, zoals een hoed – of een kroon. Het gaat om wie je bent en waarvoor je in de wieg bent gelegd, en over een land en mensen voor wie je als voorbeeld fungeert. Het gaat om plicht, niet om liefde. Liefde komt altijd pas na al dat andere. Het gaat om plicht, eer en moed. Niet om liefde.'

'Mijn god, dat is krankzinnig,' zei hij ontzet. 'En je vader verwacht dat je zo'n leven leidt en opgeeft wie je bent en van wie je houdt?'

'Ik heb geen andere keus,' zei ze, alsof ze haar eigen doodvonnis uitsprak. Dat was het voor hen wel degelijk. 'Om het allemaal nog erger te maken: hij heeft mijn moeder beloofd dat ik met iemand van koninklijken bloede zou trouwen. Die twee waren allebei ongelooflijk ouderwets, en dat is hij nog steeds. Bij hem gaat plicht boven liefde. Zelfs voor hemzelf. En hij rekent nu des te meer op mij voor het in stand houden van tradities en het goede voorbeeld geven, omdat mijn broer dat waarschijnlijk niet van plan is. Ik kan hem niet in de steek laten, Parker. Hij zal van me verwachten, van me eisen dat ik dit offer breng – voor mijn land, voor mijn moeder en voor hem.'

'Zul je mij ooit terugzien nadat ik hier ben vertrokken?' vroeg hij radeloos. Hij was in paniek door wat ze hem vertelde. Ze deed het voorkomen alsof het allemaal totaal hopeloos was, omdat het in haar ogen ook zo was. Hij beseffte ineens wat hun te wachten stond, wat dat voor hem betekende – en dat allemaal omdat ze was wie ze was. Ze was volledig bereid zichzelf – en hem – op te offeren aan haar land en de wensen van de prins die erover heerste. Het kon Parker geen fluit schelen dat ze een prinses was. Het enige wat hij belangrijk vond was samenzijn met de vrouw van wie hij hield. Hij had haar zijn hart geschonken, en nu gaf ze het hem stilzwijgend terug vanwege degene die ze van huis uit was en om wat daardoor van haar werd geëist. Het ging haar allemaal om eer, plicht, opoffering en moed.

'Ik weet het niet,' beantwoordde ze zijn vraag. 'Ik weet niet of ik je zal weerzien, of hoe vaak.' Ze vermoedde dat Max en Sam haar daarbij wel zouden helpen – op zijn minst één keer, maar vaker zou heel moeilijk gaan. Anders zouden ze zeker een schandaal veroorzaken. En één zwart schaap in de familie was genoeg. Die rol vervulde Freddy al. Als zij dat nu ook ging doen, zou dat het hart van haar vader breken. Dat kon ze hem niet aandoen. 'Misschien dat we elkaar ergens een keer kunnen ontmoeten. Ik denk niet dat mijn vader me naar Amerika zal laten gaan. Ik ben net vorig jaar teruggekomen, en nu ben ik al maandenlang in Afrika. Hierna zal hij willen dat ik thuisblijf, of niet verder wegga dan Parijs of Londen.'

'Zou ik je in Parijs kunnen ontmoeten?' Hij zag er even treurig uit als zij zich voelde; alsof ze zijn hart – en het hare – met een mes had doorboord.

'Dat kan ik niet beloven, maar ik zal mijn best doen,' zei ze onzeker. Ze had het vermoeden dat haar vader liever zou hebben dat ze na haar terugkeer dicht bij huis zou blijven. Een weekend Parijs zou misschien niet al te moeilijk zijn. Of misschien kon ze naar Londen gaan om bij Victoria te logeren en hem daar ontmoeten. Maar de pers cirkelde altijd als een stel aasgieren om haar nicht heen, wat voor hen een ramp zou zijn. Parijs zou echt veel beter zijn. 'Ik zal doen wat ik kan.'

'En daarna?' Nu stonden er tranen in zijn ogen. Dit waren

dan ook geen leuke berichten voor hem geweest, maar voor haar was het oud nieuws. Terwijl het voor hem allemaal nieuw was.

'Daarna, liefste, pak jij je eigen leven weer op, en ik het mijne. En we vergeten nooit wat we hier samen hadden – een herinnering die we koesteren... Je zult altijd weten dat je een plekje in mijn hart hebt, een heel grote plek.' Ze kon zich niet eens voorstellen dat ze met iemand anders zou trouwen. Alleen met hem.

'Dit is het ergste wat ik ooit heb gehoord.' Hij was niet boos op haar. Wat zou dat voor zin hebben? Hij was er alleen door en door kapot van. 'Cricky, ik hou van je. Wil je het hem op zijn minst vragen?' Daar dacht ze even over na, waarna ze knikte. Ze zou het allicht kunnen proberen. Maar dan zou haar vader eisen dat ze een punt achter haar relatie met Parker zette. Zolang hij het niet wist, bestond tenminste nog de kans dat ze elkaar konden zien. En die wilde ze nog niet opgeven. Discretie was voorlopig de enige manier, en dat zei ze ook tegen hem. Ditmaal was hij het niet met haar oneens. Hij kon alleen maar aannemen dat zij het beter wist. Hij stond volkomen buiten spel. De meest recente wending van het lot was voor hem als een heel slechte film.

Daarna zat hij met zijn armen om haar heen na te denken over wat ze allemaal had gezegd, terwijl hij probeerde het te begrijpen en tot zich te laten doordringen, en te onderzoeken wat het voor hem betekende. Het was voor allebei een verschrikkelijk lot. Ze was voorbestemd om voor altijd een eenzame prinses te zijn. En hij de jonge medicus met een gebroken hart. De manier waarop dit verhaal zich zou ontknopen beviel hem helemaal niet. 'Nog lang en gelukkig' zou voor hen duidelijk niet zijn weggelegd.

Naderhand liepen ze samen met een triest gezicht naar het kamp terug. Ze spraken heel weinig. Met een arm om haar heen hield hij haar alleen maar dicht tegen zich aan. Toevallig zag Fiona hen het terrein op slenteren. Ze trokken allebei een gezicht alsof er iemand was gestorven, wat haar aan het denken zette. Parker groette haar niet eens, wat niets voor hem was. Zonder een woord kuste hij Cricky en ging toen terug naar zijn tent.

'Wat is gebeurd?' vroeg Fiona haar met een bezorgd gezicht.

'Ik heb het hem verteld,' zei Christianna, diepbedroefd.

'Over jou?' fluisterde Fiona, waarop Cricky knikte. 'O shit. Hoe vatte hij het op?'

'Hij was geweldig, want hij is nou eenmaal geweldig. Maar het is een rotsituatie.'

'Dat zeker. Was hij boos?' Dat leek niet zo. Zo te zien was hij kapot, wat erger was.

'Nee, alleen maar verdrietig. Net als ik.'

'Misschien kunnen jullie iets bedenken.'

'Als ik terug ben, proberen we elkaar daarna in Parijs te ontmoeten. Maar dat zal er niets aan veranderen; zo blijft het zich alleen maar voortslepen. Uiteindelijk moet hij toch terug naar Boston om zijn eigen leven te gaan leiden. En dan ben ik in Vaduz, bij mijn vader, om mijn verdere leven te doen wat er van me wordt verwacht.'

'Er moet toch een manier zijn,' hield Fiona vol.

'Die is er niet. Je kent mijn vader niet.'

'Hij vond het toch goed dat je hierheen ging.'

'Dat ligt anders. Hij wist dat ik zou terugkomen. En ik was niet van plan om hier met iemand te gaan trouwen. Dit zou een sabbatical worden. Mijn deal met hem is dat ik mijn verplichtingen weer opvat zodra ik terug ben. Hij zal me niet met een Amerikaanse arts laten trouwen, een burger, en in Boston laten wonen. Dat zal gewoonweg niet gebeuren,' zei ze mistroostig.

Fiona moest toegeven dat het, zelfs in haar oren, niet bepaald hoopgevend klonk. 'Ga nou met je vader praten. Misschien dat hij het begrijpt. Echte liefde, en zo.' Ze had nog nooit twee mensen gezien die verliefder op elkaar, of gelukkiger met elkaar waren dan Cricky en Parker. Het viel niet te negeren en het was tragisch dat het zo belachelijk zou moeten eindigen.

'Uiteindelijk ga ik natuurlijk met hem praten. Maar ik denk niet dat ik er iets mee zal bereiken.'

Fiona knikte en liep zwijgend met haar mee terug naar de tent. Er was niet veel wat ze kon zeggen, maar ze vond het treurig voor hen allebei. Het was een triest verhaal, terwijl ze zo gelukkig hadden kunnen zijn.

Die avond zaten Parker en Cricky dicht bij elkaar, en de daaropvolgende weken waren ze nog vaker samen dan eerst. In elk geval was het resultaat van wat ze hem had verteld en de tragiek die dat met zich meebracht juist dat ze nog meer van elkaar gingen houden. Ze waren tot eind juli vrijwel onafscheidelijk. En daarna moesten ze de eerste van hun smartelijke horde onder ogen zien. Hij moest teruggaan. Verder uitstel was onmogelijk. Het hoofd van zijn onderzoeksprogramma had gevraagd of hij 1 augustus wilde terugkomen. Hun laatste drie dagen waren onvoorstelbaar bitterzoet, en hun laatste avond had iets onwerkelijks. Volgens Christianna was het de treurigste avond van haar leven. Ze zaten de hele avond voor haar tent, terwijl ze in zijn armen lag. Ze hadden eerder die avond een afscheidsetentje voor hem aangericht, maar Cricky en Parker zagen eruit alsof ze elk moment in tranen konden uitbarsten. De anderen in het kamp hadden geen idee wat er nou zo tragisch aan was, maar ze voelden duidelijk aan dat er iets moeizaams aan de hand was en dat het een bijzonder zware periode voor hen was.

Een groot aantal mensen die hij onder behandeling had gehad, kwam hem voor zijn vertrek cadeaus brengen: houtsnijwerk en beeldjes, kommen en kralen en schitterende objecten die ze liefdevol voor hem hadden gemaakt. Hij bedankte hen allemaal, en elke keer stonden er tranen in zijn ogen. De aidspatiënten met wie hij in contact was gekomen hadden hem in zijn hart geraakt.

Hij en Cricky zaten daar de hele nacht en samen zagen ze de zon opkomen. In het zachte ochtendlicht, maakten ze een wandeling onder de schitterende Afrikaanse hemel. Terwijl ze naast hem liep, wist ze dat ze dit moment, of deze episode van haar leven nooit zou vergeten. Ze zou de tijd willen stilzetten om voor altijd bij hem te kunnen blijven.

'Heb je enig idee hoeveel ik van je hou?' vroeg hij voordat ze terugliepen.

'Misschien half zoveel als ik van jou hou,' zei ze plagerig, maar er was niets grappigs of ongedwongens aan. Toen ze terugkwamen, waren de anderen inmiddels ook wakker en liepen alweer over het terrein. Akuba en Yaw waren druk bezig.

Voor de rest zat iedereen aan het ontbijt. Cricky en Parker schoven bij hen aan, zonder iets te eten. Ze dronken koffie en zaten zwijgend hand in hand. Zelfs Max en Sam keken treurig. Ze wisten beter dan wie ook wat er voor haar in het verschiet lag: een leven zonder deze lieve man van wie ze hield. Hij was echt een goed mens, al zou zelfs dat feit hen niet verder helpen. Hij was niet de echtgenoot die haar vader zich voor haar wenste en hij kon geen enkele hoop koesteren dat ooit te worden. Zodra hij Senafe verliet, zou voor hun liefde de doodstraf in werking treden. En niemand die dat beter wist dan die twee.

Geoff bracht Parker in een van de dienstauto's naar Asmara. Hij had Cricky gevraagd of ze mee wilde. Hun romance was geen geheim en iedereen juichte die van harte toe. Ze wisten niet precies waarom, maar ze wisten kennelijk allemaal dat Cricky er niet mee zou kunnen doorgaan wanneer ze naar huis ging. Uit wat ze had gezegd, maakten ze op dat ze een tirannieke vader had die het niet zou goedvinden en die verwachtte dat ze naar zijn pijpen danste. Hun leek het niet onoverkomelijk, maar wel heel moeilijk. Alleen Fiona, Geoff, Max en Sam kenden de waarheid – en de twee geliefden zelf natuurlijk. De anderen gingen ervan uit dat er nog hoop voor hen was. Wie op de hoogte was, wist wel beter: dat er geen enkele hoop was, tenzij ze bereid was haar vader te trotseren en afstand te doen van alles wat ze was, wat degenen die haar goed kenden niet waarschijnlijk leek.

Iedereen omarmde Parker hartelijk toen hij vertrok. Vooral Mary bedankte hem voor zijn waardevolle hulp, en hij haar voor haar medewerking aan zijn onderzoek. Hij had nog een

laatste rondgang over de afdeling gemaakt en afscheid genomen van al zijn patiënten. Met pijn in het hart ging hij
weg. Samen met Cricky stapte hij bij Geoff in de auto, waarna de lange rit naar Asmara begon. Cricky besefte dat de terugweg nog veel langer zou lijken, zonder hem. Nu kon ze
hem tenminste nog aanraken, met hem praten, naar hem kijken en voelen dat hij dicht bij haar was. Nog nooit van haar
leven was ze zo verdrietig geweest. En op het laatst, na een
tijd, zeiden ze niets meer, maar hielden ze alleen elkaars hand
vast. Geoff, die achter het stuur zat, kreeg van de stukjes en
beetjes die hij van hun gesprek opving het gevoel dat Parker
nu wist wie ze was, maar hij stelde geen vragen. Hij had beloofd zolang als haar verblijf zou duren haar geheim te bewaren, en daar had hij zich aan gehouden. Mocht zij ervoor
hebben gekozen om het aan iemand te vertellen, dan was dat
haar zaak. Zelfs nu bleef hij discreet.
Een uur voor Parkers vlucht kwamen ze in Asmara aan. Dat
was perfect uitgekiend, en net zoals zij samen met Max en
Sam bij hun aankomst had gedaan, stonden ze te wachten,
ditmaal tot het vliegtuig zou landen. Toen het zover was,
zakte het lood haar nog verder in de schoenen. Ze had gehoopt dat het ding later zou komen. Elke minuut was kostbaar, elke vezel in haar lijf verlangde ernaar om met hem
mee te gaan en voor altijd in zijn leven op te gaan. Ze had
nog nooit zó op het punt gestaan om alles in de steek te laten, zelfs als dat het hart van haar vader zou breken. Ze werd
verscheurd tussen de twee mannen van wie ze hield, wat ieder van hen van haar verlangde en wat ze zelf wilde.
Nadat het vliegtuig was geland hadden ze nog een halfuur,
terwijl de mensen met dozen en tassen alvast in de rij gingen staan. Samen met Parker stond ze stilletjes aan de kant,
hand in hand, terwijl Geoff discreet op afstand bleef en met
hen meevoelde. Omdat hij de waarheid over haar kende, wist
hij maar al te goed hoeveel dit moment betekende.
En toen was het aangebroken: het laatste moment, de laatste aanraking, de laatste kus, voor het laatst zijn armen om
haar heen voelen en haar armen om hem heen.

'Ik hou zoveel van je,' fluisterde ze, terwijl ze allebei tegen hun tranen vochten.

'Het komt allemaal goed,' zei hij, en wenste dat het waar was. Omdat ze wel beter wist, hield ze haar mond. 'Zodra je terug bent, zie ik je in Parijs. Pas goed op jezelf.' Hij keek haar glimlachend aan. Dit laatste moment behoorde ze hem nog toe, daarna misschien nooit meer. Het was bijna ondraaglijk, voor allebei. 'En kijk uit voor slangen!' zei hij bij wijze van grapje.

Eén laatste kus, en toen liep hij over de landingsbaan naar het wachtende vliegtuig. Ze stond naar hem te turen, roerloos, met haar ogen aan hem vastgekleefd, terwijl hij de trap naar het vliegtuig op liep en toen bleef staan om een eeuwigdurend moment naar haar te kijken. Haar ogen waren aan hem vastgeklonken. Ze blies hem een kus toe en wuifde. Hij legde zijn hand op zijn hart, wees met een droefgeestige glimlach naar haar... en toen was hij weg. Ze bleef daar staan, terwijl de tranen over haar wangen stroomden. Geoff bleef nog steeds bescheiden op afstand, omdat hij haar alleen wilde laten met haar verdriet over de realiteit die ze allebei onder ogen moesten zien.

Ze zagen het vliegtuig opstijgen en hoog in de lucht cirkelen, op weg naar Cairo, Rome, en vervolgens naar Boston. Ze liep zwijgend achter Geoff aan naar de auto. Een hele tijd werd er niet gesproken.

'Gaat het?' vroeg hij rustig, en ze knikte. Ze had het gevoel alsof iemand haar hart uit haar lijf had gerukt. Ze zei weinig en bleef de hele terugweg klaarwakker. Ze zat daar maar en keek uit het raam naar het Afrikaanse landschap dat voorbijschoot. Het zag er nu zo anders uit, zonder hem. Dat zou haar hele leven lang met alles zo zijn. Hij was uit haar hemel verdwenen. Nooit meer zouden ze krijgen wat ze het afgelopen halfjaar samen hadden gehad. Het was een onvoorstelbaar geschenk geweest, waarvan ze wist dat ze het voor altijd zou koesteren. De tijd die ze in Senafe samen waren geweest, was voor haar kostbaarder dan diamanten.

Toen ze terugkwam, stond Fiona op haar te wachten. Omdat ze de verwarde uitdrukking op Christianna's gezicht zag, zei ze maar niets. Ze sloeg een arm om haar heen, nam haar mee naar de tent en stopte haar in bed. Christianna keek naar haar op met de ogen van een kind met een gebroken hart. Toen de blikken van de twee vrouwen elkaar kruisten, schikte Fiona haar haar op het kussen. Ze zei dat ze haar ogen dicht moest doen en gaan slapen. Christianna deed wat ze zei, terwijl Fiona een tijdje bij haar bleef zitten om er zeker van te zijn dat alles in orde was.

Wat later kwam Mary binnen. 'Gaat het goed met haar?' fluisterde ze.

'Nee,' zei Fiona naar waarheid. 'Dat zal nog wel even duren.'

Mary knikte en ging naar bed. Niemand begreep het helemaal, maar ze wisten allemaal dat er iets treurigs was voorgevallen – iets wat nog erger was dan Parkers vertrek. Haar straf van een leven lang zonder hem was al ingegaan alsof ze al in Liechtenstein was teruggekeerd.

HOOFDSTUK 13

*C*hristianna sloeg zich als in een roes door de daaropvolgende weken heen. Na tien dagen kreeg ze een brief van Parker. Het enige waarover hij het kon hebben, was dat hij haar in Parijs zou ontmoeten. Hij zei dat hij Boston nog nooit zo vreselijk had gevonden. Hij smachtte naar haar, zoals zij naar hem smachtte. Ze schreef hem twee brieven, maar ze wilde het allemaal niet moeilijker voor hem maken dan het al was. Het was al onrechtvaardig genoeg en ze had hem door de onmogelijke situatie waarin ze verkeerde al zoveel ellende gebracht. Ze vertelde hem hoeveel ze van hem hield, maar ze gaf hem geen hoop.

Toen ze in de derde week na zijn vertrek op een ochtend aan het werk ging, heerste er een rare sfeer. Ze had geen idee wat het was. De lucht was ervan bezwangerd. Iedereen trok onder het ontbijt een ernstig gezicht en toen ze naar de eettent liep, had ze al gemerkt dat Akuba en Yaw niet buiten rondliepen. Christianna keek Fiona aan, die al even vragend keek als zijzelf. Voor ze aan de slag gingen, legde Geoff hun de situatie uit. Er had de vorige avond een aanslag bij de Ethiopische grens plaatsgevonden. Een hinderlaag. Het was de eerste openlijke schending van de wapenstilstand sinds vele jaren. Geoff zei dat hij hoopte dat het een eenmalig incident zou zijn, maar dat ze allemaal op hun tellen moesten passen. Als de oorlog tussen Eritrea en Ethiopië weer zou oplaaien, zou het zelfs voor hen te gevaarlijk kunnen worden. Maar zover was het nog lang niet. Dit was geen oorlog, maar een schermutseling, en hopelijk niet meer dan een onverkwikkelijk incident. Volgens Geoff stonden er aan de grens zowel VN-troepen als manschappen van de Afrikaanse Liga paraat om de vrede te bewaren. Maar iedereen ging met een zorgelijk gezicht aan het werk, niet zozeer bezorgd om zichzelf, maar voor deze mensen die hen zo na aan het hart lagen. Die hadden tijdens de meest recente oorlog zo verschrikkelijk geleden dat al wie in het kamp werkte van harte hoopte dat het schenden van de wapenstilstand het vuur van de strijd niet opnieuw zou doen oplaaien.

De patiënten waren die ochtend allemaal van slag: er werd druk gepraat en de sfeer grensde aan paniek. Ze hadden het allemaal al eerder meegemaakt. Bovendien zagen de vrijwilligers het malariaseizoen, dat de volgende maand zou ingaan, met angst en beven tegemoet. Ze hadden zonder dat al genoeg aan hun hoofd.

De algemene opinie kwam erop neer dat ze de situatie in het oog moesten houden en alert moesten zijn. Voorlopig betekende het nog voor niemand in het kamp een bedreiging. Maar ze bevonden zich zo dicht bij de grens dat hun angst gerechtvaardigd was. Na het ontbijt kwamen Max en Sam naar Christianna toe om een hartig woordje met haar te spreken.

'Uw vader zal hier niet blij mee zijn, Hoogheid. We zullen het hem moeten melden.' Een van de hoofdvoorwaarden om met haar mee te gaan was geweest – en dat was ze ook zelf met hem overeengekomen – dat als de politieke situatie riskant werd, ze ermee akkoord zou gaan ogenblikkelijk te vertrekken.

'Het was maar een schermutseling,' legde ze hun uit. 'We zijn niet in oorlog.' Ze was niet van plan om weg te gaan, vooral niet nu het malariaseizoen voor de deur stond. Ze hadden haar hier meer dan ooit nodig. En er waren meldingen van een nieuwe epidemie van de zwarte koorts.

'Het kan elk moment verslechteren,' drongen ze aan. 'En als

het eenmaal zover is, zou het wel eens heel snel uit de hand kunnen lopen.' Geen van hen wilde in de positie geraken dat ze haar het land niet uit konden krijgen.

'Laten we nog niet in paniek raken,' zei ze kort en bondig, waarna ze aan het werk ging.

De daaropvolgende twee weken gebeurde er verder niets. Het was inmiddels 1 september en de eerste gevallen van malaria hadden zich gemeld. Voor iedereen was dit een periode van beproeving, die gepaard ging met hevige regen. Zelfs in hun tenten was het in het kamp een en al ellende, en moesten ze door de dikke modder waden. Christianna was nu al acht maanden in Afrika, dat inmiddels al tot in haar vezels was doorgedrongen. Vanwege de extra werklast en het vreselijke weer ploften ze 's avonds allemaal uitgeput in hun bed. Daarbij kwam ook nog dat haar vader Max en Sam sinds de grensschermutseling, die hem allerminst beviel, al wekenlang bestookte om ervoor te zorgen dat ze naar huis kwam. Maar Christianna weigerde daar gehoor aan te geven. Ze hadden haar nodig, dus bleef ze. Via Sam en Max stuurde ze hem boodschappen. Ze had nu geen tijd meer om naar het postkantoor te gaan en zelf met hem te praten, wat maar beter was ook. Ze had geen zin om met hem te kissebissen. Ze had het nog altijd te moeilijk met Parker en ze had te veel aan haar hoofd.

'Jezus, heb jij niet de pest aan dit rotweer?' vroeg Fiona op een avond toen ze in de tent terug waren. Ze had de hele dag baby's ter wereld gebracht. Christianna had geassisteerd bij aids- en malariapatiënten en er waren nog twee gevallen van zwarte koorts binnengebracht, wat Geoff zorgen baarde. Ze zaten niet ook nog te springen om een epidemie dáárvan.

Fiona was nog geen uur terug, toen ze alweer werd opgeroepen. Niet ver van het kamp was een vrouw van een tweeling aan het bevallen. Nog steeds doorweekt trok ze er opnieuw op uit, biddend dat haar autootje niet in de modder zou blijven steken, wat al diverse keren was gebeurd. Eenmaal had ze 's nachts in de stromende regen meer dan drie kilometer terug moeten lopen. Sindsdien kwam ze niet van haar hoest af.

Toen Christianna haar naar buiten zag gaan, wuifde ze haar met een vermoeide glimlach uit. 'Veel plezier!'

'Krijg de pest!' reageerde Fiona plagend. 'Jij blijft hier tenminste droog.' Er waren van die tijden dat dit een zwaar leven was, en dit was er een van. Fiona werkte even hard als de anderen, vaak nog harder. Ze klaagde nooit, ze hield van haar werk en ze wist hoe dringend ze haar nodig hadden. Christianna hoorde het autootje wegrijden en doezelde uiteindelijk weg. Ze waren allemaal uitgeput, van het weer en van de extra zware werklast. Ze was niet verbaasd toen ze Fiona 's morgens niet in bed zag liggen. Vaak was ze de hele nacht in touw, vooral wanneer het een zware bevalling of een zwakke baby betrof. En bij een tweeling moest het wel zwaar zijn geweest.

Christianna ging samen met de anderen ontbijten en Geoff kreeg, toen hij om zich heen keek, plotseling een bezorgde blik in zijn ogen.

'Waar is Fiona? Slaapt ze, of is ze nog niet binnen?'

'Nog niet binnen,' antwoordde Christianna, en ze schonk een kop thee voor zichzelf in.

'Ik hoop dat haar auto niet in de modder is blijven steken.' Hij zei iets tegen Maggie, waarna hij besloot om zelf uit te rijden om een kijkje te nemen. De regenbuien hadden de hele nacht niet van ophouden geweten en woedden nog onverminderd voort. Max meldde zich aan om met hem mee te gaan. Als de auto was blijven steken, kon hij helpen hem uit de modder te duwen. Een paar minuten later vertrokken de mannen. Christianna en Mary gingen naar de aidskliniek, Ushi naar haar klaslokaal en alle anderen gingen ook aan het werk. Het was een ochtend als alle andere in het regenseizoen, alleen natter en donkerder.

Later diezelfde ochtend was Christianna in haar kantoor administratie aan het afwikkelen, toen Max en Geoff terugkwamen. Ze hadden de auto gevonden, maar Fiona zat er niet in. Ze waren naar het huis gegaan waar de tweeling was geboren en daar hoorden ze dat Fiona al uren geleden was vertrokken.

Het was voor het eerst dat er zoiets was voorgevallen. Toen Max het haar kwam vertellen, vroeg Christianna zich af of ze had geprobeerd lopend terug te gaan toen en was verdwaald of bij iemand thuis was gaan schuilen. Ze kende bijna iedereen in de omgeving, omdat ze al een paar jaar lang hun baby's ter wereld bracht.

Met een somber gezicht trommelde Geoff een opsporings- ploeg op en gaf opdracht om alle auto's van het wagenpark mee te laten rijden. Max stapte in een auto, Sam in een an- dere, Ernst, Klaus en Geoff klommen in de schoolbus. Didier lukte het om hun slechtste en minst betrouwbare auto aan de praat te krijgen. Van de vrouwen gingen er op het laat- ste moment twee met hen mee en Christianna stapte bij Max in de auto. Ze waren overeengekomen dat ze zich zouden verspreiden om het gebied uit te kammen en bij elk huis halt te houden om te kijken of ze daar was. Fiona kennende, was Christianna er bijna zeker van dat ze zoiets had gedaan. Om- dat ze een praktische, zelfstandige vrouw was, zou ze niet de nacht hebben doorgebracht in een in de modder vastge- lopen auto. Ze zou ergens bij een huis hebben aangeklopt. Ze was ervan overtuigd dat ze haar snel zouden vinden. Ie- dereen in het gebied was ontzettend aardig. Waarschijnlijk zat ze in een van de huizen knus bij het vuur, tot het ophield met regenen en ze een lift terug naar het kamp zou kunnen krijgen.

Max deed geen mond open, terwijl ze de een na de andere weg af reden. Na een tijdje zagen ze de schoolbus, en werd er met de anderen beraadslaagd. Niemand had iets gezien, en ook van de mensen bij wie ze thuis hadden geïnformeerd had niemand haar gezien, al wisten ze allemaal wie ze was. Ze waren ruim twee uur op pad, met een rondspeurende Max aan het stuur, terwijl Christianna de kant van de weg af tuurde. Plotseling remde Max af. Iets had zijn aandacht getrokken. Hij zei niets tegen Christianna om haar niet on- nodig ongerust te maken. Hij stapte uit, rende door de regen en bleef toen staan. Daar lag ze, langs de kant van de weg, als een lappenpop – naakt, met kletsnatte haren en met haar gezicht half in de modder en opengesperde ogen. Christianna, die achter hem aan was gerend, zag haar nu ook en ze was ontzet door wat ze zag. Fiona was kennelijk verkracht en vermoord, met tientallen messteken. Het was het afschuwelijkste wat Christianna ooit had gezien. Max duwde haar voorzichtig weg en zei dat ze terug moest gaan naar de auto.

'Nee!' schreeuwde ze. 'Nee!' Ze hurkte naast haar vriendin neer, trok haar eigen jas uit en legde die over haar heen, waarna ze teder haar gezicht uit de modder tilde en haar hoofd in haar armen hield, terwijl ze zelf drijfnat werd van de regen. Christianna lag praktisch in de modder, met Fiona in haar armen, snikkend en gillend, terwijl Max tevergeefs probeerde haar los te krijgen. Na een paar minuten kwam de schoolbus langsrijden, die hij met gebaren tot stoppen dwong. Iedereen rende naar buiten en zag wat er was gebeurd. Klaus en Ernst hielpen Max Fiona uit Christianna's armen los te krijgen. Via de zender stelden ze de anderen op de hoogte, en terwijl Christianna snikkend werd weggeleid, kwam iemand met een stuk zeildoek aan waar ze Fiona voorzichtig inwikkelden, waarna ze haar de bus in droegen en naar het kamp terugreden.

De hele verdere dag verliep voor iedereen in een waas. De autoriteiten bleven de hele dag in het kamp. Ze kamden de hele omgeving uit, maar niemand had iets gezien of gehoord. Omdat niemand iets wist, werd bij hoog en bij laag beweerd dat dit het werk was van plunderende Ethiopiërs, wat iedereen in het kamp onwaarschijnlijk voorkwam. Geoff ging naar het postkantoor in Senafe om persoonlijk de familie in te lichten. Die waren er kapot van, zoals te voorspellen was. En zelfs al smeekte Christianna hun om het niet te doen, Max en Sam gingen met Geoff mee om haar vader op te bellen.

Zijn reactie was precies zoals ze hadden verwacht. 'Breng haar terug. Nu. Morgen. Vandaag. Zorg dat ze daar wegkomt.' Toen ze het bij terugkomst aan Christianna vertelden, zagen ze dat ze absoluut niet in staat was om te vertrekken. Ze was kapot van het verlies van haar vriendin en de gruwelijke manier waarop ze was gestorven. Omdat ze nu eenmaal in Afrika waren, had Fiona's familie er schoorvoetend mee ingestemd dat ze daar zou worden begraven. Ze verkeerden nog steeds in shocktoestand, maar het zou te ingewikkeld en te duur zijn geweest om haar naar huis te laten komen. Bovendien had ze ontzettend veel van Afrika gehouden. Het leek volkomen gepast om haar daar te begraven.

Christianna had graag met Parker willen praten, maar ze was te overstuur om met Sam en Max naar het postkantoor te gaan en had ook geen zin om haar vader te spreken. Ze had geen boodschap aan wat hij zei. Ze ging niet naar huis, althans niet tot ze Fiona hadden begraven. De hele wereld om haar heen was ineens een nevelige warboel. Alles was zo ontzettend uit zijn verband gerukt en nu waren ze allemaal opeens bang.

Ze gingen Fiona de volgende dag begraven, terwijl het hele kamp nog altijd in shock verkeerde. Het nieuws verspreidde zich door de omgeving. Onder de inheemse bevolking heersten woede en angst, net zoals bij de kampmedewerkers. Na een korte rouwdienst en de begrafenis hielden de collega's van Fiona huilend en met een strak gezicht een bijeenkomst in de eettent. Er was geen sprake van een *Irish wake*, zoals zij graag had gehad. Integendeel, er waren alleen maar huilende, boze en angstige mensen, die niet konden geloven dat ze hun geliefde vriendin kwijt waren. Christianna en Mary vielen elkaar snikkend in de armen. Ushi was ontroostbaar. Geoff en Maggie waren helemaal overstuur. Het was een afschuwelijke tijd in het kamp. En vervolgens stortte hun hele wereld in elkaar.

Twee dagen nadat ze Fiona hadden begraven deden zich opnieuw grensschermutselingen voor, en binnen drie dagen waren Ethiopië en Eritrea opnieuw met elkaar in oorlog. Ditmaal werd er niet gesproken. Sam en Max gingen niet naar het postkantoor om met haar vader te praten en voerden geen discussie met Christianna. Sam pakte haar koffer in en wachtte buiten met Max tot ze zich had aangekleed. Er was geen keus. Als het moest, zouden ze haar naar buiten drágen. Ze hield stijfkoppig vol dat ze haar vrienden niet in de steek wilde laten. Ze was van deze plek en van de mensen die er woonden gaan houden. Iedereen verdrong zich om haar heen en huilde toen ze wegging. Geoff was het helemaal eens met Max en Sam. De anderen zouden allemaal hun eigen beslissing nemen of ze zouden blijven of vertrekken. Maar Geoff was Christianna persoonlijk komen vertellen dat ze weg moest. Ze had hen uitstekend geholpen en zich volledig ingezet, en daarvoor waardeerde iedereen haar zeer. Maar net als Sam, Max en haar vader, wilde hij dat ze wegging. Dit was niet haar werk, maar een stuk van haar hart en ziel dat ze had opgeofferd en nu wilde hij niet dat het haar leven zou kosten. De andere medewerkers aanvaardden het risico als een deel van hun missie. Christianna had een heel andere missie. De tijd die ze in Afrika had doorgebracht was voor hen allen en voor haarzelf een geschenk geweest.

Iedereen nam in tranen afscheid van haar. Ze maakte nog een laatste ronde langs de patiënten in de aidskliniek om iedereen goeiendag te zeggen, waarna Geoff hen naar Asmara bracht. Daar aangekomen, stonden ze in de stromende regen, en ze klampte zich als een huilend kind aan Geoff vast. Er was zoveel gebeurd en ze stond vreselijke angsten uit voor hen allemaal. Ze voelde zich een verrader door hen nu in de steek te laten. Al dagenlang werden er troepen van de VN en van de Afrikaanse Liga in het gebied aangevoerd.

'U moet vertrekken, Hoogheid,' zei hij, als wilde hij haar eraan herinneren wie ze was. 'Uw vader zou het ons nooit vergeven als er iets gebeurde.' Ze was er negen maanden geweest, maar nog steeds was ze er niet aan toe om naar huis te gaan en ze wist dat dat moment nooit zou komen. Haar hart lag hier, en ook een stukje van haar leven dat ze nooit zou vergeten.

'En jullie dan?' vroeg ze toen het vliegtuig landde.

'We zullen wel zien wat er de komende paar dagen gaat gebeuren. Het is nog te vroeg om dat te kunnen zeggen. We zullen zien wat ze in Genève beslissen en wat de anderen willen doen. Maar voor jou wordt het in elk geval tijd om naar huis te gaan.' Uiteindelijk was dit hun terrein en niet het hare. Voor ze vertrok omhelsde ze hem stevig en bedankte hem voor de mooiste maanden van haar leven. Hij bedankte haar voor alles wat ze had gedaan en alles wat ze had gegeven. Hij zei dat ze een bijzondere vrouw was en wenste haar het allerbeste. Hij wist dat geen van hen haar zou vergeten, noch haar liefdevolle houding of haar onbaatzuchtigheid.

En toen stapte ze met Max en Sam in het vliegtuig. Terwijl ze uit het raampje keek, zag ze dat Geoff hen nakeek. Hij zwaaide en rende daarna terug naar de bus. Even later steeg het vliegtuig op voor de eindeloze reis terug naar Frankfurt, met daarna een korte tussenstop in Zürich, en uiteindelijk naar huis.

Tijdens de vlucht zat ze lange tijd in de ruimte te staren, terwijl ze aan Fiona dacht, aan Parker, en aan Laure daarvoor, aan Ushi en alle kinderen aan wie ze les hadden gegeven, aan Mary en aan alle vrouwen en kinderen op de aidsafdeling. Ze had zoveel mensen achtergelaten van wie ze was gaan houden. En die arme Fiona vertrok samen met haar, voor altijd in haar hart. Ditmaal zei ze helemaal niets tegen Sam en Max. Ze zat aan de ene kant van het gangpad, zij aan de andere. Deze keer hadden ze zich van hun plicht gekweten. Nu er een oorlog uitbrak, stond voor hen, en voor haar vader, als een paal boven water waar ze hoorde. Zelfs Christianna verzette zich deze keer niet tegen hen. Ze wist dat ze geen keus had. Bijna de hele vlucht naar Frankfurt sliep ze, waarna ze zwijgend uit het raam keek. Ze dacht aan Fiona... toen aan Parker... Zodra ze in Frankfurt was uitgestapt, belde ze hem op in Boston en vertelde hem alles wat er was gebeurd – met Fiona, over de grensincidenten en het opnieuw uitbreken van een oorlog. Hij was verbijsterd, terwijl ze het allemaal snikkend vertelde.

'Mijn god, Cricky, is met jou alles goed?' Hij kon amper ge-loven wat ze hem over Fiona had verteld. Terwijl ze beschreef hoe ze haar hadden gevonden, was ze opnieuw in tranen uit-gebarsten. Zo te horen was ze volkomen over haar toeren. 'Ik hou van je,' zei ze steeds weer, zonder op te kunnen hou-den met huilen. 'Ik hou ontzettend veel van je.' Ze had hem bijna twee maanden niet gezien. Na alles wat er was gebeurd, leken het eeuwen.

'Cricky, ik hou ook van jou. Ik wil dat je naar huis gaat en kalmeert. Rust wat uit. En zodra je weg kunt, zien we elkaar in Parijs.'

'Goed,' zei ze zwakjes, met het gevoel alsof ze geen dag meer zonder hem kon leven. Het had al te lang geduurd en er wa-ren veel verschrikkelijke dingen gebeurd. Zo te horen was hij net zo van streek als zijzelf.

'Ga nou maar naar huis, liefste,' zei hij teder. 'Alles komt goed,' stelde hij haar gerust, terwijl hij haar in zijn armen zou willen nemen.

'Ik geloof het niet,' zei ze snikkend. 'Fiona is dood, Parker. Voor haar zal het nooit goed komen.'

'Ik weet het,' zei hij in een poging om haar te troosten, zon-der te kunnen geloven wat er was gebeurd. Het was on-voorstelbaar dat die sprankelende, pittige, fantastische schat van een Fiona er niet meer was. 'Ik weet het. Maar voor jou komt het allemaal goed. Ik zie je heel snel in Pa-rijs.' Maar ze moest alleen nog maar harder huilen, omdat ze wist dat dat waarschijnlijk voor het laatst zou zijn. Ze zou het niet kunnen verdragen: nog meer afscheid en ver-lies. Ze moest het gesprek afbreken om haar vlucht naar Zürich te halen. Hij maakte zich zorgen om haar. Ze klonk zo afschuwelijk over haar toeren. Maar wie zou dat niet zijn geweest, na alles wat ze had doorgemaakt? 'Mag ik je thuis opbellen?' informeerde hij voorzichtig. Voor hij ver-trok had ze hem de nummers gegeven, maar ze had erbij gezegd dat hij die alleen in noodgevallen mocht gebruiken. Ze wilde geen argwaan wekken. Maar nu zou Parker wil-len weten hoe het met haar ging omdat hij bezorgd om haar was. Ze was van haar leven niet zo overstuur geweest.

'Nee, doe maar niet. Ik bel jou wel,' zei ze, en zo te horen meende ze het. Het was een chaos in haar hoofd. Fiona was dood. Parker zat voor altijd in Boston. Haar vrienden in Senafe zouden zich elk moment in een oorlogsgebied kunnen bevinden. En terwijl ze er nog niet eens klaar voor was naar huis te gaan, moest ze ook nog haar vader onder ogen komen. In een tijdspanne van zeventien uur was ze van het ene naar het andere einde van de wereld gevlogen. Ze voelde zich als een plant die uit de vruchtbare aarde van Afrika was gerukt, ruw ontworteld. Liechtenstein was voor haar niet langer een veilige thuishaven. Ze had het gevoel alsof ze in Senafe thuishoorde. En haar hart was in Boston, bij Parker. Ze was volkomen in de war, en toen ze het gesprek met Parker beëindigde, kon ze niet ophouden met huilen. Toen ze naar Sam en Max keek, zag ze dat ze net zo ongelukkig waren als zij. Ook zij hadden het daar fantastisch gevonden, maar die morgen hadden ze geen moment getwijfeld, omdat ze hetzelfde ene doel voor ogen hadden: haar het land uit krijgen.

'Het spijt me dat we op die manier zijn vertrokken, Hoogheid. Ditmaal moesten we onze plicht doen. Het werd tijd om weg te gaan.'

'Ik weet het,' zei ze verdrietig. 'Op het laatst ging het vreselijk mis: Fiona, het schenden van de wapenstilstand en de schermutselingen aan de grens. Wat zal er van al die mensen worden als ze nóg een oorlog moeten meemaken?' Ze moest er niet aan denken. Het was zo'n vriendelijk, liefdevol volk. Bovendien miste ze haar vrienden in het kamp alsof het haar broers en zusters waren.

'Als de oorlog werkelijk uitbreekt, zullen ze het heel moeilijk krijgen,' zei Max zonder omhaal. Hij had er de hele vlucht met Sam over gepraat. De VN probeerde in te grijpen, maar de laatste keer was het hun niet gelukt er een eind aan te maken.

'Ik maak me ook zorgen om de mensen in het kamp,' voegde Christianna eraan toe.

'Die weten heus wel wanneer ze moeten vertrekken. Ze hebben het al eerder meegemaakt.' Maar het stond als een paal boven water dat zij eerder had moeten vertrekken dan zij. Zowel Max als Sam besefte maar al te goed dat het rampzalig zou zijn geweest als haar iets was overkomen. De prins zou het hun nooit vergeven, evenmin als ze het zichzelf ooit zouden vergeven.

Tijdens de laatste etappe van de vlucht van Frankfurt naar Zürich was ze stil. Ze was uitgepraat. Ze was zo verlamd van verdriet dat ze verdoofd was. Het verlies van haar vriendin, de afwezigheid van de man van wie ze hield, de hopeloosheid van hun situatie – hoeveel ze ook van elkaar hielden – en dat ze was weggerukt uit het land waarvan ze de afgelopen negen maanden zo was gaan houden – dat allemaal bij elkaar was bijna meer dan ze kon verdragen. En nu, ondanks de vreugde om haar vader terug te zien, had ze het gevoel alsof ze terugging naar de gevangenis, om voor eeuwig opgesloten te zitten in Vaduz om haar plicht tegenover haar vader en het land te vervullen en zich meer nog dan vroeger op te offeren. Ze had het gevoel alsof ze werd gestraft voor haar koninklijke afkomst. Het was, zoals het altijd voor haar was geweest, een ondraaglijke last geworden. Ze voelde zich verscheurd tussen wat ze aan haar voorvaderen was verplicht en de man naar wie haar hart hunkerde: Parker, de enige van wie ze ooit had gehouden.

Toen het vliegtuig in Zürich landde, stond haar vader op de vluchthaven op haar te wachten. Met tranen in zijn ogen sloeg hij zijn armen om haar heen. Hij had in die laatste uren zo vreselijk over haar in angst gezeten. Hij had het niet kunnen verdragen om haar te verliezen. Hij keek dankbaar naar Max en Sam, omdat ze ervoor hadden gezorgd dat ze het land uit was voor er iets verschrikkelijks was gebeurd. De nieuwsberichten, die hij op de voet had gevolgd, waren sinds haar vertrek uit Asmara steeds dramatischer geworden.

Toen ze glimlachend naar hem opkeek, zag hij onmiddellijk dat er een ander mens was thuisgekomen. Ze was een vrouw, geen meisje meer. Ze had liefgehad, geleefd, gewerkt en ze was gegroeid. Zoals vóór haar met anderen was gebeurd, was de schoonheid van Afrika en alles wat ze daar had geleerd en ontdekt, al haar vezels binnen gekropen.

Bij de douane mocht ze zonder controle doorlopen, zoals altijd in Zürich. Ze keken nooit naar haar paspoort. Dat was niet nodig. Ze wisten wie ze was en glimlachten naar haar. Deze keer keek ze hen aan zonder te glimlachen. Dat kreeg ze niet voor elkaar.

Ze stapte naast haar vader in de Rolls Royce, met de vertrouwde chauffeur achter het stuur en de lijfwacht op de achterbank. Sam en Max reden in een andere auto achter hen aan, samen met twee collega's, die blij waren om hen te zien. Zij waren minder aangedaan dan Christianna. Voor hen was het werk geweest, al hadden zij het allemaal ook niet graag willen missen. Ook zij vonden het treurig om weer terug te zijn. Net als Cricky bekeken ze hun oude vertrouwde wereld nu met heel andere ogen.

Cricky sprak tijdens de rit naar Liechtenstein niet zoveel. Ze hield zwijgend de hand van haar vader vast en keek naar buiten. Het was herfst en het was schitterend weer. Maar ze miste Senafe. Hij wist alles van wat er was gebeurd – althans, dat dacht hij. Hij wist van Fiona, en dat Christianna haar had gevonden. Wat hij dacht te zien was dat ze daar diep over geschokt was. Hij had geen idee dat wat hij zag, ook haar gevoel van verlatenheid was, omdat ze bovendien Parker had verloren. Zelfs al was ze hem nog niet helemaal kwijt, ze wist dat dat zou gebeuren. Zelfs als ze in Parijs weer samen zouden zijn, was het uitgesloten dat ze daarmee zouden kunnen doorgaan zonder een schandaal uit te lokken, zoals Freddy, en dat wilde ze haar vader niet aandoen. Dat had hij niet aan haar verdiend.

'Ik heb u gemist, papa,' zei ze, terwijl ze hem aankeek. Hij keek naar haar met zo'n tedere blik in zijn ogen dat ze opnieuw besefte dat ze nooit zijn hart zou kunnen breken door alles te verloochenen waarvoor ze in de wieg was gelegd. Dus was ze bereid als offer haar hart – en Parker – op te geven. Twee harten in ruil voor één. Dat leek een verschrikkelijk hoge prijs voor plichtsbetrachting.

'Ik heb jou ook gemist,' zei haar vader zacht. Ze hield nog steeds zijn hand vast toen ze Vaduz binnen reden en de bekende plaats zag waar ze was opgegroeid. Maar het gaf haar niet langer het gevoel alsof ze thuiskwam. 'Thuis' was Parker. 'Thuis' was Senafe. 'Thuis' was bij de mensen geweest van wie ze daar had gehouden. De mensen in het leven waarvoor ze bij haar geboorte was voorbestemd waren de afgelopen maanden allemaal vreemden voor haar geworden. Ze was een andere vrouw geworden. En zelfs haar vader wist dat.

Ze stapte zwijgend uit de auto. De bedienden met wie ze was opgegroeid stonden haar op te wachten. Charles kwam op haar af stormen en toen hij zich met zijn poten tegen haar afzette en haar gezicht likte, glimlachte ze. En toen zag ze Freddy, die van een afstand naar haar zwaaide. Hij was speciaal uit Wenen overgekomen om haar te zien. Maar diep in haar hart voelde ze niets. De hond liep achter haar aan naar binnen, en ze hoorde dat iemand de deur achter haar dichtdeed. Freddy sloeg zijn armen om haar heen en gaf haar een kus. Charles blafte. Haar vader glimlachte haar toe, waarop ze hen allemaal met een mistroostige glimlach aankeek. Ze wilde dat ze blij was om hen te zien, maar dat was ze niet. Ze was gedumpt in een familie van vreemden. Iedereen die tegen haar sprak, noemde haar Uwe Doorluchtige Hoogheid. Dat was nou net wie ze niet wilde zijn, wie ze negen bijzondere maanden niet was geweest. Ze had geen zin om weer Christianna van Liechtenstein te zijn. De enige die ze wilde zijn was Cricky uit Senafe.

HOOFDSTUK 14

*E*enmaal thuis bleef Christianna het nieuws over de situatie in Eritrea met grote belangstelling volgen. Ze hield haar hart vast voor haar vrienden. En de berichten klonken allemaal niet best. Er waren voortdurend grensschendingen en er waren al veel mensen gedood. Het Eritrese volk was weer bezig het land te ontvluchten, zoals ze al eerder hadden gedaan. De oorlog nam langzaam vastere vormen aan en hoewel ze het niet graag toegaf, had haar vader gelijk gehad door haar te dwingen naar huis te komen.

Ze was nog steeds kapot vanwege Fiona. Ze moest er constant aan denken hoe ze samen hadden gelachen, hoe boos Fiona was geweest toen ze erachter kwam dat Christianna een prinses was en het gevoel had gehad dat ze niet goed genoeg was bevonden omdat ze het voor haar had verzwegen. Ze dacht aan alle mooie momenten die ze samen hadden beleefd en aan die vreselijke ochtend dat ze haar vonden, en hoe afschuwelijk ze aan haar eind was gekomen. Christianna kon alleen maar hopen dat dat einde snel was gekomen. Maar zelfs al zou het maar een kwestie van seconden zijn geweest... de pijn en de angst waren enorm. Het was moeilijk om dat afgrijselijke beeld uit haar hoofd te krijgen van Fiona die, naakt en slap als een ledenpop, met haar gezicht in de modder en de regen lag, nadat ze keer op keer was gestoken.

Christianna was in Eritrea voor altijd veranderd, ten goede en ten kwade. Ze had van elk moment genoten: van de mensen die ze had ontmoet en met wie ze had samengewerkt en geleefd, van alles wat ze had gezien. Het was allemaal zo verweven met de vezels van haar wezen, dat ze zich nu hier meer een vreemdeling voelde dan daar. In Senafe was ze zichzelf geweest – de beste zelf die ze ooit was geweest. In Vaduz moest ze degene zijn tegen wie ze zich haar hele leven had verzet. In feite moest ze zichzelf bijna helemaal opgeven om te mogen bestaan. Ze moest zich uitleveren aan plicht en historie. Maar het allerergste was dat ze, om de rol te vervullen waarvoor ze was voorbestemd, de man moest opgeven van wie ze hield. Ze kon zich geen erger lot indenken. Elke dag voelde dat voor haar alsof ze levend was begraven. Ze hield van haar vader en haar broer, maar weer terug te zijn in Vaduz bleef haar het gevoel geven van een levenslange gevangenisstraf. Ze moest zich elke dag dwingen om uit bed te stappen en te doen wat er van haar werd verwacht. Ze deed het wel, puur op kracht en zelfdiscipline, maar het leek wel of elke dag een stukje van haar doodging. Niemand zag het, maar zij wist het. Vanbinnen kwijnde ze weg.

Zij en Parker stuurden elkaar dagelijks e-mails. Sinds haar terugkeer had ze hem een paar keer in Boston gebeld, maar hij was bang om haar te bellen. Christianna wilde niet dat iemand van zijn bestaan af wist en dat niemand – vooral niet haar vader, haar broer of iemand van de bewaking – zijn naam zou zien op een boodschap die ergens rondslingerde. E-mail was de enige communicatie die veilig was. En zelfs daarin gaf ze hem geen enkele hoop voor de toekomst. Die was er niet. En hem nu zand in de ogen strooien, of zelf hoop koesteren, zou al te wreed zijn geweest. Er was voor hen geen hoop. Het enige wat ze nu hadden, waren herinneringen aan een gouden tijd en de liefde die tussen hen bestond.

Ze genoot van de gesprekken met hem en van het feit dat ze samen konden lachen, ook al was het maar via een scherm. Hij vertelde haar hoe hij vorderde met zijn werk en zij vertelde hem over wat ze zoal beleefde. Maar meestal vertelde ze hem gewoon wat ze voelde. Ze hield meer dan ooit van hem, en dat was wederzijds.

Samen met haar vader woonde ze tal van evenementen bij, waaronder twee diners in Wenen. En ze gingen naar een gigantisch bal masqué in Monte Carlo, gegeven door prins Albert. Dat was het Rode Kruisgala, wat voor haar een bijzondere betekenis had, al had ze eigenlijk helemaal geen zin gehad om het bal bij te wonen. Ze was weer terug waar ze was begonnen, onder het juk van verplichtingen: ze speelde gastvrouw voor haar vader en als ze uitgingen, hing ze weer steevast aan zijn arm.

Freddy woonde in het paleis Liechtenstein in Wenen, maar heel Europa was zijn speeltuin. Hij reisde met vrienden op hun jacht en ging in september een week naar St. Tropez. Zoals altijd volgden de paparazzi hem van het ene snoepje van de week naar het volgende schandaal. De laatste tijd gedroeg hij zich iets beter, maar net als Christianna en haar vader, wist de pers dat Freddy zich elk moment weer in de puree kon werken, die dan door de journalisten op een zilveren presenteerblad kon worden opgediend. Hij was Victoria een paar keer in Londen gaan opzoeken – die weer was verloofd, ditmaal met een rockster, ter ere van wie ze een gigantisch hart op haar borst had laten tatoeëren en haar haar groen had geverfd. Freddy vond het fantastisch om met haar om te gaan. Ze bewoog zich in woeste kringen waar hij zich thuisvoelde. En af en toe, wanneer hij niets beters te doen had, kwam hij thuis om een bezoek aan Vaduz te brengen.

Hij stond ervan te kijken hoe volwassen Christianna was geworden, hoe halsstarrig haar pogingen waren om het haar vader naar de zin te maken. Ze deed niet anders dan bezoeken afleggen aan zieken in klinieken, aan weeshuizen, bejaarden in revalidatie-inrichtingen en lezingen geven in bibliotheken, waarbij ze voortdurend voor foto's poseerde. Ze deed precies wat er van haar werd verwacht, zonder ooit een klacht te uiten, maar toen hij tijdens een van zijn bezoekjes aan huis in haar ogen keek, deed zijn hart pijn van wat hij daarin zag. Zelfs Freddy zag de prijs die ze betaalde voor het leven dat ze leidde.

'Je moet meer lol maken,' zei hij op een morgen onder het ontbijt tegen haar. Dat was op een schitterend zonnige dag in Vaduz tegen het eind van september. 'Je wordt nog vroegtijdig oud, schat.' Ze was die zomer vierentwintig geworden en hijzelf was bijna vierendertig, zonder het geringste teken dat hij van plan was om zich te settelen of volwassen te worden.

'Wat stel je voor?' luidde Christianna's praktische vraag.

'Waarom ga je niet een paar weekjes naar Zuid-Frankrijk? Volgende week beginnen de zeilraces. Victoria heeft een huis in Ramatuelle gehuurd, en je weet wat een fantastische feesten ze altijd geeft.' Iets anders kwam niet in zijn hoofd op. Trouwens, er was geen twijfel mogelijk dat het best leuk zou zijn geweest. Maar wat dan? Weer terug naar Vaduz en dat eeuwige juk van pijnlijke verplichtingen. Vanaf het moment dat ze weer thuis was, was ze daar gedeprimeerd van, en Freddy's goedbedoelde maar irreële suggesties haalden niet veel uit. Eigenlijk was er geen echte oplossing voor het probleem, behalve overal afstand van doen of je erbij neerleggen. En om nog extra kolen op het vuur van haar wanhoop en eenzaamheid te gooien, had ze zichzelf de verplichting opgelegd de liefde af te zweren.

'Ik heb het gevoel alsof ik hier hoor te blijven om papa te helpen. Ik ben zo lang weg geweest.' Bovendien genoot hij ontzettend van haar gezelschap. Dat zei hij dagelijks.

'Vader kan zich prima redden zonder jou,' zei Freddy, terwijl hij zijn lange, fraaie benen voor zich uitstrekte. Hij was een ongelooflijk knappe jongeman en de vrouwen vielen voor hem als druiven van een wijnrank. 'Hij redt zich prima zonder mij,' zei Freddy lachend, waarop zijn zusje zuchtte. Ze had zoveel opgegeven om naar huis te gaan en de draad van haar verplichtingen op te pakken. Ze vroeg zich af wanneer en of hij dat ooit zou gaan doen. Bovendien was de last die op haar schouders drukte en haar en Parker scheidde voor het grootste deel te wijten aan het feit dat haar broer daar niets van overnam. Het was moeilijk om hem dat niet kwalijk te nemen.

'Wanneer word je eindelijk eens volwassen?' vroeg ze pinnig. Zelfs zij werd zijn eeuwige gefeest en onverantwoordelijke gedrag moe. Op hun leeftijd werd dat eentonig, al had ze hem in het verleden altijd alles vergeven. Maar ze vond zijn manier van leven niet meer zo geestig als vroeger. Ze draaide zowel voor zijn verantwoordelijkheden op als voor die van haarzelf.

'Misschien nooit. Of tot het werkelijk moet,' zei hij eerlijk. 'Waarom moet ik volwassen worden? Vader zal nog een hele tijd blijven leven. Ik word nog in geen jaren regerend prins. Ik word heus wel volwassen als het zover is.' Al had ze het gewild, ze zei maar niet tegen hem dat het tegen die tijd misschien te laat zou zijn. Hij had door de jaren heen slechte gewoonten ontwikkeld en hij was ongelooflijk egocentrisch. Hij was precies het tegengestelde van zijn uiterst plichtsgetrouwe zuster. Haar bereidheid om er voor hun vader te zijn had Freddy in staat gesteld te zijn wie hij was – en niet was. 'Je zou vader meer kunnen helpen dan je nu doet,' zei ze kort en bondig. 'Hij staat voortdurend onder grote druk: hij heeft de zorg voor de economie van het land, hij handelt economische en humanitaire kwesties af en hij moet de handelsverdragen met andere landen in stand houden. Het zou het leven voor hem heel wat gemakkelijker maken als jij je eens in een paar van die dingen zou verdiepen.' Ze probeerde hem aan te sporen, maar zoals hij al zijn hele leven had gedaan, deed Freddy niets. Hij speelde alleen maar.

'Je bent wel vreselijk serieus geworden in de tijd dat je weg was,' zei hij, terwijl hij haar een beetje geïrriteerd aankeek. Hij hield er niet van om aan zijn verplichtingen herinnerd of tot de orde geroepen te worden. Zijn vader had het zo ongeveer opgegeven en deed dat tegenwoordig nog zelden. Hij leunde meer en meer op Christianna, en het beviel Freddy niet om door zijn jongere zus de les gelezen te worden, vooral wanneer ze gelijk had. 'Dat vind ik stomvervelend,' zei Freddy kribbig.

'Misschien is het echte leven wel vervelend,' zei ze, en ze klonk jaren ouder. 'Ik denk niet dat volwassenen zich dagelijks amuseren, in elk geval niet degenen die in onze situatie verkeren. We hebben een verantwoordelijkheid tegenover vader en tegenover het land: een voorbeeld zijn voor het volk en doen wat van ons wordt verwacht, of we dat nou leuk vinden of niet. Weet je nog: Eer, Moed, Welzijn?'

Dat waren de familieregels die ze dienden na te leven, dat werd althans van hen verwacht. Hun vader en Christianna voldeden eraan. Voor Freddy hadden ze nooit zoveel betekend – zeg maar gerust niets. Zijn eer was twijfelachtig, hij was niet moedig en alleen zijn eigen welzijn interesseerde hem.

'Sinds wanneer ben jij zo'n preker?' vroeg hij geërgerd. 'Wat hebben ze in Afrika met je uitgespookt?' De afgelopen weken had hij gemerkt dat ze was veranderd. Ze was niet langer het meisje van toen ze wegging. Ze was nu een vrouw, letterlijk en figuurlijk. En als hij in haar ogen keek, leek het wel of ze verdriet had.

'Ik heb heel wat geleerd,' zei ze kalm, 'van een paar fantastische mensen.' Met de mensen met wie ze had samengewerkt en de mensen die ze was komen helpen. Voor allebei had ze liefde opgevat, en ook voor een man van wie ze zielsveel hield en die ze had opgegeven voor haar vader en voor het vaderland. Ze had een geliefde vriendin zien sterven en het land plotseling in oorlog zien raken. Ze had heel wat gezien in de negen maanden die ze weg was en ze was als een ander mens naar huis teruggekeerd. Dat zag Freddy, en hij kon niet zeggen dat het hem beviel. Hij vond haar steeds groeiende verantwoordelijkheidsgevoel pijnlijk irritant.

'Ik vind dat je een beetje vervelend wordt, zusjelief,' zei hij venijnig. 'Misschien moet je wat vaker iets leuks gaan doen en niet zoveel tijd verdoen met mij daarin af te knijpen.' Zijn reactie had iets bijtends. Hij stond op en rekte zich lui uit. 'Ik ga vandaag terug naar Wenen, en daarna vlieg ik naar Londen om vrienden op te zoeken.' Het was bij hem een eeuwig carrousel: van het ene pleziertje naar het andere. Ze vroeg zich af hoe hij het uithield. Het was zo'n leeg bestaan. Hoeveel feestjes kon een mens bijwonen? Hoeveel aspirant sterretjes en modellen kon iemand achter de broek aan zitten? Terwijl iemand anders al het werk deed.

Hij ging die morgen weg na afscheid van haar te hebben genomen, waarbij er een ongemakkelijke sfeer tussen hen in hing. Hij hield er niet van dat ze kritiek op hem leverde of hem aan zijn plichten herinnerde. Zij, op haar beurt, vond het niet leuk om te zien hoe hij zijn leven verdeed door constant uit de band te springen. Ze was er nog steeds kwaad over toen ze die ochtend een e-mail van Parker ontving. Hij stelde voor elkaar in Parijs te ontmoeten.

Haar eerste impuls was nee tegen hem te zeggen, al had ze beloofd elkaar op een dag te ontmoeten. Het nadeel daarvan was dat ze dan nog meer verknocht aan elkaar zouden raken, nog meer verliefd, en nog meer zouden lijden dan ze al deden wanneer ze afscheid moesten nemen. Hoeveel keer zou ze dat kunnen opbrengen? Op zeker moment zou iemand haar herkennen, dan kwamen de paparazzi en zou ze net zo'n slechte reputatie krijgen als Freddy – misschien nog wel erger, omdat ze een vrouw was en de kijk op vrouwen in haar land misschien wel archaïscher was dan in het grootste deel van Europa. Nadat ze zijn mail had gelezen, aarzelde ze een paar minuten, waarna ze de telefoon pakte om hem op te bellen. Ze moest hem vertellen dat het niet doorging. Maar zodra ze zijn stem hoorde, smolt ze.

'Hallo, Cricky,' zei hij hartelijk. 'Hoe is het daar?' Ze zuchtte, terwijl ze probeerde te bedenken hoe ze daar antwoord op moest geven. Ze besloot om eerlijk te zijn.

'Het is ontzettend moeilijk. Ik heb net met mijn broer ontbeten. Sommige dingen veranderen nooit – niet veel althans. Het enige wat hij uitvoert, is spelen, feesten, de beest uithangen en plezier maken, terwijl mijn vader keihard werkt en ik alles doe om hem te helpen. Het is gewoon niet eerlijk. Hij heeft helemaal geen verantwoordelijkheidsgevoel. Hij is bijna vierendertig en hij doet alsof hij achttien is. Ik hou van hem, maar soms word ik zo moe van al zijn onzin.'

En haar vader ook, wist ze. Ze voelde zich verplicht om het op alle mogelijke manieren voor hem op te vangen, en daardoor begon hij haar aardig tegen te staan. Voor Senafe had ze er nog nooit zo over gedacht. Maar toen was ze nog niet verliefd geweest op Parker. Voor haar vertrek was haar broer meestentijds een charmante deugniet geweest om wie ze moest lachen. Nu ze zoveel had opgegeven, viel er veel minder te lachen. Parker vond dat ze moe klonk, en triest.

'Wat vind je van Parijs?' vroeg hij hoopvol.

'Ik weet het niet,' zei ze naar waarheid. 'Ik zou het heerlijk vinden, maar ik ben bang dat we de pijn alleen maar uitstellen.' De pijn van er een punt achter zetten, bedoelde ze, want zo zag ze het. Er was gewoonweg geen andere oplossing. Ze zou misschien best kunnen proberen er eens met haar vader over te praten, maar ze durfde nergens op te hopen. Zoals haar vader over de dingen dacht, kon een burger uit Boston, zelfs een gerenommeerde jonge medicus, absoluut zijn goedkeuring niet wegdragen. Dat Christianna met hem samen was, zou al haar vaders overtuigingen, en alles wat hij van haar verwachtte, met voeten treden. Het kon hem niet schelen hoeveel andere prinsen en prinsessen uit andere landen tegenwoordig met een burger trouwden. Hij was niet van plan zijn mening te matigen of compromissen te sluiten. Bovendien had hij geen idee dat zijn dochter verliefd was. En als dat eenmaal het geval was, kende ze haar vader. Uiteindelijk zou hij haar vragen hem op te geven, en dat zou ze dan moeten doen. In haar situatie kon ze niet tegen de stroom ingaan van een duizend jaar oude traditie of de wens die haar moeder op haar sterfbed had geuit. De stroming was gewoonweg te sterk en de liefdesrelatie die ze met Parker had, zou tot sterven gedoemd zijn. Het hem uitleggen was nog erger.

'Ik probeer alleen maar de patiënt in leven te houden tot we een manier kunnen vinden om de ziekte te genezen,' zei hij, nog altijd de hoop en zijn dromen en liefde voor haar koesterend. Hij wilde van geen opgeven weten, nog niet tenminste, en hopelijk nooit.

'Er is geen genezing, liefste,' zei ze zachtjes, terwijl ze naar hem smachtte. Ze was vierentwintig en ze hield met heel haar hart van een geweldige man. Het was zelfs voor haarzelf moeilijk uit te leggen waarom ze hem uit haar hoofd moest zetten – ter wille van een land en een reeks eeuwenoude tradities, of zelfs ter wille van haar vader, of omdat haar broer ongeschikt was voor de troon. Ze had het gevoel alsof er aan alle kanten aan haar werd getrokken.

'Laten we elkaar nou in Parijs ontmoeten,' zei hij voorzichtig. 'We hoeven al die problemen toch niet nu op te lossen. Ik mis je, Cricky. Ik wil je zien.'

'Ik wil jou ook zien,' zei ze treurig. 'Ik zou willen dat we het weekend naar Massawa konden gaan.' Ze glimlachte, nu ze terugdacht aan hun tripjes. Ze hadden zo'n plezier beleefd. Hun gezamenlijke tijd in Afrika was zoveel eenvoudiger geweest dan nu.

'Ik weet niet of het daar op dit moment zo betrouwbaar is. Ik heb er net iets over gelezen op internet. De grensgeschillen worden steeds ernstiger.' De Ethiopiërs hadden het als vanouds op de Eritrese havens voorzien en waren nooit helemaal akkoord gegaan met de voorwaarden van de wapenstilstand. 'Volgens mij zijn jullie net op tijd weggegaan.' Hoe erg ze het ook vond om thuis te zijn, dat kon ze niet tegenspreken. Dat was verstandig geweest.

'Heb je nog iets van iemand in het kamp gehoord?' Dat was in geen weken gebeurd, sinds ze een brief van Mary had ontvangen, en een kaart van Ushi. Ze hadden geen van beiden veel meer geschreven dan dat ze haar misten. Ze wachtten met ingehouden adem op wat er ging gebeuren en op orders uit Genève. Intussen konden ze geen kant op.

'Ik kreeg een kaart van Geoff. Hij schreef niet veel. Volgens mij weten ze nog altijd niets. Maar als de oorlog daar al in volle gang is, zal het een rotzooi worden. Ze zullen waarschijnlijk het land uit moeten, anders lopen ze werkelijk gevaar. Misschien kunnen ze samenwerken met de VN-troepen aan de grens, maar dan zitten ze wel regelrecht in de vuurlinie. Als ze dat doen, zullen ze de post in Senafe waarschijnlijk sluiten.' Die gedachte stemde Christianna treurig. Ze was er zo gelukkig geweest. En ze vond het nog triester voor de Eritreeërs. Opnieuw een oorlog met Ethiopië zou verschrikkelijk voor hen zijn. Ze hadden zich net hersteld van de vorige. 'Laten we het weer over ons hebben,' riep Parker haar tot de orde. Hij moest weer aan het werk. 'Parijs. Jij, ik. Wij... uit eten, alleen met ons tweeën langs de Seine lopen, hand in hand, kussen... vrijen... Zit daar iets tussen wat je bekend of verleidelijk in de oren klinkt?' Ze lachte. Het klonk onweerstaanbaar, niet alleen verleidelijk. En dat allemaal met de man van wie ze hield.

'Wie zou zoiets kunnen weerstaan?' vroeg ze met een glimlach in haar stem.

'Jij niet, hoop ik. Wanneer kun je weg? Hoe ziet je programma eruit?'

'Ik moet dit weekend met mijn vader naar Amsterdam voor een bruiloft. De nicht van de koningin van Nederland gaat trouwen, en mijn vader is haar peetvader. Maar ik denk dat ik het weekend daarna vrij ben,' zei ze praktisch, waar hij om moest lachen.

'Jij bent de enige vrouw die ik ken en die ik volgens mij ooit zal kennen, bij wie de sociale agenda wordt gevuld met koninginnen, koningen en prinsen. Bij andere mensen gaat het over kaartjes voor baseballwedstrijden of kerkelijke bijeenkomsten. Jij, mijn lief, bent werkelijk mijn sprookjesprinses.'

'Dat is nou net het probleem.' En hij was haar droomprins. 'Mooi. Ik ben volledig bereid om de tweede viool te spelen na de koningin van Nederland. Hoe zit het met het volgende weekend?' Ze bladerde snel in haar agenda en knikte.

'Dan zou ik kunnen.' Ze was vrij. Maar toen aarzelde ze, uit bezorgdheid. 'Ik weet niet wat ik tegen mijn vader moet zeggen.'

'Vertel hem dat je moet winkelen. Dat is altijd een goed excuus.' Dat was zo, maar ze was bang dat haar vader met haar mee zou willen. Hij vond het heerlijk om met haar naar Parijs te gaan. En toen bedacht ze plotseling iets, waardoor haar gezicht begon te stralen van opwinding. Dat kon ze doen.

'Er schoot me net iets te binnen. Hij gaat dat weekend naar een zeilwedstrijd in Engeland, naar Cowes. Dan is hij dus bezet.' Parker was er altijd van onder de indruk hoe toegewijd ze was, maar werd er tegelijkertijd moedeloos van.

'Hebben we dus een afspraak?' vroeg hij hoopvol.

Toen ze lachte, klonk ze weer jong en zorgeloos, voor het eerst sinds ze weer thuis was. 'We hebben een afspraak, mijn liefste.' Ze had het gevoel dat ze gratie had gekregen. Drie dagen in Parijs met hem. En daarna zou ze alle lasten dragen. Alleen nog die drie dagen met hem. Voor haar was het van levensbelang.

Ze maakten plannen. En ze gaf haar secretaresse opdracht om het Ritz in Parijs te boeken. Hij zou hetzelfde doen. Het zou te riskant zijn om een kamer te delen, voor het geval iemand van het hotel loslippig zou worden. Ze zouden zijn kamer, of de hare, ongebruikt kunnen laten, maar ze moesten zich afzonderlijk inschrijven. Ze was blij dat hij er het geld voor had en bereid was om het te doen.

Ze vroeg het hoofd van de beveiliging of Max en Samuel voor haar konden werken. Ze wist dat zij discreet zouden zijn en haar met rust zouden laten. Na Senafe zou het een soort reünie zijn. Ze kon amper wachten.

Die middag ging ze met verende tred op pad naar haar verplichtingen. Ze was liever dan ooit tegen de kinderen, geduldiger dan ooit met de patiënten, aardiger dan ooit tegen de mensen die ze een hand gaf, die haar bloemen gaven of hun armen om haar heen sloegen. En toen ze die avond met haar vader naar een officieel diner ging, merkte zelfs hij hoe gelukkig ze was. Dat luchtte hem op. Hij had zich zorgen over haar gemaakt. Sinds ze thuis was, had ze zo'n terneergeslagen indruk gemaakt, nog erger dan voor ze vertrok. Hij begon al te betreuren dat hij haar ooit had laten gaan, als het probleem daardoor alleen maar groter was geworden in plaats van het te verhelpen. Ze was onvermoeibaar vriendelijk tegen de mensen die ze die avond sprak – hoffelijk, geanimeerd, geduldig en spits. Voor hem was ze weer de dochter die hij altijd had gekend. Wat hij niet wist, was dat ze op dat moment alleen nog maar aan Parker kon denken en aan het feit dat ze hem zou terugzien. Ze ging in Parijs drie dagen met hem samenwonen, en ze zou er desnoods over gloeiende kolen naartoe zijn gelopen. Parker was het enige wat haar nu op de been hield, omdat de kracht die ze uit hem putte en de diepe, sterke brandstof van hun liefde haar vleugels gaven.

HOOFDSTUK 15

*M*ax en Samuel, die samen met Christianna in de auto naar het vliegveld van Zürich reden, merkten quasi klaaglijk op dat deze opdracht wel héél zwaar was. Ze reisden graag met haar, hielden van Parijs, en ook voor hen was het een prettige onderbreking van de sleur. Het leek wel alsof De drie musketiers weer op pad waren, al was het maar voor even. Ze hadden er geen idee van dat ze Parker in Parijs zou treffen. Ze had hun niets verteld. Ze wilde niet dat iemand het wist, zelfs zij niet. Ze wilde niet dat iemand zich zou verspreken of vergissen. Dit was geen weekend in Qohaito, ver buiten het blikveld van haar vader. Dit was heel dicht bij huis, en ze wist dat iemand zich ook maar even hoefde te vergissen, en de pers zat binnen een minuut achter haar aan. Zij en Parker zouden oneindig voorzichtig en constant discreet moeten zijn.

Toen ze op de luchthaven Charles de Gaulle aankwamen, werden ze zoals altijd door het hoofd van de veiligheidsdienst door de douane geloodst. Er stond een auto met chauffeur op haar te wachten, waar ze met Max en Sam in stapte. Hier noemden ze haar niet langer 'Cricky', maar sinds ze terug waren, hadden ze haar uit respect met 'Hoogheid' aangesproken. Dat klonk haar van hen nu vreemd in de oren, maar ze had zich erbij neergelegd.

Toen ze het Ritz binnen stapte, bleek een van de managers

van het hotel haar al te hebben ingecheckt en ze werd naar een fraaie suite gebracht met uitzicht op de Place Vendôme. Ongeduldig stond ze over het plein uit te kijken, hing een paar kleren op, bestelde thee, en ijsbeerde zenuwachtig door de kamer, toen er, net als in een film, op de deur werd geklopt. Toen ze opendeed, stond hij daar, mooier dan ooit. Parker, in een blazer op een zomerbroek en een blauw overhemd waarvan het boordje openstond. Voor ze hem goed en wel kon bekijken, lagen zijn armen om haar heen. Ze kusten elkaar zo hartstochtelijk dat ze bijna adem te kort kwamen. Ze was nog nooit van haar leven zo blij geweest om iemand te zien. Ze hadden elkaar twee maanden niet gezien. Het was eind september, en hij was begin augustus weggegaan. Ze voelde zich als een drenkeling die naar lucht hapt. Ze was sprakeloos van vreugde toen hij haar eindelijk even losliet om naar haar te kijken.

'Mijn god, wat ben je mooi,' zei hij, evenzeer ontroerd. Hij was gewend haar te zien zoals ze er in Senafe bij liep: met haar haar in een vlecht, in een korte broek en op laarzen, zonder make-up of enige chic. Nu had ze een lichtblauwe wollen jurk aan in de kleur van haar ogen, en ze had parels om haar hals en in haar oren. Toen vestigde ze zijn aandacht op het feit dat ze zelfs hoge hakken aanhad. Ze hoefden dan ook niet bang te zijn voor slangen, zei hij voor de grap.

Alles aan hun weerzien was volmaakt. Ze was van plan een wandeling met hem te gaan maken, of iets te drinken in een cafeetje op de linker Seine-oever. Hij had hetzelfde idee, maar in plaats daarvan lagen ze binnen enkele minuten in bed, stevig in elkaars armen. Het leek wel of ze uitgehongerd waren en eerst moesten eten voor ze iets anders konden doen. En hun passie voor elkaar was er in de twee maanden dat ze elkaar niet hadden gezien alleen maar groter op geworden.

Na afloop lagen ze bevredigd en vertrouwd op het onberispelijk gestreken laken van haar bed in het Ritz, terwijl ze omhoogkeken naar de schitterende decoraties in het plafond, waarna hun ogen elkaar weer opzochten. Ze kon niet ophouden hem te kussen en hij moest haar maar steeds tegen zich aandrukken. Het was al laat in de middag toen ze eindelijk opstonden en samen in de gigantische badkuip van de suite een bad namen. Hun samenzijn leek wel een drug waaraan ze allebei verslaafd waren geraakt en waar ze nu niet meer buiten konden.

Toen ze zich eindelijk de kamer uit hadden gesleept, slenterden ze eerst wat rond op de Place Vendôme en daarna langs de linker Seine-oever. Sam en Max waren verbijsterd en dolenthousiast geweest toen ze hen samen zagen en begrepen pas op dat moment wat de bedoeling van het weekend was. Op discrete afstand volgden ze de jonge geliefden op hun urenlange wandeling. Het leek wel of ze nooit uit elkaar waren geweest, maar ze raakten niet uitgepraat. Ze bespraken dezelfde onderwerpen als destijds. Hij vertelde over zijn onderzoeksproject en zij vertelde wat ze in Vaduz allemaal had gedaan. Ze spraken over hun tijd in Senafe, over de mensen van wie ze daar waren gaan houden en hoe bezorgd ze waren over de goedlachse, gastvrije Eritrese bevolking. Geen van beiden had het over Fiona; dat was gewoon te verdrietig. Dit was echt de gelukzalige tijd die ze allebei voor ogen hadden gehad.

Ze dronken koffie in de Deux Magots en staken daarna de straat over naar de kerk van Saint-Germain-des-Prés, waar ze kaarsen wilden branden en bidden. Christianna stak haar kaarsen aan voor de mensen in Eritrea en Senafe, voor Fiona en ook een voor hen beiden, in de hoop dat ze op de een of andere manier een oplossing voor hun probleem zouden vinden en dat haar vader als door een wonder met zijn hand over zijn hart zou strijken zodat ze met volle teugen van hun liefde zouden mogen genieten. Ze wist dat daar daadwerkelijk een wonder voor nodig zou zijn. Ze was opgelucht toen ze ontdekte dat Parker ook katholiek was, omdat dat voor haar vader een groot, zo niet onoverkomelijk struikelblok zou zijn geweest. Dat was ten minste één hindernis die ze niet hoefden te nemen. Ze hadden al zoveel andere zaken om zich zorgen over te maken, dus gelukkig was religie wat dat betreft niet aan de orde. De troon van Liechtenstein was al vanaf de zestiende eeuw katholiek, en haar vader hechtte zeer veel waarde aan hun geloof.

Daarna gingen ze terug naar het hotel en moesten het diner uitstellen, omdat ze opnieuw de liefde bedreven. Het was al halftien toen Christianna was aangekleed, in een wit broekpak met een truitje dat ze vorig jaar bij Dior had gekocht. Ze leek wel een engeltje toen ze aan zijn arm het hotel weer verliet. Sam en Max wachtten buiten met de auto.

Ze reden net zolang rond tot ze een bistro hadden gevonden, waar ze toen urenlang bleven zitten en nog meer praatten. Ze waren onvermoeibaar in hun belangstelling voor elkaar, hun enthousiasme voor elkaars projecten en hun bezorgdheid voor elkaar. Het was een voortdurende uitwisseling van informatie, van lachbuien, grapjes en onderwerpen waarvoor ze allebei warmliepen. Ze wilde vooral alles horen over zijn aidsproject, omdat ze er in Senafe veel over had geleerd en het onderwerp haar nu na aan het hart lag – net als al het andere waarmee hij bezig was.

'En jij, lieverd? Hoe gaat het met de lintjesbusiness?' Zo waren ze het gaan noemen nadat ze hem eenmaal had uitgelegd wat dat inhield.

'Daar heb ik het tegenwoordig erg druk mee. Daarmee maak ik mijn vader blij, en ook de mensen voor wie ik het doe. Ze voelen zich belangrijk als ik hun gebouwen voor hen open of wat ze ook van me willen.' Zelfs voor haar was het vreemd dat zoiets zo belangrijk voor hen was, dat haar aanwezigheid en het feit dat ze een lint doorknipte, of een paar woorden sprak, een hand schudde of zachtjes over een hoofd aaide hun het gevoel gaf dat haar gratie en magie een minuut op hen afstraalden en ze daardoor op de een of andere manier veranderden. Dat was iets wat ze per e-mail eindeloos met hem had besproken – het rare verschijnsel dat ze iemand was die werd bewonderd en uitverkoren, zonder dat iemand haar werkelijk kende, of enige notie had of ze al dat respect en die bewondering eigenlijk wel waard was. Hem leek het ook iets magisch: de sprookjesprinses die met een toverstaf

mensen zegende en een bezwering van geluk over hen uitsprak. Ze had moeten lachen toen hij dat tegen haar zei, terwijl ze hoopte dat ze net zoiets zou kunnen doen voor zichzelf en Parker. Maar in menig opzicht had het leven dat al
gedaan. Hem terug te zien was een immense zegen voor hen
allebei. In de gloed van Parkers liefde had Christianna het
gevoel dat ze alles kon, en hij zei dat hij het wat haar betrof
net zo ondervond. Het enige probleem dat ze hadden, een
enorm probleem, was dat ze in gestolen tijd leefden.

Ze vielen die nacht als twee kinderen in elkaars armen in
slaap nadat ze nog een keer hadden gevrijd. Ze konden geen
genoeg van elkaar krijgen. Hun lust naar elkaars lichaam en
ziel was onuitputtelijk en niet te stillen, niet voor lange tijd
althans. Ze hadden twee maanden in te halen, en de volgende morgen zei Christianna plagerig tegen hem dat ze dat
niet allemaal in één weekend konden doen.

'Geef me dan maar een leven lang de tijd,' zei Parker met
een serieus gezicht, terwijl ze naast hem in bed lag.

'Ik zou willen dat ik het kon,' zei ze, en ze keek alweer treurig. Ze kon de gedachte niet verdragen dat hun situatie hopeloos was. Tenzij ze bereid was om afstand te doen van
haar verantwoordelijkheden en het hart van haar vader te
breken, had ze gewoonweg geen keus. 'Als ik het voor het
zeggen had, zou ik helemaal van jou zijn. Ik ben van jou, op
elke manier die ertoe doet.' Behalve één. Ze kon niet in-
stemmen in een huwelijk met hem – waarschijnlijk nooit –
omdat er geen twijfel mogelijk was dat haar vader er ooit
zijn zegen aan zou geven, en zonder zijn zegen wilde ze niet
met Parker trouwen. Breken met elk geloof en elke traditie
die ze van kinds af aan had leren respecteren was niet de
juiste manier om te beginnen. Maar Parker wilde niets liever dan met haar trouwen. Hij was al zeven maanden verliefd op haar, en het leek hem alsof dat al een heel leven
duurde. Nu wilde hij meer, en zij ook. Ze beloofden elkaar
dat ze zouden proberen er die dag niet aan te denken en van
de tijd te genieten die ze hadden. Hij ging maandagavond
terug naar Boston en dan vloog zij weer naar Zürich.

Zaterdag wandelden ze langs de Seine, waar ze de boeken-stalletjes bekeken en met de pups in de dierenwinkels speel-den, waarna ze een pleziervaart met een Bâteau Mouche maakten en in Café Flore gingen lunchen. Ze had het gevoel alsof ze de hele linker Seine-oever lopend hadden afgelegd – antiekwinkeltje in, galerie uit – waarna Sam en Max hen via de Pont Alexandre III met de auto mochten terugbrengen naar de rechteroever. Toen ze langs het schitterende Louvre reden, discussieerden ze erover hoe het moest zijn geweest toen het nog een paleis was. Ze glimlachte en vertelde dat haar moe-der een Bourbon was, en ook van het huis Orléans afstamde en dus van beide kanten een Koninklijke, en dus geen Door-luchtige Hoogheid was. Ze legde Parker uit dat iemand, om 'Koninklijke' Hoogheid te zijn, rechtstreeks van koningen moest afstammen, zoals haar moeder. Omdat haar vader van prinselijke komaf was, was hij Doorluchtig. Voor Parker, die niet bekend was met alle koninklijke tradities waarmee zij was opgevoed, was het zware kost – ietwat duizelingwekkend zelfs, net als zijzelf. Het was de allereerste keer dat hij haar paspoort had gezien, met alleen haar voornaam.

'En dat is voldoende? Geen achternaam?' Hij vond het maar raar, waar zij om moest glimlachen.

'Dat is voldoende. Alleen Christianna van Liechtenstein. Al-le mensen van koninklijken bloede hebben zo'n paspoort zonder achternaam. Zelfs bij de koningin van Engeland staat alleen maar Elizabeth in haar paspoort, maar in haar geval staat er een R achter – voor Regina, omdat ze de koningin is.'

'Prinses Christianna Williams zou waarschijnlijk een beetje vreemd klinken,' zei hij met een meewarige grijns.

'Niet voor mij,' zei ze, en hij kuste haar nog een keer.

Op weg naar het hotel gingen ze nog even iets drinken in de Bar Du Ritz. Ze hadden allebei dorst en waren moe, maar ze hadden een heerlijke dag gehad. Parker bestelde een glas wijn en Christianna een kop thee. Hij wist uit Senafe dat ze bijna nooit alcohol dronk. Ze vond het niet lekker en deed het alleen bij staatsaangelegenheden, als ze zich verplicht voelde om met champagne op iemand te toosten. En Parker zei altijd dat ze at als een mus. Ze was klein, en ze had een slank maar vrouwelijk figuur, dat hij onweerstaanbaar vond, zoals hij al vaak had bewezen.

In de bar zat een man piano te spelen. Terwijl ze er genietend naar zaten te luisteren, schoot Christianna in de lach. 'Waar moet je om lachen?' vroeg Parker met een blije glimlach. Hij wilde, net als zij, niets liever dan dat hun weekend in Parijs eeuwig zou duren. Daar waren ze het volledig over eens.

'Ik bedacht net hoe beschaafd dit is, vergeleken met Senafe. Stel je voor dat we een piano in de eettent hadden gehad.' Uiteindelijk was hun romance daar begonnen.

'Dat had er misschien een aangenaam accent aan gegeven.' Hij lachte met haar mee.

'God, wat mis ik het. Jij niet?' zei ze verlangend, waarbij haar liefde voor Afrika in haar ogen te lezen stond.

'Ja, maar ook omdat ik dan elke ochtend als ik wakker werd jou zou zien, en de dag dan zou eindigen met jou te zien. Maar ik moet bekennen: afgezien daarvan is mijn werk in Harvard reuze interessant geweest.' Meer nog dan het in Senafe was, al was hij dol geweest op de patiënten die hij daar behandelde. In Boston zag hij geen patiënten; daar coördineerde hij alleen maar onderzoek. Hij vertelde dat hij een brief had ontvangen van de Nederlander die de leiding had over het team met wie hij bij Artsen Zonder Grenzen had gereisd. Christianna zei dat ze ongelooflijk veel bewondering voor hun werk had, net als Parker.

'Als ik arts was, zou ik dat ook doen,' zei ze, waarop hij haar glimlachend aankeek.

'Dat weet ik.'

'Ik zou willen dat ik mijn leven zou kunnen wijden aan het helpen van mensen, net als jij. De dingen die ik voor mijn vader doe, lijken zo stom. Die lintjesbusiness. Dat heeft niets te betekenen, voor niemand.' Voor haar wel het minst.

'Ik weet zeker dat het voor hen betekenis heeft,' zei hij grootmoedig.

'Dat deugt dan niet. Ik stel niets meer voor dan een ontvangstcomité. Het echte werk doet mijn vader. Hij neemt economische beslissingen die een positieve invloed op het land hebben – of negatieve, als hij de verkeerde beslissing neemt, al neemt hij meestal de juiste.' Ze glimlachte loyaal. 'Hij doet veel voor de mensenrechten, waardoor hij zorgt dat mensen het beter hebben. Hij neemt zijn verantwoordelijkheden ontzettend serieus.'

'Dat doe jij ook.' Dat maakte juist zo'n indruk op hem.

'Het stelt helemaal niets voor. Een lint doorknippen zal nooit iemands leven veranderen.' Ze had de vorige winter voor de stichting willen gaan werken, maar had er nog geen tijd voor gehad. Haar vader belastte haar te veel door staatsaangelegenheden voor hem waar te nemen, waarvan Freddy een groot deel hoorde te doen, maar nooit deed. Als ze voor de stichting ging werken, zou ze tenminste het gevoel hebben dat ze iets nuttigs deed. Maar staatsiebanketten bijwonen en al die andere kleinere verplichtingen leken haar zonder enige betekenis. En daarvoor moest ze Parker opgeven. Dat vond ze bijzonder wreed, alleen maar om prinses te zijn, om haar vader te gehoorzamen en het volk van Liechtenstein te dienen.

'Doet je broer wel eens iets?' vroeg Parker voorzichtig. Hij wist dat dat voor haar een heikel onderwerp was.

'Niet als hij eronderuit kan. Hij zegt altijd dat hij wacht met volwassen worden tot hij de troon bestijgt, en dat zou nog wel eens een hele tijd kunnen duren. Dat hoop ik tenminste.' Parker knikte. Zo te horen was haar broer een lapzwans en een zwart schaap, maar dat zei hij maar niet tegen haar. Later gingen ze naar boven om zich voor het diner te verkleden, maar ze kwamen de deur van hun kamer helemaal niet uit. Uiteindelijk bedreven ze voor de zoveelste keer de liefde, zaten na afloop samen in de badkuip en bestelden roomservice. En opnieuw vielen ze in elkaars armen in slaap. Het was het weekend van hun dromen.

De volgende dag woonden ze een mis bij in de Sacré Coeur, waar ze naar een nonnenkoor luisterden. Het was een fraaie dag, en ze liepen in het Bois de Boulogne, waar ze glimlachend naar de mensen keken, die elkaar kusten, met hun baby wandelden of hun hond uitlieten. Ze aten een ijsje, gingen koffiedrinken en reden toen ontspannen en gelukkig terug naar de Place Vendôme en liepen weer naar het Ritz. Ze had de portier gevraagd om voor het avondeten in Le Voltaire te reserveren, wat in Parijs haar favoriete exquise restaurant was. Er stonden maar een paar tafels, het was er knus, de service was er goed en het eten uitstekend.

Om negen uur verlieten ze het hotel, gekleed voor het diner en in een uitstekend humeur. Christianna droeg een heel mooi lichtblauw pakje van Chanel met hoge hakken en diamanten oorbellen. Ze vond het heerlijk zich voor hem op te doffen, en het was natuurlijk heel wat anders dan toen ze in Senafe waren. Hij, op zijn beurt, vond het schitterend dat ze er nu zo elegant uitzag.

Terwijl ze de lobby uit liepen, sloeg hij, zodra ze de draaideur door waren, zijn arm om haar heen. Buiten was het zwoel, en ze keek net glimlachend naar hem op... toen er plotseling, als een soort raketontploffing, een enorme hoeveelheid licht in haar gezicht flitste. Ze had niet eens tijd te registreren wat het was, en ze renden naar de wachtende auto, gevolgd door een stoet paparazzi. Parker was zichtbaar verbijsterd en Christianna's gezicht betrok meteen, terwijl Max hen wegsleurde.

'Rijden! Snel! Rijden!' zei Max tegen de chauffeur, terwijl Sam naast hen op de achterbank neerplofte, en in een paar seconden reden ze er als een speer vandoor, maar niet voordat nog twee fotografen hen te pakken hadden.

'Verdomme!' zei Christianna, terwijl ze naar Max keek, die voorin zat. 'Hoe kan dat nou? Denk je dat iemand ze heeft gebeld?'

'Volgens mij was het toeval,' zei hij schuldbewust. 'Ik had u bijna gewaarschuwd, maar u kwam te snel naar buiten. Madonna liep vlak voor u het hotel uit. Ze logeert er ook, en ze stonden haar op te wachten. Ik denk dat u een extraatje voor ze was.' Maar ze hadden haar duidelijk herkend zodra ze het hotel verliet en ze hadden haar betrapt toen ze net aanminnig naar Parker opkeek, met zijn arm om haar heen. Er was geen twijfel mogelijk wat dat voorstelde, of dat het om een idylle ging. 'Straks gaan we door de achteringang naar binnen.'

'Daar is het iets te laat voor,' zei ze kortaf, en ze keek naar Parker, die duidelijk nog steeds stomverbaasd was. Hij had nog niet eens de tijd gehad om te reageren, en hij zag nog steeds sterretjes van de flitslampen. Christianna twijfelde er geen moment aan dat de foto's ergens zouden opduiken. Dat gebeurde altijd. Op een ongelegen, gênant of op z'n minst pijnlijk moment. En als haar vader de foto's te zien kreeg, wat zeker zou gebeuren als ze werden gepubliceerd, zou hij het niet kunnen waarderen. Vooral omdat ze had gelogen dat ze was gaan winkelen. Bovendien vond hij het maar niks als ze een figuur sloeg in de pers. Dat hadden ze met Freddy al vaak genoeg meegemaakt.

Onderweg naar het restaurant was Christianna stil, en Parker vond het jammer dat ze van slag was. Hij probeerde haar te troosten, wat ze zich gewillig liet aanleunen, maar het was duidelijk dat ze zich zorgen maakte. 'Het spijt me, lieverd.'

'Mij ook. Dat konden we er niet bij hebben. Het was juist zo heerlijk dat niemand het wist.' En van het hoogste belang.

'Misschien maken ze er geen gebruik van,' zei hij, in een poging de moed erin te houden.

'Dat zullen ze zeker doen. Dat doen ze altijd,' zei ze bedrukt. 'Mijn broer zet zichzelf de hele tijd zo te kijk, en ze proberen mij met hem op een hoop te gooien. De aanstootgevende prins en prinses van Liechtenstein. Ze vinden het heerlijk om van alles over leden van koningshuizen te beweren. En ik doe zo mijn best om uit de pers te blijven dat ze altijd opgewonden raken als ze me zien.'

'Het was dikke pech dat ze op Madonna stonden te wachten.' Ze was het met Max eens dat hij haar had moeten waarschuwen, maar hij legde uit dat ze de kamer waarschijnlijk al uit was toen hij ze zag, omdat ze binnen enkele seconden de deur uit kwam, en Madonna was net met haar kinderen in een limousine weggescheurd.

Ze deed haar best om het etentje niet voor hem te bederven, maar Parker merkte dat ze afwezig en ongerust was. Ze genoten er toch van, maar het was een domper op de avond. Ze piekerde zich suf wat haar vader zou zeggen als hij de bladen onder ogen kreeg, en als hij Parker zag. Dan werden er zaken aangeroerd waar ze nog helemaal niet klaar voor was, en dan had ze geen enkele greep meer op de timing. Maar ze kon er onmogelijk iets aan veranderen.

Ze gingen door de dienstingang aan de Rue Cambon het Ritz binnen. Het was dezelfde ingang die prinses Diana had gebruikt toen ze in het hotel verbleef. Talloze beroemdheden en ook de royalty gingen door de achteringang naar binnen en maakten gebruik van de krappe lift om de paparazzi te ontlopen die hen aan de voorkant stonden op te wachten. En toen ze eindelijk weer veilig binnen de muren van haar kamer waren, ontspande ze weer in zijn armen. Die nacht bedreven ze de liefde opnieuw, al gebeurde dat met gemengde gevoelens. Ze was zo bang dat de foto's die er waren genomen zouden worden gebruikt om haar te dwingen voortijdig een beslissing over Parker te nemen. Als haar vader eenmaal op de hoogte was, zou ze volledig aan zijn genade zijn overgeleverd, wat wel het laatste was wat ze wilde.

Omdat ze zich er nog steeds zorgen over maakte, sliep ze die nacht onrustig en werd diverse keren uit een nachtmerrie wakker. Parker troostte haar zo goed als hij kon en de volgende morgen zaten ze allebei zwijgend aan het ontbijt, terwijl de bediende hun koffie inschonk. Ze wachtten tot hij de kamer uit was voor ze er verder over spraken. Christianna vertrouwde nu niemand meer. Ze was nog altijd geschokt door de aanval van de paparazzi van de vorige avond. Ze zag ertegenop er met haar vader over te praten, als het werkelijk in de bladen kwam.

'Lieveling, je kunt er niets tegen doen,' zei Parker meevoelend. 'Het is gebeurd. Het is voorbij. We krijgen er pas mee te maken wanneer het naar buiten komt,' zei hij rustig, waarna hij een slok koffie nam.

'Nee, niet *we*,' zei ze, en ze klonk gespannen en geïrriteerd. Ze was moe nadat ze de afgelopen nacht slecht had geslapen, en zichtbaar nerveus. 'Als het naar buiten komt, ben ík degene die ermee te maken krijgt. En ook met mijn vader. Ik zal alléén met hem te maken krijgen. Ik wilde niet dat ons zoiets zou gebeuren zolang we er nog niet klaar voor waren. Omdat ik maar één kans krijg om mijn vader op onze hand te krijgen. Hij zal het geen tweede keer met me willen bespreken. En de manier om dat gesprek te openen, was niet met een leugen. Ik heb tegen hem gelogen over de reden dat ik naar Parijs ging.' Maar zoals altijd had ze geen andere keus. Haar mogelijkheden waren sowieso beperkt. 'Het zit me gewoon niet lekker. Het is zo ordinair en onaangenaam om blootgesteld te worden aan de pers.' Daar had ze een afkeer van, en in tegenstelling tot haar broer – of misschien juist dankzij hem en zijn eeuwige schandaaltjes – was ze er extra gevoelig voor.

'Ja, dat is het zeker.' Hij sprak haar niet tegen, en hij reageerde ook niet op iets wat ze zei. 'Maar we kunnen er alleen maar het beste van maken. Wat hebben we voor andere keus?'

'Geen enkele.' Ze zuchtte, waarna ze van haar koffie dronk en haar best deed het niet op hem af te reageren. Het was niet zijn schuld, maar het baarde haar ernstig zorgen, en daar kon hij in komen.

Na het ontbijt kleedden ze zich aan en gingen naar buiten. Ze slenterden door de Rue du Faubourg Saint-Honoré om etalages te kijken en gingen daarna lunchen in L'Avenue. Eindelijk ontspande ze zich, toen ze tot haar opluchting zag dat niemand hen was gevolgd. Max en Sam bleven dicht in de buurt en bleven erop aandringen dat Christianna en Parker de achteringang van het hotel gebruikten. Dat was veiliger en verstandiger.

Na de lunch keerden ze terug naar het hotel. Ze pakten allebei hun koffers en gingen daarna op bed liggen. Ze hadden allebei de laatste vlucht geboekt die ze konden krijgen, zodat ze zo lang mogelijk van elkaar konden genieten. Ze wilden geen minuut van hun samenzijn verliezen – laat staan een levenlang, dankzij die paparazzi. Al wist ze dat de kans dat ze haar vader zou kunnen ompraten in het beste geval gering was, ze wilde niets doen om de balans nog verder te laten doorslaan, waar de schandaalpers zeker toe zou bijdragen.

Ze bleven een hele tijd samen op het bed liggen en bedreven uiteindelijk nog een laatste keer de liefde – bedaard, langzaam en teder, genietend van hun laatste ogenblikken samen. Na afloop lag ze huilend in zijn armen. Nu was ze bang dat ze hem nooit meer zou kunnen zien. Ze verlangde naar alles wat ze eerder hadden gehad, in Senafe, maar het enige wat ze nu hadden waren dit soort gestolen momenten, áls ze die ooit konden vinden. Hij liet haar beloven dat ze, wanneer zij weg zou kunnen, nog een keer naar Parijs zouden gaan. Hij zei dat hij zijn programma op afroep aan haar kon aanpassen. In tegenstelling tot een arts die regelmatig patiënten moest bezoeken, had hij daar als analytisch medicus meer armslag voor. Ze wist nog niet wat de paparazzifoto's eventueel voor gevolg zouden hebben. Ze zei dat ze zich een tijdje koest moesten houden om af te wachten wat er ging gebeuren. Hopelijk niets. Maar dat was bijna te veel gevraagd. In dat geval zouden ze geboft hebben.

Uiteindelijk stapten ze uit bed, namen samen een douche en kleedden zich aan. Het hele weekend had hij totaal geen gebruik van zijn kamer gemaakt, maar omdat ze daardoor de schijn hadden kunnen ophouden, betaalde hij er maar al te graag voor. Vooral als dat voor haar gunstiger was. Parker wilde al het mogelijke doen om dit te laten slagen. Aangezien zij meer vertrouwd met de situatie was dan hij, en ook met de beperkingen die haar werden opgelegd, onderwierp hij zich met het grootste genoegen aan haar regels – of die van haar vader. Hij hield hartstochtelijk van haar en meer nog dan het leven zelf wilde hij haar terugzien en, als ze geluk hadden en met Gods zegen, ooit met haar trouwen. Volgens haar was dat onmogelijk, maar hij was bereid om geduldig te wachten. Ze was de enige vrouw van wie hij op die manier had gehouden. En zij hield evenveel van hem.

Voor ze de kamer uit gingen, kusten ze elkaar lang en vurig, waarna ze samen via de achterdeur het hotel verlieten. Max en Sam troffen alle nodige voorzorgen. Ze reden in dezelfde auto naar de luchthaven, omdat hun vlucht bijna op hetzelfde tijdstip vertrok. En eindelijk waren toen de laatste ogenblikken van hun samenzijn aangebroken. Ze had hem gekust voor ze uit de auto stapten, waarna ze hem op de luchthaven treurig aankeek. Ze kon hem daar niet kussen, en hij had daar begrip voor. Dat was het bezwaar van wie ze was, wat hij inmiddels volledig had geaccepteerd.

'Ik hou van je,' zei ze, terwijl ze op bijna een meter van hem af tegenover hem stond. 'Dankjewel voor een heerlijk weekend,' zei ze beleefd, waar hij om moest glimlachen. Ze was altijd charmant en beleefd, zelfs als ze zich zorgen maakte, zoals na de paparazzi.

'Ik hou ook van jou, Cricky. Alles komt goed. Probeer je niet al te bezorgd te maken over die paparazzi.' Ze knikte maar zei niets. En toen, zonder dat ze het kon tegenhouden, stak ze haar arm uit om zijn hand aan te raken. Hij hield haar hand vast. 'Het komt allemaal goed,' fluisterde hij haar toe. 'Ik zie je snel, oké?'

Ze knikte met tranen in haar ogen. Opnieuw vormden haar lippen 'ik hou van je', en alsof ze zich van hem moest losrukken, liep ze langzaam naar haar vliegtuig, terwijl Max en Sam haar bagage droegen en Parker zijn koffer oppakte en ging inchecken. Terwijl ze wegliep, keek hij naar haar om. Ze draaide zich om en glimlachte dapper naar hem, met haar ene hand naar hem opgeheven. Toen legde ze haar hand op haar hart, terwijl hij vanaf de andere kant van de luchthaven en de werelden die hen scheidden, zijn hand op dat van hem legde.

HOOFDSTUK 16

Christianna had na haar terugkeer in Vaduz een drukke week. Er wachtte haar een reeks officiële verplichtingen, ze moest een paar keer haar opwachting maken, en haar vader gaf dinsdag- en woensdagavond achter elkaar twee galadiners. Het was donderdagmorgen toen ze zich aankleedde voor een officiële lunch die ze op verzoek van haar vader zou bijwonen, dat haar secretaresse bij haar binnenstapte en haar zwijgend de Engelse *Daily Mirror* aanreikte. Tot dan toe hadden zij en Parker elkaar voortdurend gemaild en ze waren er inmiddels zeker van dat er niets in de pers was verschenen. En nu dit. De Engelsen brachten het als eersten. En ze smulden ervan – zoals altijd.

De krantenkoppen schreeuwden het uit en op de foto was ze te zien terwijl ze stralend naar Parker opkeek, opgetogen en dolgelukkig, en hij met een arm om haar heen glimlachend naar haar keek. Het was onmiddellijk duidelijk dat ze of straalverliefd waren, of minnaars – of allebei. Ze voelde zich altijd onnozel wanneer ze foto's van zichzelf op de voorpagina bekeek. En meestal was dat niet in een romantische context. Dat was haar eens, maar nooit weer overkomen, en toen was ze nog heel jong. Sindsdien was ze altijd uiterst voorzichtig geweest. Behalve deze ene keer met Parker, juist toen het zo belangrijk was, en ze hen in het kielzog van Madonna pardoes in de armen was gelopen. Het was pure pech. Ze keek er geschokt naar.

De krantenkop was beknopt en gelukkig niet ranzig, al had dat ook nog gekund. Maar zelfs wát er stond, was niet wat ze wilde dat over hen werd rondgebazuind: 'Zinderende nieuwe romance in Liechtenstein: Prinses Christianna... en wie is haar Droomprins?' In het artikel stond dat ze waren gesignaleerd toen ze het Ritz Hotel in Parijs verlieten, waarschijnlijk na een romantisch weekend. Het oordeel luidde dat ze een mooi paar vormden. Vervolgens refereerde men aan het feit dat haar broer legio romances had, terwijl de gangen van zijn zuster doorgaans discreter waren en dat dit dus De Ware moest zijn. Ze kon zich het gezicht van haar vader al voorstellen als hij het las.

Snel mailde ze Parker om hem op de hoogte te stellen. Ze liet hem weten welke krant, en dat het nieuws de voorpagina had gehaald. Hij kon het op internet opzoeken. Meer schreef ze niet. Daar had ze veel te veel haast voor, en ze vertrok razendsnel naar de door haar vader georganiseerde lunch. Zoals ze wel had verwacht, zei hij tijdens de lunch niets. Het was niets voor hem om hints te laten vallen of de dingen half aan te pakken. Hij ging liever direct de confrontatie aan, net zoals hij bij haar broer deed.

Pas toen hun gasten het paleis hadden verlaten, vroeg hij of ze een paar minuten voor hem had, en toen wist ze wat haar te wachten stond. Dat kon niet anders. Ze kon niet op de voorpagina van een Londense krant verschijnen, nota bene met een man van wie hij nog nooit had gehoord en betrapt tijdens een romantisch tête-à-tête, en verwachten dat hij het negeerde. Dat zou te veel gevraagd zijn.

Ze liep achter hem aan naar zijn privésalon en wachtte tot hij ging zitten, waarna ze zijn voorbeeld volgde. Hij keek haar even aan met een gezicht waarop een mengeling van ongenoegen en verdriet te lezen stond. Gedurende een eeuwigheid zei hij helemaal niets en Christianna evenmin. Ze was niet van plan het onderwerp aan te snijden, voor het geval ze als door een wonder respijt had gekregen en dit over iets heel anders zou gaan. Maar zo was het natuurlijk niet. Eindelijk stak hij van wal.

'Christianna, ik neem aan dat je weet waarover ik je wil spreken.' Ze deed haar best afwachtend te kijken – argeloos en neutraal – maar faalde daar jammerlijk in. Ze voelde het schuldgevoel over haar gezicht sluipen en uiteindelijk knikte ze.

'Dat denk ik wel,' zei ze, bijna fluisterend. Haar vader was altijd zo lief voor haar, maar desalniettemin was hij de regerende prins en soms had hij, als hij wilde, iets ontzagwekkends over zich. Bovendien was hij per slot van rekening haar vader, en ze riep niet graag zijn toorn, of zelfs maar zijn ongenoegen, over zich af.

'Ik neem aan dat je vanmorgen de foto in de *Daily Mirror* hebt gezien. Ik geef toe dat het een fraaie foto van je is, maar ik was enigszins nieuwsgierig naar de identiteit van het heerschap naast je. Ik herkende hem niet.' Dus was hij kennelijk niet van koninklijken bloede, aangezien haar vader die allemaal kende. Op een bepaalde manier insinueerde hij dat het wel een of andere tennisleraar was geweest of iets dergelijks. 'En je weet dat ik er niet zo dol op ben in de pers over mijn kinderen te lezen. Daar krijgen we bij je broer nogal vaak de gelegenheid voor. Meestal herken ik zijn vriendinnen ook nooit.' Dat was een uithaal naar Parker, die suggereerde dat hij het mannelijke equivalent was van het soort gespuis waar Freddy zich mee inliet. Terwijl Parker hoogopgeleid en integer was en uit een goede familie kwam. Alle vrouwen met wie Freddy omging, waren actrices, modellen of erger.

'Het zit heel anders, papa,' zei Christianna, terwijl ze haar best deed om kalm te klinken, maar een paniek voelde opkomen. Ze waren niet op weg naar een gunstige start. Ze kende haar vader, en hij was niet bepaald blij. 'Het is een schat van een man.'

'Dat mag ik hopen, als hun berichtgeving accuraat is en je het weekend met hem in het Ritz hebt doorgebracht. Mag ik je eraan herinneren dat je me hebt wijsgemaakt dat je alleen maar ging winkelen?' Er verscheen een verwijtende blik in zijn ogen.

'Het spijt me, papa. Het spijt me dat ik tegen u heb gelogen.' Volgens haar was dat vernederende excuus het enige wat erop zat. Verder was ze bereid door het stof te kruipen, zolang hij maar zou goedvinden dat ze met Parker omging. 'Het was verkeerd van me, ik weet het.'

Hij glimlachte minzaam. 'Je houdt waarschijnlijk echt van de man, Cricky, als je bereid bent tot zoveel nederigheid.' Bovendien was het hem evenmin ontgaan hoe dolgelukkig ze samen leken, wat nou net de reden was waarom hij zich zo veel zorgen maakte. 'Enfin, laten we dit uit de wereld helpen. Wie is hij?'

Ze nam de tijd om diep adem te halen. Ze was doodsbang dat ze het niet goed zou aanpakken. Hun hele toekomst hing nu van haar af. Dat was een ontzaglijke last.

'We hebben in Senafe samengewerkt, papa. Hij is medicus en hij doet aidsonderzoek in Harvard. Hij maakte deel uit van Artsen Zonder Grenzen en hij heeft daarna zijn onderzoek bij ons in het kamp voortgezet. Nu is hij terug in Harvard. Hij is katholiek, komt uit een degelijk gezin en hij is nooit getrouwd geweest.' Dat was alles wat ze kon bedenken en het kwam er in één adem uit. Maar de gegevens die ze haar vader verstrekte, waren op z'n minst respectabel en schilderden een goed portret van Parker.

De aard van die informatie was het enige wat hij hoefde te weten, vooral het feit dat hij katholiek was en nooit getrouwd geweest. Hij was ontgoocheld. 'Ben je verliefd op hem?' Ditmaal aarzelde ze niet. Ze knikte. 'Is hij Amerikaan?' Opnieuw knikte ze. Dat beantwoordde zijn belangrijkste vraag. Hij was een Amerikaanse burger en, behalve als kennis, niet geschikt voor een prinses, de dochter van een regerende prins.

'Papa, het is een schat van een man. Hij is van goeden huize. Zowel zijn vader als zijn broer is medicus. Ze komen uit San Francisco.' Het kon hem niet schelen, al kwamen ze met een ruimteschip van de maan. Hij had geen titel. De man was naar zijn mening een totaal ongeschikte partij voor haar. En hij wist dat de familieraad en de parlementsleden dat met hem eens zouden zijn, al zou hij hen, als hij dat wilde, kunnen overreden. Dat wist Christianna ook. Ze wist ook dat hij zijn macht nooit zou aanwenden om haar met een burger te laten trouwen. Dat ging tegen alles in waarin hij geloofde.

'Je weet dat het niet gaat,' wees hij haar kalm terecht. 'Zo bezorg je alleen maar jezelf en hem ellende. Dan zul je blijven zitten met een gebroken hart, net als hij. Het is een burger, Christianna. Hij heeft geen titel. Hij is niet eens Europeaan. Geen sprake van, mocht je mij vragen wat ik ervan vind.' Zijn gezicht stond onverbiddelijk en zij was al in tranen.

'Mag ik dan alstublieft met hem blijven omgaan? Ik zal niet met hem trouwen. We zoeken elkaar alleen maar af en toe op. Ik beloof dat ik discreet zal zijn.'

'Ik neem aan dat je afgelopen weekend discreet was, tenzij je nog onnozeler bent dan je al die tijd bent geweest, wat ik niet geloof. Bovendien heeft de pers jullie ontdekt, en kijk eens hoe dat eruitziet. Een Doorluchtige Hoogheid die met mannen rendez-vous houdt in hotelkamers. Dat is niet erg fraai.'

'Papa, ik hou van hem,' zei ze, terwijl de tranen over haar wangen stroomden.

'Daarvan ben ik overtuigd, Cricky,' zei hij minzaam. 'Ik denk dat ik je goed genoeg ken om te veronderstellen dat je hier luchtig mee zou omspringen, waardoor het des te gevaarlijker voor je is. Je kunt niet met hem trouwen, nooit, dus waarom zou je een liefdesrelatie voortzetten, wat jullie allebei alleen maar pijn zal bezorgen? Dat is niet eens eerlijk tegenover hem. Hij verdient het om verliefd te zijn op iemand met wie hij kan trouwen. En die persoon ben jij niet. Op een dag, wanneer je trouwt, zal het moeten zijn met iemand van koninklijken bloede. Dat staat in onze grondwet. Bovendien zal de familieraad in geen honderd jaar goedkeuring aan hem hechten.'

'Dat zouden ze wel doen als u hun dat opdroeg. U kunt hen

overreden.' Dat wisten ze allebei. 'Andere prinsen en prinsessen in heel Europa trouwen tegenwoordig met een burger. Zelfs kroonprinsen. Dat gebeurt overal, papa. We zijn een uitstervend soort, en als we de juiste persoon vinden, ook al is die niet van koninklijken bloede, zou u me dan niet liever met een goede man laten trouwen, die van me houdt en lief voor me zal zijn, dan een slechte man die toevallig prins is? Kijk naar Freddy,' gooide ze hem voor de voeten, waarop hij ineenkromp. 'Zou u willen dat ik met zo'n man trouwde?' Haar vader schudde zijn hoofd. Dat was een heel ander onderwerp, maar ze gebruikte alles wat ze kon, terdege beseffend hoe Freddy hem tegen de haren in streek.

'Je broer is een geval apart. En natuurlijk wil ik dat je met een goede man trouwt. Maar niet alle prinsen zijn zulke losbollen als Friedrich. Wie weet wórdt hij op een dag volwassen, maar ik zal je bekennen dat, als jij zou thuiskomen met een man met zijn hebbelijkheden, ik je in een klooster zou opsluiten. Bovendien, Christianna, in dit geval ben ik niet van plan dat te doen. Ik ben ervan overtuigd dat deze jonge man respectabel is, en wat je nog meer beweert. Maar hij komt niet in aanmerking voor je hand, in geen geval. Ik wil niet dat je nog met hem in het openbaar wordt gezien. En als je van hem houdt, raad ik je ten sterkste aan om er een punt achter te zetten voor het erger wordt. Jullie zullen alleen maar gekwetst worden. Zolang ik leef, is dit uitzichtloos. Mocht je hier eenzaam en ongelukkig zijn, dan zullen we op zoek gaan naar een man voor je, een geschikte man. Maar Christianna, dat is deze man niet. Je mag hem nooit meer zien.' Voor het eerst in haar hele leven haatte ze haar vader diep. Toen ze reageerde, snikte ze het uit, want ze had hem nog nooit zo wreed gevonden. Zo lief als hij haar hele leven voor haar was geweest, nu ontzegde hij haar het enige wat ze echt wilde: een leven met de man van wie ze hield, en zijn goedkeurig. En hij had geweigerd.

'Papa, alstublieft... Dit is niet de veertiende eeuw. Kunt u hier niet wat moderner in zijn? Iedereen zegt dat u zo'n creatieve, eigentijdse bewindsman bent. Waarom kunt u dan niet goedkeuren dat ik met een burger omga en zelfs ooit met hem trouw? Het kan mij niet schelen of mijn kinderen een titel dragen of burgers zijn. Als u wilt, zal ik de mijne zelfs opgeven. Ik maak toch geen deel uit van de lijn van opvolging. Ik zou hier nooit kunnen regeren, zelfs niet als Freddy dat niet zou doen. Dus wat geeft het met wie ik trouw? Het kan me niet schelen of ik prinses ben of niet, papa, en ik hoef niet zonodig met een prins te trouwen,' zei ze tussen haar snikken door, terwijl hij haar ongelukkig aankeek.

'Maar mij kan het wel schelen. We mogen onze eigen tradities of grondwet niet verloochenen als dat zo uitkomt. Daar gaat het nou juist om bij plicht en eer. Jij moet je plicht doen, ook wanneer dat pijn doet, zelfs als dat betekent dat je offers moet brengen. Daarom zijn we hier – om het volk te leiden en te beschermen en een voorbeeld te stellen van wat wij van hen verwachten en hoe het hoort.' Hij was een purist en een idealist, voor haar en zichzelf, opgelegd door historie en traditie. Hij maakte geen uitzondering op de regels, ook niet voor zichzelf.

'Dat is uw werk, papa, niet het mijne. Het kan niemand schelen met wie ik trouw, en dat zou ook voor u moeten gelden, zolang hij maar een goed mens is.'

'Ik wil dat je een goede prins krijgt.'

'Ik niet. Ik zweer het: als u me dit aandoet, zal ik nooit trouwen.'

Toen hij daarop reageerde, had hij een radeloze blik in zijn ogen. Ze hield nog meer van die Amerikaan dan hij vreesde. 'Dat zou een ernstige vergissing zijn. Voor jou, maar meer nog voor mij. Als hij van je houdt, zou hij niet willen dat je je afkomst met voeten treedt – uit respect voor jou. Je moet met iemand uit je eigen milieu trouwen, die begrip heeft voor je plichten en tradities, en die net zo'n leven heeft geleid als jij. Een burger zou jouw manier van leven nooit respecteren. Vertrouw me nou maar.'

'Hij is Amerikaan, hij ziet de logica er niet van in. Net zomin als ik. Dit is ontzettend onnozel, en wreed.' Ze ging tegen alles in wat hij zei – net als Parker zou hebben gedaan, wist ze. Ze bevocht een duizend jaar oude traditie, zonder resultaat.

'Jij bent geen Amerikaan. Jij weet wel beter. Jij bent mijn dochter en je weet wat er van je wordt verwacht. Als dit met je is gebeurd toen je in Afrika was, betreur ik het zeer dat ik je heb laten gaan. Je hebt mijn vertrouwen geschonden.' Dat was precies wat ze allemaal aan Parker had verteld, en precies wat ze had gevreesd wat hij zou zeggen. In feite was het nog erger.

Hij was totaal onverzettelijk en niet te vermurwen, omdat hij in een andere eeuw leefde en vastbesloten was zich aan tradities en grondwet te houden, zonder uit compassie met haar een uitzondering te maken. Hij gaf haar geen sprankje hoop. Nog erger zelfs: hij was er volledig van overtuigd dat hij gelijk had. Ze wist dat hij nooit zou toegeven. Ze had het gevoel alsof zijn woorden haar hart hadden gebroken. Ze voelde een bijna fysieke pijn toen ze haar vader in wanhoop aankeek en de treurige blik in zijn ogen zag. Hij vond het verschrikkelijk om haar pijn te doen, maar hij vond dat hij geen keus had.

'Ik wil dat je deze man niet meer zult zien,' zei hij ten slotte. 'Hoe je er een punt achter zet, is aan jou. Ik zal me er niet in mengen, uit respect voor jou. Hij heeft tot nu toe trouwens niets misdaan. Het was dwaas van jullie allebei om naar Parijs te gaan en je zo bloot te geven. Je hebt gezien wat er gebeurde: ze hebben jullie onmiddellijk gesnapt. Je moet er een punt achter zetten, Cricky, zo spoedig mogelijk, voor jullie beider bestwil. Ik laat het verder aan jou over.' Met die woorden stond hij op en draaide zich om. Hij sloeg niet zijn armen om haar heen, omdat hij wist dat ze er helemaal kapot van was, en boos, en het leek hem verstandiger om te wachten. Ze had tijd nodig om tot zich te laten doordringen wat hij allemaal had gezegd, er vrede mee te hebben en het aan die man te vertellen. Het enige wat hij nu van harte hoopte, was dat ze het hem op een dag zou vergeven. Maar hij deed wat goed voor haar was, daarvan was hij overtuigd.

Ze stond op en keek hem met grote ogen aan. Ze kon niet geloven dat hij haar dit willens en wetens aandeed. Maar dat deed hij wel. Hij achtte het zijn plicht, en die van haar, en daar had hij haar op gewezen. Toen draaide ze zich om, nog steeds huilend, en verliet zonder een woord het vertrek. Er viel niets meer te zeggen.

Toen ze in haar eigen vertrekken terug was, gaf ze haar secretaresse opdracht al haar afspraken en opwachtingen voor de verdere dag af te zeggen – zelfs voor de hele verdere week. Toen deed ze de deur van de slaapkamer dicht en belde Parker in de vs. Hij had blijkbaar op een telefoontje van haar gewacht, want hij nam meteen op. Omdat de foto de krant had gehaald, vermoedde hij al dat ze er een gesprek met haar vader over zou hebben, die er wel het een en ander over te zeggen zou hebben. Toen hij opnam, hoorde hij Christianna snikken. Dat voorspelde niet veel goeds over wat haar vader tegen haar had gezegd.

'Toe maar,' zei hij troostend, 'toe maar. Kalm nou maar.' Ze deed haar best, maar het lukte haar absoluut niet, waarna ze net genoeg adem opbracht om hem hakkelend te vertellen wat haar vader had gezegd.

'Hij zei dat we ogenblikkelijk moeten ophouden met elkaar te zien.' Ze klonk verslagen, angstig, weer als een klein kind, en hij wilde niets liever dan haar in zijn armen nemen om haar te troosten en kracht te geven.

'En wat zeg jij?' vroeg hij bezorgd. Hier was hij al bang voor geweest. Ze had hem er sinds Senafe steeds voor gewaarschuwd. En ze had gelijk gehad. Het was nauwelijks te geloven dat iemand in deze eeuw zo'n archaïsche positie kon innemen, maar dat was bij haar vader kennelijk het geval. Het hele begrip 'Doorluchtige' of 'Koninklijke Hoogheid' was archaïsch. Maar ze was nou eenmaal een prinses, en of ze het nou leuk vond of niet, ze moest dat onder ogen zien. En hij ook, evenals het feit dat haar vader erop stond dat ze alleen met een man van koninklijken huize zou trouwen.

'Ik weet niet wat ik zeggen moet. Ik hou van je. Maar wat kan ik doen? Hij heeft me ten strengste verboden om dit met jou voort te zetten. Hij zei dat hij ons nooit met elkaar zou laten trouwen, en ik weet dat hij het meent. Hij zou het parlement en de familieraad best kunnen overreden om ons toestemming te geven, maar hij vertikt het.' En zij vond het verkeerd om ervan weg te vluchten. Dat kon ze niet doen. Ze wilde zijn toestemming. Dat geloofde Parker nu ook, en hij was er net zo kapot van als zij. Voor hem was dit krankzinnig. Het was pure onzin. Even dacht hij erover om te opperen dat ze elkaar in het geheim zouden blijven ontmoeten, tot haar vader doodging en dat ze, als haar broer op de troon kwam, stiekem de aftocht zou blazen. Maar in theorie kon Hans Josef nog wel twintig, dertig jaar blijven leven en dat zou voor hen geen doen zijn. Haar vader had haar totaal in een hoek gedreven, en hem erbij.

'Wil je nog wel een keer een weekend met me afspreken?' Er volgde een lange stilte, waarin ze erover nadacht. 'Ik wil dit persoonlijk met je bespreken. Misschien kunnen we iets bedenken.' Al moest hij nu toegeven dat het niet waarschijnlijk was dat hij een oplossing kon verzinnen waarmee zij kon leven en die voor haar vader aanvaardbaar zou zijn. Ze wilde niet zomaar de heleboel in de steek laten en hem trotseren, al zou dat mettertijd misschien veranderen. Hij wist ook dat de gelofte die aan haar moeder was afgelegd belangrijk voor haar was, evenals de goedkeuring van het parlement en de familieraad. Om met Parker te kunnen trouwen, moest ze bereid zijn hen allemaal te trotseren. Hij wist dat dat veel gevraagd was. Hij dacht er zelfs over om zelf met haar vader te gaan praten, als Christianna dat ook wilde en als de prins hem zou willen ontvangen. Maar verder had hij voor het moment geen suggesties. Hij zou alleen, net als zij, willen dat hij haar in zijn armen kon nemen. Dit was zoveel lastiger dan hij had gehoopt. Al haar angsten waren terecht geweest.

'Ik zal het proberen,' antwoordde ze uiteindelijk in verband met het weekend. 'Ik weet niet wanneer ik kan. Ik zal weer moeten liegen. En we kunnen dit niet vaak doen.' Eerlijk gezegd vermoedde ze dat het dan voor het laatst zou zijn dat ze hem zag. Ze kon het niet eeuwig voor haar vader verborgen houden, en ook met de paparazzi zou dat nooit lukken, hoe voorzichtig ze ook zouden zijn. Maar ze wilde hem nog één keer zien. Ook al zou het daarbij blijven, en ze was niet van plan haar vader daar toestemming voor te vragen. Ze was ervan overtuigd dat hij haar zelfs dat niet zou gunnen. 'Ik zal zien wanneer ik weg kan. Dat kan even duren. Ik heb het gevoel dat hij me scherp in de gaten gaat houden. We zullen het een tijdje alleen per e-mail of telefoon moeten doen.'

'Ik loop niet weg,' zei hij kalm. Hij deed zijn best voor haar om rustiger te klinken dan hij was. Hij was volslagen in paniek. Dankzij de eroude tradities van haar vader en haar land zou hij haar kwijtraken. Haar vader was bezig hun beider hart te breken. 'Ik hou van je, Cricky. We zullen zien wat we kunnen verzinnen.'

'Ik heb tegen hem gezegd dat ik nooit zou trouwen,' zei ze, terwijl ze opnieuw in snikken uitbarstte.

Hij voelde met heel zijn hart met haar mee. Haar pijn was even erg als de zijne – misschien wel erger, omdat ze zich verraden voelde door iemand van wie ze hield. 'Laten we allebei wat kalmeren, voor je verandert in de maagdelijke prinses in de toren. Als we de komende tijd onze poot stijf houden, krijgen we hem misschien wel klein. Zal ik eens met hem gaan praten?' stelde hij voorzichtig voor.

'Je kent hem niet,' zei ze somber. 'Hij zal je niet ontvangen en we krijgen hem heus niet klein. Hij gelooft in wat hij doet.' Even klonk ze opgewekt, en ze giechelde. 'En tussen haakjes: ik ben geen maagd.'

'Als jij het niemand vertelt, zal ik het ook niet doen,' zei hij lachend. Hij was nog niet bereid haar op te geven, haar vader ten spijt. Het leek hem te veel om van haar te vragen samen met hem te vluchten en alles op te geven, en hij dacht ook niet dat ze dat zou doen. Daarvoor was ze veel te plichtsgetrouw. Zij voelde het bijna als verraad. Ze wilde haar vader zien over te halen en om te praten. Terwijl zelfs Parker tot de overtuiging kwam dat het hopeloos was. Bovendien had ze vanwege haar broer een enorme afkeer van schandaaltjes. Maar Parker was vastbesloten een uitweg te vinden. Er móést er een zijn. Hij vertikte het om het onderspit te delven. Hij vroeg of ze over een paar uur kon terugbellen – gewoon, om te praten – en hij zei dat ze kalm moest blijven. Ze voelde zich beter nu ze hem had gesproken; hij was er altijd voor haar, en zo goed. Maar toch zag ze geen enkele manier om hun situatie te verbeteren. Ze wist dat haar vader nooit zou toegeven. Ze wilde Parker nog één keer zien, en daarna zou ze wel moeten doen wat haar was opgedragen en afscheid van hem nemen. Het brak werkelijk haar hart.

Christianna sloot zich vijf dagen op in haar vertrekken. Ze deed voor niemand de deur open, alleen een keer per dag voor haar secretaresse, als ze een beetje eten op een dienblad aannam. Ze belde en mailde met Parker. Ze nam de telefoon niet aan en ging nergens naartoe. Ook met haar vader had ze geen enkel contact. Talloze keren per dag informeerde hij naar haar, en altijd kreeg hij hetzelfde te horen: dat ze haar appartement niet had verlaten. Hij was gebroken van verdriet, maar net zoals zij tegenover zijn rigide veto geen keus had, vond hij dat hijzelf geen keus had, gegeven de tradities die hij verplicht was in stand te houden en, meer nog, de gelofte die hij aan haar moeder had afgelegd. Ze zaten gevangen in een stuk geschiedenis, allebei, hoe pijnlijk het ook was. En Parker samen met hen, met desastreuze gevolgen voor alle drie. Maar hoe hartverscheurend ook, er was nog altijd geen uitweg – voorlopig.

Op een avond belde Christianna in wanhoop haar nicht Victoria in Londen op. Die was reuze opgewekt – haar verloofde was er – en ze klonk alsof ze had gedronken, wat wel vaker voorkwam. Vandaar dat Christianna in haar radeloosheid weinig aan haar had.

'Schat, ik heb je in de krant gezien... Mijn god, wat is die man met wie je was ontzettend knap. Waarom heb je me niets verteld? Waar heb je hem opgedoken?'

'In Senafe,' zei Christianna mat. Ze voelde zich vreselijk;

daarom belde ze juist. Toen ze de realiteit van haar positie onder ogen zag, had ze urenlang gehuild en Victoria gebeld om troost te zoeken, die daar niet bepaald goed in was. Ze had het veel te druk met pleziertjes om zich op iets anders te concentreren.

'Waar?' Victoria klonk wazig.

'In Afrika. Hij was daar een van de artsen.'

'Wat sexy! Is je vader niet uit z'n vel gesprongen?'

'Ja,' zei Christianna somber, dwaas genoeg om op goede raad te hopen.

'Dat zal wel, schat. Hij is zo hopeloos benepen en ouderwets. Bedenk eens hoe hij boft dat hij niet zo'n dochter heeft als ik ben. Maar ja,' zei ze spottend, 'hij heeft Freddy. Dat is volgens mij al een flinke straf, al ben ik dol op dat joch. Hij is hier gisteravond geweest.' Christianna had gedacht dat hij in Wenen was, maar ze had hem al dagenlang niet gesproken; voor het laatst vóór haar weekend in Parijs.

'Papa zegt dat ik er een punt achter moet zetten en dat ik nooit met hem kan trouwen omdat hij geen titel heeft.'

'Wat stom. Waarom geeft hij hem dan geen titel? Dat zou hij toch kunnen doen? Dat gebeurt hier constant, om de raarste redenen. Nou ja, niet helemaal, geloof ik... Maar het zou kunnen. Ik hoorde van een Amerikaan die de titel heeft gekocht omdat hij iemands huis kocht.'

'Mijn vader doet dat soort dingen niet. Hij heeft me bevolen er een punt achter te zetten.'

'Wat erg van hem. Moet je horen, waarom ontmoeten jullie elkaar niet stiekem hier? Ik zal het aan niemand vertellen.' Behalve aan de drugsdealer, haar dienstmeisje, haar kapper, haar tien beste vrienden, haar nieuwe verloofde de rockster, en waarschijnlijk zelfs aan Freddy, op een avond dat ze samen dronken zijn, wat kennelijk vaak gebeurde. Christianna voelde er wel voor, maar het zou nooit iets worden. En als ze tot Victoria's vaste entourage ging behoren, zou haar vader Christianna laten opsluiten. Het leek alsof het steeds slechter ging met Victoria; ze maakte het steeds bonter. Christianna wist niet precies of het aan haar persoonlijkheid lag, of dat het door de drugs kwam. Zelfs haar vader had opgemerkt dat hij had gehoord dat Victoria, sinds Christianna weer thuis was, volkomen losgeslagen was en dat hij vond dat Christianna bij haar uit de buurt moest blijven. Freddy vond het allemaal natuurlijk fantastisch.

Uiteindelijk leverde het gesprek met Victoria haar niets op, zelfs geen troost. Ze had ontzettend graag met Fiona willen praten, met haar heldere verstand, haar gevoel voor rechtvaardigheid en praktische ideeën, maar die waren er niet meer. Bovendien wist Christianna dat zij nooit zou hebben begrepen hoe delicaat de kwestie lag. Ze wist niets van het leven aan het hof. Ze had niemand om mee te praten en niemand die suggesties of troost kon bieden, behalve Parker, die net zo radeloos was als zij. Hij was ten einde raad, en hij zou niets liever willen dan dat Christianna hem ergens zou ontmoeten, maar dat kon nog niet. Ze wachtte tot alles enigszins was bedaard, zodat ze niet de aandacht zou vestigen op wat ze van plan waren, wat ze tegen die tijd ook zouden besluiten.

De druppel die de emmer deed overlopen was, uiteraard, een telefoontje van Freddy. Hij was naar Amsterdam gegaan en vertelde vrolijk dat hij het daar fantastisch vond met al die drugs en dat Victoria en haar verloofde er ook waren. Christianna had ogenblikkelijk spijt dat ze het telefoontje had aangenomen. Zo te horen was hij stoned.

'Zeg, ga me nou niet weer op mijn lazer geven, maagdelijk zusje van me. Al die preken die jij en vader afsteken over mijn verantwoordelijkheden onder ogen zien. Wat een gelul allemaal, terwijl jij er stiekem tussenuit knijpt naar Parijs met je vriendje. Je bent geen haar beter dan ik, Cricky, je bent er alleen beter in om iedereen op een dwaalspoor te brengen, terwijl je net doet of je heiliger dan heilig bent en ondertussen papa bedondert. Maar deze keer is dat je niet zo goed gelukt, hè?' Omdat hij constant valse opmerkingen bleef maken, hing ze na korte tijd op. Af en toe haatte ze hem. Bovendien haatte ze op dat moment iedereen, zelfs haar vader. Er was zoveel hypocrisie en traditie, en ze zaten aan zoveel onleefbare regels vast. De enige die ze niet haatte, was Parker. Hoe eerder ze haar kamer uit kwam, had hij gesuggereerd, hoe eerder iedereen ermee zou ophouden met op haar te letten, en hoe eerder ze elkaar zouden kunnen ontmoeten.

De dag na zijn suggestie deed ze haar deuren van het slot. Ze hervatte de taken die ze had afgesproken. Ze deed alles wat ze hoorde te doen en wat er van haar werd verwacht. Het enige wat ze niet kon, was samen met haar vader aan diners aanzitten of evenementen met hem bijwonen. Ze kon ook niet alleen met hem in de eetzaal zitten. Dat bracht ze gewoon niet op. Ze at die dagen trouwens erg weinig, omdat haar hart pijn deed. Ze gebruikte de maaltijd op haar kamer van het dienblad, met haar hond als enig gezelschap. Haar vader liet de kwestie maar even op zijn beloop. Ze knikten elkaar toe als ze elkaar in de gangen passeerden, maar geen van hen zei een woord.

HOOFDSTUK 17

*D*e verdere maand oktober vervulde Christianna tot begin november haar taken zoals werd verlangd van de prinses die ze was. Uiteindelijk sprak ze weer af en toe tegen haar vader, al gebeurde dat met minder warmte en een grote reserve. Haar hele leven had hij haar nog nooit zo gekwetst en, wat erger was, hij wist het en hij zat er zelf vreselijk mee. Hij deed zijn best om haar alle ruimte en tijd te geven die ze nodig had om het te verwerken. Hij was ervan onder de indruk dat ze zich desondanks van haar plichten kweet, maar hij was diepbedroefd omdat haar woede jegens hem voortduurde, al begreep hij volledig het waarom en voelde hij zelfs met haar mee. Hij vond alleen dat hij er gezien de omstandigheden absoluut niets aan kon veranderen. Zelfs voor hem was het een onmogelijke situatie. Hij zat verstrikt in zijn overtuigingen en hij wist zeker dat hij het juiste voor zijn dochter deed.

Freddy had inmiddels weer eens voor een schandaal gezorgd. In Mark's Club was hij met iemand slaags geraakt. Hij was zoals gewoonlijk vreselijk dronken geweest toen men hem had verzocht het pand te verlaten, waarna hij de portier een klap had verkocht, op straat slaags raakte met de politie en in een cel werd gesmeten. Uiteindelijk had men hem niet gearresteerd, maar hem laten ontnuchteren, waarna de advocaten van zijn vader hem de volgende dag waren komen halen en naar huis hadden gebracht. Hij bleef de hele verdere week in Vaduz onder huisarrest en ging toen terug naar Wenen om verder de beest uit te hangen. Hij begon een ernstig probleem voor zijn vader te worden, en na wat hij tegen haar over Parker had gezegd, wilde Christianna voorlopig ook niets met hem te maken hebben. Nu stond ze dus niet op goede voet met én haar vader én haar broer. Haar leven in Vaduz werd met de dag eenzamer. Ze smachtte naar Parker, maar die was niet met een briljant voorstel op de proppen gekomen, zoals beloofd. Zoiets bestond ook niet, wist ze, maar ze wilde hem nog één keer zien, om afscheid te nemen. Die gelegenheid kwam er eindelijk, toen haar vader een week naar Parijs ging voor een VN-bijeenkomst over de spanningen in het Midden-Oosten. Als neutrale staat waren bijdragen uit Liechtenstein, ondanks de geringe afmetingen van het land, waardevol. Bovendien was haar vader een zeer gerespecteerd man op het politieke toneel. Hij stond alom bekend om zijn integriteit en verstandig oordeel.

Zodra hij vertrok, belde ze Parker. Hij zou over een paar weken voor Thanksgiving naar San Francisco gaan, maar hij zei dat hij best eerst naar Europa kon vliegen om haar te ontmoeten. Parijs kwam niet in aanmerking omdat haar vader daar was. Londen was altijd een broeinest van de pers. Maar Parker kwam met een prachtige suggestie die haar zeer beviel.

'Wat dacht je van Venetië?'

'Het is er koud in de winter, maar het is er zo mooi. Dat zou ik geweldig vinden.' En er bestond grote kans dat het er uitgestorven was en niemand hen zou opmerken. In de lente en de zomer was het dé bestemming voor verliefde paartjes, niet in de winter. Het leek hun heerlijk, vooral Christianna. Venetië in de winter leek haar de volmaakte plek voor een tragisch, definitief afscheid.

Ze maakte zelf telefonisch boekingen, wat ingewikkelder was dan ze had gedacht. Uiteindelijk moest ze haar secretaresse Sylvie in vertrouwen nemen, want ze had een creditcard van het paleis nodig om haar tickets te betalen. Ze had met Parker afgesproken dat ze hem daar zou zien. Sam en Max hadden al gezegd dat ze met haar mee zouden gaan, al waren ze er niet gerust op toen ze vermoedden wie ze daar zou ontmoeten. Ze drukte hun op het hart dat ze de volledige verantwoordelijkheid op zich zou nemen, en twee dagen later zaten ze in het vliegtuig. Sylvie kreeg instructies dat ze tegen haar vader moest zeggen dat ze naar een kuuroord in Zwitserland ging. Maar hij had het in Parijs te druk met de VN om op te bellen.

Ze vertrok in het diepste geheim, en was er behoorlijk zenuwachtig over. Maar wat ze haar deze keer ook zouden aandoen of tegen haar zouden zeggen, ze moest Parker nog één laatste keer zien.

Sylvie had voor hen geboekt in Hotel Gritty Palace. Ze hadden twee kamers genomen, net als in Parijs, maar waren van plan om er maar weer een te gebruiken. Bij aankomst in het hotel zat hij al op haar te wachten. Toen ze hem opbelde, kwam hij meteen naar haar kamer en voor ze het wist, lag ze in zijn armen. Ze had hem nog nooit zo mooi gevonden, wat wederzijds was. Ze huilde toen ze hem zag, maar even later kreeg hij haar aan het lachen. Het waren dagen met een lach en een traan, en oeverloos veel liefde.

Het was mooi, zonnig weer en ze liepen kilometers naar alle mogelijke uithoeken. Ze bezochten kerken en musea, aten in kleine restaurants en *trattorie* om alle drukbezochte gelegenheden te mijden waar men hen zou kunnen betrappen, al leek Venetië in dit seizoen wel uitgestorven. Ze wandelden over het Piazza San Marco, waar ze naar de duiven keken, gingen naar de mis in de Basiliek van San Marco en namen een gondel naar de Brug der Zuchten, de Ponte dei Sospiri, terwijl hij haar stralend aankeek. Het was voor hen allebei een droom waaruit ze geen van tweeën wilden ontwaken.

'Je weet toch wat het betekent, hè?' fluisterde hij nadat ze onder de Brug der Zuchten door waren gevaren. De gondelier had hun een serenade gebracht, en Christianna lag volmaakt tevreden tegen hem aan, met een deken over zich heen vanwege het kille novemberweer.

'Wat?' Ze zag er vredig uit en ze klonk dromerig toen ze met een glimlach naar hem opkeek. Van Afrika waren ze naar Parijs gegaan, en nu naar Venetië, maar de reis die ze samen waren begonnen, zou hier moeten eindigen. Daar dacht ze op dat moment niet aan; ze bedacht alleen hoe gelukkig ze was.

'Als we eenmaal samen onder de Brug der Zuchten door zijn gevaren, horen we voor altijd bij elkaar. Dat is volgens de legende zo, en ik geloof erin. Jij?' vroeg Parker, terwijl hij haar dicht tegen zich aan trok.

'Ja,' zei ze zacht. Ze twijfelde er geen moment aan dat ze haar hele verdere leven van hem zou houden, maar ze betwijfelde of ze hem hierna ooit nog zou zien. Toen draaide ze hem haar gezicht toe om nog eens te zeggen dat ze ontzettend veel van hem hield, zodat hij dat moment ook nooit zou vergeten. Het verschil tussen hen was dat ze hem in haar hoofd en in haar hart de vrijheid schonk om een leven zonder haar te leiden, bijna alsof ze ging sterven. In feite lag haar hart, verdoemd en wel, in haar vaders handen. Ze zou voor altijd haar plichtsgetrouwe leven leiden en zich op een goede dag stilletjes terugtrekken. Ze was niet van plan te trouwen met een prins die haar vader in de verre toekomst bij haar zou introduceren. Zonder één tel te aarzelen wist ze dat Parker de liefde van haar leven was. En in zijn onschuld had Parker, terwijl ze hand in hand en kussend door Venetië doolden, geen idee wat er allemaal door haar hoofd speelde. Ze was van plan het hem op de laatste avond te vertellen.

Op hun tweede dag in Venetië slenterden ze de winkeltjes onder de arcade in en uit. Het waren voor het grootste deel juweliers en een paar antiekwinkels. Op het laatst gingen ze een piepklein winkeltje op de hoek binnen. Omdat ze daar de kruisjes hadden die Christianna wilde bekijken, stapten ze er hand in hand naar binnen. De winkelier was hoogbejaard, en Christianna sprak hem in het Italiaans aan over de kruisjes, terwijl Parker wat rondsnuffelde, toen zijn blik op iets in de vitrine viel. Het was een smalle gouden ring, ingelegd met hartvormige smaragdjes. Hij was duidelijk antiek en veel gedragen, maar de steentjes waren prachtig van kleur. Terwijl hij Christianna erop wees, zei hij dat ze de man moest vragen hoeveel het sieraad kostte. De man noemde een absurd lage prijs, en toen ze allebei grote ogen opzetten omdat zoiets moois zo goedkoop was, verontschuldigde hij zich en liet de prijs nog verder zakken. Toen Parker hem in gebarentaal vroeg hem uit het doosje te halen zodat Christianna de ring kon passen, was ze ontroerd. Hij liet hem om haar vinger glijden, en hij paste precies, alsof hij voor haar was gemaakt, of in een ander leven haar eigendom was geweest. De minuscule groene smaragdjes kwamen aan haar sierlijke hand tot leven. Parker keek haar glunderend aan en rekende met de man af, terwijl ze stomverbaasd van hem naar de beeldschone ring keek die ze omhad.

'Ik heb geen idee hoe je het noemt als je een prinses ten huwelijk vraagt, vooral niet nu je vader je elk moment kan onthoofden.'

'Een guillotinering, denk ik,' zei ze glimlachend, waarop hij in lachen uitbarstte.

'Precies. Dit is onze guillotinering, Hoogheid,' zei hij met een heel geloofwaardige buiging, alsof hij dat al talloze malen had gedaan. 'Op een dag zal ik hem vervangen voor een beter exemplaar, als je me daar tenminste ooit de gelegenheid toe zult geven. Maar voorlopig is dit om je te laten weten dat ik van je hou, en dat ik het meen. En als we samen onder de guillotine eindigen, of ik alleen, heb je ten minste iets om aan me terug te denken.'

'Ik zal altijd aan je blijven denken, Parker,' zei ze, terwijl er tranen in haar ogen opwelden. En voor het eerst besefte ze, terwijl ze naar hem keek, dat hij net zo goed wist als zij wat dit uitstapje te betekenen had. Het was hun afscheid – misschien voorgoed, maar in elk geval voor heel lang. Het zou te lastig, zo niet onmogelijk voor haar zijn om er telkens stiekem tussenuit te glippen om hem te ontmoeten. Het was echt een wonder geweest dat het haar deze keer was gelukt. Hij wist, net als zij, precies wat er aan de hand was. Nu waren ze herinneringen aan het hamsteren, tot ze elkaar eventueel ooit zouden terugzien. Net als eekhoorns in de winter nootjes verzamelden om die te bewaren voor het geval ze honger leden. Voor hen zou de periode van hongerlijden intreden op de dag dat ze uit Venetië vertrokken. Tot dan gaven ze zich over aan de overvloed van hun liefde. Daar was de ring met de smaragdjes het symbool van, en toen hij die om haar vinger liet glijden en tegen haar zei dat hij van haar hield, beloofde ze zichzelf plechtig dat ze hem nooit meer zou afdoen. Vanaf dat moment noemden ze het haar guillotinering, wat steevast een glimlach op haar gezicht toverde.

Ze bezochten het Dogenpaleis en Palazzo Pisani, en daarna de Ca' Pesaro en de koepelkerk van Santa Maria della Salute, maar Christianna wilde vooral naar de Santa Maria dei Miracoli, omdat ze om een wonder voor hen wilde bidden. Dat was het enige wat hen nog kon helpen.

Hun laatste gezamenlijke avondmaal gebruikten ze in een restaurantje aan een van de zijkanalen. Een man met een mandoline bracht hun een serenade van liefdesliedjes, en als ze maar even niet aan het eten waren, zaten ze hand in hand. Ze namen een gondel terug naar het hotel, waar ze heel even buiten bleven staan om elkaar in het maanlicht te bekijken. Elke seconde die ze de afgelopen dagen samen hadden beleefd stond voor altijd in hun hersens gegrift.

'We zullen sterk moeten zijn, Cricky,' zei Parker. Zonder dat ze het hem met zoveel woorden had verteld, wist hij op de een of andere manier precies dat dit de laatste keer was dat ze ooit bij elkaar zouden zijn. 'Toch zal ik hoe dan ook altijd bij je zijn. Als je daar ooit aan twijfelt, kijk dan naar je guillotinering en denk hieraan terug, dan zullen we op een dag de weg naar elkaar terugvinden.' Terwijl ze hem aanhoorde, wist ze dat hij op een dag met iemand anders zou trouwen, kinderen met haar krijgen en hopelijk een gelukkig leven zou hebben. Dat kon ze zich van zichzelf niet eens voorstellen. Ze wilde alleen hem in haar leven. En de enige die hij wilde, was zij.

'Ik hou van je tot mijn dood,' zei ze, en daar meende ze elk woord van, terwijl hij hoopte dat dat moment nog heel ver weg zou zijn.

En toen gingen ze met trage stappen naar binnen voor hun laatste nacht. Hij bedreef de liefde met haar en later stonden ze, gehuld in hun kamerjas, op het balkon en keken ze naar Venetië bij maanlicht. Het was hartverscheurend mooi. 'Dank je dat je me hier hebt willen ontmoeten,' zei ze, terwijl ze hem aankeek en hij haar langzaam in zijn armen trok. 'Zeg zoiets niet tegen me; voor jou zou ik de hele wereld over reizen. Als je me wilt zien, hoef je me maar op te bellen, en ik vlieg naar je toe.' Ze hadden afgesproken dat ze elkaar zouden blijven mailen. Ze kon zich niet eens voorstellen dat ze, zelfs als ze hem nooit meer zou zien, geen contact meer met hem zou hebben. Ze beloofde bovendien dat ze hem zou opbellen, omdat ze er behoefte aan had ook zijn stem te horen. Haar vader zou wel kunnen verhinderen dat ze elkaar zouden zien, maar hij kon niet verhinderen dat ze van elkaar bleven houden. Dat zou alleen de tijd kunnen. Maar voorlopig waren ze nog altijd smoorverliefd.

Die nacht sliepen ze in elkaars armen, terwijl ze af en toe gingen verliggen om elkaar aan te raken, waarbij ze elkaars adem op hun wang voelden als ze zich verstrengeld aan elkaar vastklampten. Ze konden er geen genoeg van krijgen elkaars huid te strelen en elkaar in de ogen te kijken.

's Morgens stonden ze samen onder de douche, terwijl ze het water over zich heen lieten gutsen, en toen bedreven ze nog één keer de liefde. Ze namen zoveel mogelijk van elkaar in zich op. Het zou een lange, zware winter worden, nu ze elkaar een hele tijd niet zouden kunnen aanraken. Het enige wat ze nog hadden was hun liefde voor elkaar.

Toen ze vertrokken waren er geen paparazzi. Niemand had iets tegen hen gezegd of vragen gesteld. Max en Sam hadden hen alle drie de dagen met rust gelaten. De twee lijfwachten hadden zich samen in Venetië geamuseerd, en toen ze onder de Brug der Zuchten door voeren, had Samuel voor de grap tegen Max gezegd dat ze nu voor altijd samen zouden zijn. En Max had gevraagd of hij ter plekke doodgeschoten wilde worden, of later. Maar ze vonden het allebei treurig toen ze de uitdrukking op het gezicht van Christianna en Parker zagen toen ze op weg gingen naar het vliegveld. Er heerste een totale stilte toen ze Venetië verlieten – eerst in de gondel en daarna in de auto – en toen de geliefden afscheid van elkaar namen, gingen de mannen allebei een eindje verderop staan.

'Ik hou van je,' zei Parker, terwijl hij haar stevig in zijn armen hield. 'Denk aan je guillotinering en aan wat die betekent. Ik zou mijn leven voor je geven, Cricky. En wie weet wat er in het leven gebeurt? Misschien dat een van de kaarsen die je hebt aangestoken zijn werk zal doen.'

'Daar reken ik op,' zei ze zacht, terwijl ze zich de laatste minuten aan hem vastklampte. Maar toen moest ze echt vertrekken. Haar vlucht ging het eerst, en ze bleef hem net zolang kussen tot Max en Sam bijna dachten dat ze haar moesten wegsleuren. 'Ik hou van je... Ik bel je op wanneer je weer thuis bent.'

'Ik zal er zijn, wanneer je me maar nodig hebt, en hier.' Hij legde zijn hand op zijn hart, net zoals toen hij in Afrika afscheid van haar nam. In zijn hart had hij haar sindsdien nooit meer verlaten.

Ze kusten elkaar nog een laatste keer, en met het gevoel alsof ze haar ziel uit de zijne had losgerukt liep ze van hem weg in de richting van het vliegtuig. Ze draaide zich nog eenmaal om, zwaaide naar hem en stak haar hoofd naar hem omhoog, met haar ogen vastgeklonken aan de zijne. Ze legde een hand op haar hart en wees toen naar hem. Hij knikte, zonder een seconde haar blik los te laten, en toen draaide ze zich om en stapte aan boord van het vliegtuig.

HOOFDSTUK 18

*C*hristianna zei de hele reis in het vliegtuig van Venetië naar Zürich geen woord. Een paar keer sloeg ze haar ogen neer en streelde dan het ringetje met de hartjes van smaragd om haar vinger. Dat zagen de twee mannen, en ze vroegen zich af of ze in Venetië soms waren getrouwd, wat ze bij nader inzien toch niet geloofden. Het was duidelijk iets wat voor haar een grote betekenis had. Toen ze in Zürich uitstapten, keek ze hen glimlachend aan en bedankte hen dat ze met haar waren meegegaan naar Venetië. Ze was erg stil; ze had iets droevigs en vreemd afwezigs, alsof haar hart en ziel samen met Parker waren vertrokken en er alleen een omhulsel naar Vaduz terugkeerde, wat in feite het geval was. Ze zweeg nog steeds toen ze twee uur later bij het paleis aankwamen. Ze hadden de hele reis langzaam gereden, maar ze had sowieso geen haast om naar huis te gaan. Het waren drie wonderschone dagen met Parker in Venetië geweest, en het enige wat haar nu nog restte, was haar hele leven hier te slijten, in deze gevangenis. Ze had nog liever de guillotine dan dit. Een leven van eindeloze verplichtingen, dankzij een vader die haar haar dromen ontzegde, en dat allemaal ter ere van haar koninklijke afkomst. Dat leek haar een hoge prijs om te moeten betalen voor degene die ze was en helemaal niet wilde zijn.

Bij thuiskomst liep de hond buiten op het binnenplein. Hij

sprong op haar af en ze haalde hem aan. Hij liep met haar mee naar binnen, waarna ze de trap op ging naar haar vertrekken. Ze had gehoord dat haar vader er nog niet was en pas die middag werd terugverwacht. Ze hadden het niet beter kunnen uitmikken.

Sylvie was in haar kantoor en keek op toen ze binnenkwam. Ze stelde geen vragen. Ze wilde niet nieuwsgierig lijken. Ze gaf Christianna haar lijst met verplichtingen voor de volgende dag en de rest van de week. Er stond niets bijzonders op het programma en zo te zien beloofde het allemaal uiterst saai te worden.

'Ik neem aan dat u naar het nieuws hebt gekeken,' zei Sylvie voorzichtig, waarop Christianna haar aankeek en haar hoofd schudde. Toen Sylvie de smalle ring met de smaragdjes zag, hield ze haar mond. 'Uw vader heeft tijdens de vn-bijeenkomst iedereen versteld doen staan door een werkelijk historische rede te houden.' Zonder erop te reageren, wachtte Christianna op de rest. Sylvie had dezelfde indruk als Sam en Max: dat Christianna's lichaam terug was, maar dat ze er eigenlijk niet was. Ze leek wel een robot, zo routineus als ze te werk ging – en zo voelde ze zich ook. Haar hart en ziel reisden in het vliegtuig met Parker mee.

'Wat voor rede?' vroeg Christianna uiteindelijk, zonder veel belangstelling. Maar ze wist dat ze op de hoogte moest blijven van de politieke positie die het land innam en de houding die men er innam tegenover de wereldpolitiek, vooral binnen de vn. De bijeenkomsten in Parijs waren van belang geweest in verband met de benadering van de Arabische wereld.

'Hij nam voor een neutraal land een heel sterk standpunt in over de manier waarop de twisten opgelost zouden moeten worden. Het heeft heel wat tongen losgemaakt en veel commentaar uitgelokt. Iedere politicus en elk staatshoofd ter wereld is om commentaar gevraagd. Hij stelde een paar ijzersterke maatregelen voor. Uit bepaalde hoeken kwam er heel wat kritiek en uit andere juist veel bijval. Als hij hier weer is, zal er heel wat pers op de been zijn. Van een van zijn secretarissen heb ik gehoord dat er vandaag vier interviews op zijn programma staan. De algehele consensus is dat hij erg moedig was en dat het maar eens gezegd moest worden. Volgens mij zat de verrassing in het feit dat niemand het van hem had verwacht.' Onder andere omstandigheden zou Christianna trots op hem zijn geweest. Maar ze was nu zo gevoelloos dat het haar koud liet.

Er stond voor die avond ook een staatsbanket op het programma, in het paleis, en voor het eerst sinds ruim een maand had Christianna besloten erbij aanwezig te zijn. Dit was het leven waarvoor ze had getekend en Parker had opgegeven. Net zoals haar vader vervulde ze haar plicht. Het was het enige wat haar nog restte.

Daarna bleef ze in haar vertrekken, pakte zelf haar koffers uit en bekeek de foto van Fiona, die ze in haar kledingkast bewaarde. Ze stond er lachend op, met grote ogen van verrukking en verbazing, terwijl ze het uitgierde. Zo wilde Christianna zich haar graag blijven herinneren. Er waren ook andere, van de hele ploeg in Senafe, maar juist deze foto van Fiona was haar bijzonder dierbaar. Zodoende bleef ze altijd aan haar denken in gelukkige tijden. Er was er ook een van Parker, waarop hij haar recht aankeek, in de korte broek en de wandelschoenen en met de cowboyhoed op die hij in het kamp had gedragen. Ze bekeek alle foto's, en keek toen naar haar ring.

Ze zag haar vader pas die avond op het staatsbanket. Hij leek te blaken van energie en zo te zien was hij erg met zichzelf ingenomen. Zijn toespraak had bij de besprekingen in Parijs en over de hele wereld voor opschudding gezorgd. Dagenlang zwermde de pers om hen heen, die Christianna meed als de pest. Ze ging stilzwijgend haar gang en deed wat van haar werd verwacht. Aan het diner hadden hun blikken elkaar één keer gekruist, maar daarna ontweek ze hem. Ze had gevraagd niet naast hem te hoeven zitten en ondanks haar tegenzin om er aanwezig te zijn, had ze interessante tafelgenoten en beleefde ze een aangename avond. Het zou een ellenlange aaneenschakeling van dergelijke avonden worden zonder Parker. Het was inmiddels moeilijk te geloven dat ze de vorige avond nog samen met hem in Venetië was.

Door puur toeval liepen zij en haar vader tegelijkertijd de trap op naar hun privévertrekken. Ze hoorde zijn voetstappen achter zich, waarop ze omkeek, en bleef staan, terwijl hun ogen elkaar ontmoetten en vasthielden en hij heel bedaard doorliep en naast haar kwam staan.

'Het spijt me, Cricky,' zei hij zacht, en ze wist waar hij op doelde.

'Mij ook.' Ze knikte, liep de trap op naar haar vertrekken en duwde zachtjes de deur dicht, terwijl hij naar zijn eigen appartement ging.

Pas twee dagen daarna zag ze hem weer. Ze moest een document op zijn kantoor ophalen en zag toen dat hij werd geïnterviewd. De kranten stonden tegenwoordig vol van hem, wat het standpunt dat hij had ingenomen versterkte, al werd dat met de dag controversiëler. Ze had toen al ontdekt dat de paleisbewaking discreet was uitgebreid. Hij ging inmiddels nergens naartoe zonder drie lijfwachten en opeens had Christianna er ook twee. Hoewel er geen sprake was van regelrechte bedreigingen, leek het wel zo voorzichtig – wat hij altijd was, zeker wat haar betreft. Hij had heel wat mensen tegen de schenen geschopt, ondanks het feit dat een groot aantal bewondering had voor de stelling die hij had ingenomen. Christianna was weliswaar nog altijd boos op hem – wat ze nog lang zou blijven – maar ze had bewondering voor zijn moed. Hij was een integer man met krachtige meningen.

Ze had Parker sinds zijn terugkeer diverse keren gesproken. Hij klonk vermoeid, maar hij was altijd opgetogen als ze hem opbelde. Zijn e-mails waren grappig en opgewekt. Soms stuurde hij een mop waar ze hard om moest lachen. Meestentijds vertelde hij waar hij mee bezig was, hoe zijn onderzoek verliep en hoezeer hij haar miste. Dan vertelde ze hem dat het met haar niet anders was.

De twee weken daarna had ze het druk in het paleis. Ze was met een paar nieuwe projecten gestart, ging door met haar gebruikelijke verplichtingen en was in gesprek met de stichting over het werk dat ze voor hen wilde doen. Ze had besloten het komende voorjaar niet in Parijs te gaan studeren. Ze wilde voor de stichting gaan werken die was opgericht ter nagedachtenis aan haar moeder. Het was het enige wat ze interessant en zinvol voor zichzelf vond. In de week dat ze daar een bespreking over had, was Parker voor Thanksgiving in San Francisco. Het was een feestdag die ze tijdens haar verblijf in Berkeley ook altijd had gevierd. Elk jaar was ze dan bij vrienden thuis geweest, en dit jaar zou ze graag samen met zijn vader en broer bij hem zijn geweest. Maar dat zou nooit gebeuren.

Ze had net met hem gesproken, toen ze met de hond naar buiten ging en zag dat haar broer was thuisgekomen, in zijn gloednieuwe – uiteraard rode – Ferrari. Hij was duidelijk blij haar te zien, hoewel zij ook op hem nog boos was, vanwege zijn commentaar toen ze in Parijs door de paparazzi was gesignaleerd. Dat had ze, zelfs voor Freddy's doen, cru en bijzonder onaardig gevonden.

'Hoe maakt u het, Hoogheid?' vroeg hij spottend, waarop ze hem hautain aankeek, maar toch moest lachen.

'Moet ik nu ook jou bij je titel aanspreken?' Hij mocht dan onmogelijk zijn, hij was nog altijd haar broer.

'Absoluut. Ik verwacht ook dat je een reverence voor me maakt. Op een dag krijg ik het hier op het paleis namelijk voor het zeggen.'

'Ik probeer er niet aan te denken.' Hij zou nooit het lef, laat staan de kennis of het inzicht hebben om te doen wat hun vader zojuist voor het oog van de hele wereld had gedaan. Hun vader had op het scherp van de snede gelopen tussen strijdende machten en meningen, en hij had het er als een held van afgebracht. Zelfs Parker was ervan onder de indruk geweest, al had hij tegenwoordig ook niet veel met hem op.

'Wat vind je van mijn nieuwe wagen?' vroeg Freddy, om op een ander onderwerp over te schakelen.

'Mooi. Ziet er duur uit,' reageerde ze met een glimlach.

'Volgens geruchten kan ik het me permitteren – onze vader,

althans. Ik heb hem net in Zürich gekocht.' Ze moest toegeven dat het een schitterende auto was, al had hij er al een die bijna identiek was, in precies dezelfde kleur. Blijkbaar was zijn behoefte aan dure en snelle wagens, en even dure en snelle vrouwen, onverzadigbaar. Hij had op dat moment een nieuwe bij de hand, en waarschijnlijk nog wel anderen over wie nog niemand iets had vernomen. Het was een voortdurend wisselende harem. 'Zin in een ritje?' bood hij enthousiast aan, waarop ze lachte en haar hoofd schudde. Ze werd altijd wagenziek van de manier waarop hij reed. Zelfs de hond rende weg toen hij het portier opendeed.

'Ik zou het enig vinden. Maar straks. Ik heb een afspraak,' loog ze, en ze liep haastig het paleis binnen.

Die avond bleken ze met z'n drieën te eten. De sfeer was enigszins gespannen, aangezien hun vader tegenwoordig ontstemd was over iets wat Freddy had gedaan wat hij niet in het bijzijn van Christianna wilde bespreken. Ze zat zwijgzaam tussen hen in, voor het eerst in twee maanden – sinds het incident met Parker – weer genietend van hun gezelschap. Het was bijna december, en ze bespraken hun plannen voor de feestdagen in Gstaad. Voor de verandering klonken ze als een normaal gezin. Niemand had het over politiek, economische tactieken, en zelfs niet over Freddy's recentste misstap. Ze waren heel ongedwongen: Christianna lachte om de grapjes van haar broer, en zelfs hun vader gierde het uit. Al waren een paar grappen nogal aanstootgevend, ze waren zoals altijd leuk. Freddy was onmiskenbaar de clown van de familie.

Toen ze van tafel opstonden, probeerde hij Christianna nogmaals over te halen om een ritje met hem te maken in zijn nieuwe auto. Maar het was koud buiten en er lag waarschijnlijk ijs op de weg. Een paar dagen eerder hadden ze hun eerste sneeuwbui gehad. Freddy keek diep beledigd omdat ze niet op zijn uitnodiging inging en wendde zich tot zijn vader.

'En u, vader? Zin in een snel ritje voor het slapengaan?' Zijn vader wilde net weigeren, maar hij besteedde doorgaans zo weinig aandacht aan hem en hij was zo vaak zo boos op hem dat Hans Josef aarzelde en kennelijk vond dat hij ook eens zijn best moest doen. Bovendien had hij het overdag altijd te druk voor zulke dingen.

'Als je belooft dat het maar voor een paar minuten is. Ik heb geen zin om in Wenen terecht te komen, terwijl jij demonstreert hoe fijn de motor is afgesteld.'

'Dat beloof ik,' zei Freddy, terwijl hij glunderend naar zijn zuster keek. Het was die avond bijna als vanouds, zoals toen ze jong waren. Ook toen had Freddy al een passie voor grote auto's gehad. Er was niet veel veranderd, behalve dat zij volwassen was geworden en hij niet. Daar had ze onder het eten iets over gezegd, en om het haar betaald te zetten, had hij haar zijn oudere zus genoemd, al was hij tien jaar ouder – even oud als Parker.

Hun vader liep de hal in en verzocht een van de livreiknechten zijn jas te gaan halen en even later kwam de man ermee terug. Freddy had bij het eten zoveel gedronken dat hij geen jas nodig had. Christianna liep met hen mee naar buiten. Haar hond Charles lag boven in haar kamer, waar hij in diepe slaap was.

Buiten stonden twee bewakers ontspannen met elkaar te praten. Ze hadden net de wacht afgelost en zagen hen aanvankelijk niet aankomen. Christianna vond dat onnodig nonchalant van hen, gegeven de huidige toegenomen veiligheidsmaatregelen rond het paleis, nu de schijnwerpers van de wereldpolitiek op dat moment op haar vader waren gericht. Binnen een paar minuten kwamen de dienstdoende bewakers weliswaar bij hen staan om een praatje te maken, maar ze vond dat het te lang had geduurd voor ze er waren. Ze wilde op dat moment niets zeggen om hen niet in verlegenheid te brengen, maar ze zou het er de volgende morgen met Sylvie over hebben en vragen of ze het wilde melden.

'Mag ik ervan uitgaan dat je me op een beschaafd ritje gaat trakteren, Friedrich?' vroeg hun vader schertsend. Hij was na hun aangename maaltijd goedgehumeurd. 'Of heb ik straks als ik terugkom een dokter nodig om me tranquilli-zers voor te schrijven?' Dat was zijn manier om hem te waar-schuwen geen tweehonderddertig kilometer per uur te rijden. 'Ik beloof dat ik zoet zal zijn.'

'Zorg dat papa niet te bang wordt,' waarschuwde Chris-tianna, en het volgende moment lieten de twee mannen zich in de lange, lage, ongelooflijk gestroomlijnde auto zakken. De wagen leek wel een kogel.

Ze trokken ieder het portier dicht, waarna haar vader van-achter het gesloten raampje naar haar wuifde en hun blik-ken elkaar even kruisten. Er straalde iets schuldbewusts uit zijn ogen, alsof hij haar duidelijk wilde maken hoe erg hij het voor haar vond, van Parker. Ze wist dat hij niet van ge-dachten zou veranderen, maar het speet hem tenminste dat hij haar verdriet had gedaan. Terwijl ze hem aankeek en knikte, om hem duidelijk te maken dat ze er begrip voor had, voelde ze Parkers ring om haar vinger, waarna de gevoelige motor ging lopen, met Freddy's voet stevig op het gaspedaal. Ze had nog nooit meegemaakt dat een automotor zo snel startte. Ze wilde net weer naar binnen gaan omdat ze het koud had, toen ze besloot nog even te blijven staan om hen na te kijken. Ze was benieuwd of Freddy er nu al in was ge-slaagd haar vader de stuipen op het lijf te jagen. Ook hij was in zijn jeugd dol geweest op snelle wagens – wie weet zat het in de genen – maar in het geval van haar vader geen snelle vrouwen, alleen haar moeder, tot op dat moment aan toe.

Ze keek hen na met een glimlach op haar gezicht, terwijl ze zich afvroeg of ze zouden omkeren. En net op dat moment remde Freddy even af om een bocht in de weg in te schat-ten. En terwijl hij dat deed en de remlichten aanfloepten, klonk er een explosie – zo krachtig, dat het leek alsof de he-mel naar beneden kwam. Op hetzelfde moment dat Chris-tianna dat geluid hoorde, was er ineens een enorme vuurbal op de plaats waar ze de auto had gezien en waren de auto, haar vader en Freddy letterlijk in rook opgegaan. Haar mond viel open terwijl ze ernaar keek. Eerst verroerde niemand zich, maar plotseling kwam iedereen aanrennen. De dienstdoende bewakers schoten te voet en zo hard ze konden de weg over, terwijl anderen in hun auto sprongen en op de rookontwikkeling af scheurden. Ook Christianna begon te rennen. Haar hart bonsde en plotseling zag ze voor haar geestesoog Fiona in de modder liggen... Ze rende en rende... Overal klonken sirenes, hoorde ze gefluit, renden mannen langs haar heen en was het loeien van het vuur hoorbaar. Bijna tegelijkertijd met de mannen bereikte ze de plek waar de auto was geweest. Iedereen stoof alle kanten uit, de brandweer van het paleis arriveerde, mannen met waterslangen, water dat alle kanten op spoot en iemand die Christianna achteruit sleurde. Ze werd weggesleept terwijl ze het allemaal met starre ogen aanzag. Maar het enige wat ze zag, was het voortwoedende vuur – in het luchtledige, zo leek het wel. Er was geen auto en waar die had gestaan bevond zich alleen een gigantisch brandend gat in de grond. Haar vader en Freddy waren in de atmosfeer verdwenen. Iemand had een bom onder Freddy's auto gelegd. Haar hele familie was weg.

HOOFDSTUK 19

*A*chteraf kon Christianna zich niet meer herinneren wat er was gebeurd, ongeveer net zoals op de dag waarop Fiona was overleden. Ze wist nog dat ze naar het paleis terug was gelopen, dat er overal mensen rondrenden en dat twee veiligheidsbeambten haar naar haar kamer brachten en bij haar waren gebleven. Sylvie was verschenen, andere gezichten die ze kende en een paar die ze zich niet meer kon herinneren. Het was een komen en gaan van politie, de explosievendienst en militairen. Er kwamen trucks met mannen in gevechtstenue, de Zwitserse politie, ambulances en reportagewagens. De ambulances waren overbodig. Er was geen vezel van haar vader en haar broer te vinden. In een vroeg stadium eiste niemand de verantwoordelijkheid voor de bom op, en ook later had men zich niet bekendgemaakt. Haar vaders heldendaad tijdens de VN-bijeenkomsten had een hoge tol geëist. Ze moeten de bom hebben aangebracht ergens tussen de tijd dat Freddy was aangekomen en na het avondeten. Maar als ze die onder de auto hadden gelegd, waren ze duidelijk niet van plan geweest de regerende prins uit de weg te ruimen. Misschien had de kroonprins alleen maar als waarschuwing voor zijn vader gediend. Dankzij Freddy's opwinding over zijn nieuwe aanwinst en het aangename familiediner waren ze er door puur geluk ook in geslaagd de regerende prins om te brengen.

Op het paleis en het terrein wemelde het de hele nacht van mannen in uniform, en als in een waas wilde Christianna met alle geweld samen met haar lijfwachten haar kamer verlaten om zich tussen hen te mengen. Zodra ze het paleis uit kwam, zag ze Sam en Max op haar af hollen. Zonder een woord te zeggen sloeg Max zijn armen om haar heen en barstte hij in huilen uit, terwijl Sam erbij stond en de tranen over zijn wangen rolden. Ze waren al jarenlang bij de familie en het enige wat Christianna kon doen was nog een keer naar de nog nasmeulende, zwartgeblakerde kuil in de grond staren, op de plaats waar de auto was geëxplodeerd.

Aanvankelijk hadden slechts een paar mensen beseft dat prins Hans Josef zich in de auto had bevonden – ze dachten dat het alleen om Freddy ging, wat al erg genoeg was. Maar het bericht verspreidde zich via de bewakers die hem bij zijn zoon in de Ferrari hadden zien stappen. Het was die avond een dubbele tragedie geweest en een dubbel verlies voor het land en voor de wereld. Terwijl ze doelloos rondliep, werd Christianna omringd door bewakers met een machinegeweer en ze werd geflankeerd door Max en Sam. Ze weigerde het paleis weer in te gaan. Alsof ze, door dicht bij de locatie te blijven waar ze in rook waren opgegaan, ervoor zou kunnen zorgen dat ze terugkwamen of werden gevonden. Het was onmogelijk de gevolgen te overzien van wat er allemaal was gebeurd en wat het voor Liechtenstein betekende. Ze keek naar Sam en Max, en toen ze hen zag huilen, begon ze te beseffen dat ze haar broer en haar vader had verloren. Ze was wees, en haar land had geen leider.

'Wat gaat er nu gebeuren?' vroeg ze met een doodsbang gezicht aan Max.

'Geen idee,' zei hij naar waarheid. Niemand wist het. Afgezien van het persoonlijke drama dat het voor haar was, was het een immens politiek dilemma voor het land. Freddy was de enige mannelijke erfgenaam van de regerende prins en een vrouw kwam niet in aanmerking voor de troon. Er was letterlijk niemand om zijn plaats in te nemen.

Christianna ging die hele nacht niet naar bed. Het was nog

steeds onmogelijk te bevatten wat er was gebeurd. Overal waren mensen van het televisiejournaal, en radiostations stuurden er verslaggevers op af. Na zijn adembenemende toespraak voor de VN, had Hans Josef in het middelpunt van de belangstelling gestaan en de autobom werd gezien als belangwekkend wereldnieuws. Het viel niet te vermijden dat beide gebeurtenissen uiteindelijk met elkaar in verband werden gebracht. Gelukkig werd Christianna door een leger bewakers afgeschermd van de nieuwsjagers.

Ergens midden in de nacht ging Christianna naar boven, en Sylvie hielp haar met het kiezen van sombere zwarte kleding. Toen ze weer beneden kwam, waren al haar vaders medewerkers en secretarissen er al, terwijl ze koortsachtig bezig waren met aantekeningen maken en telefoneren. Ze had geen idee met wie ze spraken, of wat ze moest doen. Terwijl ze als een geest rondwaarde, kwam zijn directe assistent naar haar toe om te zeggen dat ze regelingen moesten treffen.

'Hoezo, regelingen?' vroeg ze wezenloos. Ze was in shock. Het leek wel of ze handelsbekwaam en volledig bij de tijd was, kalm zelfs, maar haar verstand weigerde te bevatten wat er was gebeurd. Ze dacht de hele tijd maar één ding: papa is er niet meer. Ze voelde zich weer vijf jaar oud en opeens herinnerde ze zich weer alles wat er op die ochtend was gebeurd dat haar moeder stierf... En nu Freddy, die arme Freddy, met al zijn dwaze gedrag... nu was hij er ook niet meer. Ze waren allemaal weg. Ze was helemaal alleen op de wereld.

Ze zat in het kantoor van haar vader, samen met zijn secretaris en gewapende bewakers, toen de parlementsleden van haar vader binnenkwamen. Alle vijfentwintig in zwart pak en met een zwarte das om. Ze konden nog amper uit hun ogen kijken. Ze hadden de hele nacht in kleine groepjes bij elkaar thuis opgezeten, afwisselend naar het nieuws gekeken en gehuild, maar ook om te bespreken wat hun te doen stond. Ze hadden een immens en voor het land ongekend probleem. Ze hadden geen regerende prins meer, ze hadden niemand in de lijn van opvolging, omdat die met de kroonprins was omgekomen, en volgens hun grondwet kwamen vrouwen niet in aanmerking. Afgezien van de ontstellende persoonlijke tragedie die zich die avond had afgespeeld, was het ook voor het land een ramp.

'Hoogheid,' sprak de premier haar voorzichtig aan. Hij zag dat ze nauwelijks in staat was om te praten. Maar ze hadden geen keus. Ze waren sinds vier uur die ochtend bijeen geweest, uren nadat ze het bericht telefonisch hadden vernomen, en ze hadden tot acht uur gewacht alvorens naar het paleis te gaan. Iedereen, ook Christianna, was de hele nacht opgebleven. Het paleis was die donkere novemberdag een baken van licht. 'Hoogheid, we moeten met u praten,' ging de premier verder. Hij was de oudste van de vijfentwintig en hij was de vertrouwensman van haar vader geweest. 'Wilt u alstublieft met ons overleggen?' Ze knikte, duidelijk nog steeds verdoofd, waarna ze het vertrek ontruimden, met uitzondering van de bewakers met de machinegeweren. Niemand wist wat men hierna kon verwachten – of de autobom een opzichzelfstaand verschijnsel was, een voorbode van een ernstiger misdrijf of dat er moest worden gevreesd voor een aanslag op het paleis. Buiten en in het paleis liepen Zwitserse soldaten met machinegeweren rond. Die had de Zwitserse regering onmiddellijk uit Zürich naar hen toe gestuurd. Christianna ging zitten en keek de parlementsleden glazig aan, waarna ieder van hen plaatsnam. Omdat ze zich in het voormalige kantoor van haar vader bevonden, was het voor haar een eigenaardig idee dat hij er niet bij was. Even vroeg ze zich af waar hij was, maar toen, als een tweede explosie in haar hoofd, wist ze het weer. Wat ze zich vooral herinnerde, was de blik die ze hadden gewisseld vlak voor haar broer met hem wegreed. De verontschuldigende blik vol spijt die haar voortaan haar hele leven zou achtervolgen, samen met de bittere discussie die twee maanden lang een wig tussen hen had gedreven. Ze waren er nog niet eens van hersteld, tot de wonden die avond begonnen te helen, en nu was hij er niet meer. Telkens zei ze tegen zichzelf dat ze hen geen van tweeën ooit nog zou zien, wat ze onmogelijk vond om te bevatten.

'We moeten met u praten. We zijn allemaal verlamd van verdriet vanwege uw immense verlies. Het is iets zo verschrikkelijks dat het werkelijk onvoorstelbaar is. Van harte gecondoleerd, namens ons allen.' Ze knikte, zelf niet in staat om iets te zeggen omdat haar ogen vol tranen schoten. Ze was een jonge vrouw van vierentwintig die zojuist alle familie had verloren die ze had. En er was niemand om haar te troosten, alleen deze mannen die haar wilden spreken. Terwijl ze de kamer rondkeek, herkende ze hen stuk voor stuk. Het enige waartoe ze in staat was, was knikken. Het was een gigantische schok geweest, en dat beseften ze allemaal terdege. Haar gezicht was zo bleek dat het bijna transparant was.

'Maar we moeten met u praten over de opvolging. Ons land heeft geen leider. Dat is een situatie die volgens onze grondwet ogenblikkelijk opgelost moet worden. Het is gevaarlijk als we niemand hebben die de verantwoordelijkheid op zich neemt, vooral nu.' Voorlopig was de premier aangesteld om bij nationale rampen in actie te komen, wat dit duidelijk was. Maar ze waren er allemaal niet gerust op dat ze niemand hadden om de troon te bezetten die haar vader zo geheel onverwacht had ontruimd. 'Bent u in staat om te begrijpen wat ik tegen u zeg, Hoogheid, of bent u te erg van streek?' Hij sprak tegen haar alsof ze plotseling doof was geworden. Ze was natuurlijk verpletterd door het verlies dat ze had geleden, maar ze was wel degelijk in staat het te begrijpen, zij het zonder te kunnen antwoorden.

Uiteindelijk wist ze woorden uit haar mond te persen, zo ongeveer voor het eerst sinds de tragische gebeurtenis. 'Ik begrijp u,' verzekerde ze hem.

'Dank u, Hoogheid. Wat we met u willen bespreken is de vraag wie de opvolging op zich gaat nemen.' Hij was terdege op de hoogte van haar familiehistorie en kende iedereen van de honderd leden tellende familieraad. 'U hebt diverse neven in Wenen, die in directe lijn voor opvolging in aanmerking komen. Die zijn uiteraard van vaderskant aan u verwant. Maar toen ik vannacht die lijst doornam, bleken ten minste zeven van hen, misschien zelfs acht of negen, niet eens geschikt om in aanmerking te komen. Ze zijn allemaal veel te oud en enkelen zijn ernstig ziek. Sommigen hebben geen kinderen, dus zou de opvolging niet via hen kunnen verlopen. En daarna volgt een groot aantal vrouwen. U kent de regels omtrent de onmogelijkheid van vrouwelijke opvolging. We zouden moeten teruggaan tot de twintigste in lijn, de vijfentwintigste zelfs, om een man te vinden van een geschikte leeftijd die in goede gezondheid verkeert, en dan nog ben ik er niet zeker van of die de taak zou aanvaarden. Het zijn allemaal Oostenrijkers, en niemand onderhoudt nauwe banden met Liechtenstein – wat ons in een zeer interessante positie brengt.

Uw vader was een hoogst moderne man, voorwaar een interessante combinatie. Hij respecteerde al onze achtenswaardige tradities en hij geloofde in al wat dit land gedurende duizend jaar vertegenwoordigde. Tegelijkertijd heeft hij een aantal nieuwe, meer eigentijdse situaties geëntameerd zonder de oude op te offeren. Hij meende dat vrouwen stemrecht moesten krijgen, nota bene lang voor ze dat daadwerkelijk kregen. En, Hoogheid, hij had een groot respect voor u. Hij heeft me regelmatig verteld over uw grote interesse in onze economische strategieën en de, voor iemand van uw leeftijd, zeer ter zake kundige suggesties die u gaf.' Hij repte met geen woord over Freddy, wat op dit moment waarschijnlijk ongepast zou zijn geweest, maar de regerende prins had dikwijls tegen diverse ministers gezegd dat, mocht hun huidige wetgeving er anders hebben uitgezien, Christianna veel beter geschikt zou zijn om te regeren dan haar broer. 'We zitten met een enorm probleem,' sprak hij verder, waarna hij even pauzeerde om adem te halen. 'We beschikken over niemand in een directe lijn naar uw vader die werkelijk de juiste keuze is voor de opvolging. We weten allemaal dat dit via bloedbanden wordt doorgegeven en niet via capaciteiten. Maar als we bloedbanden moeten volgen om iemand van de juiste leeftijd en het juiste geslacht te vinden, zouden we ver terug moeten gaan. Ik denk niet dat het ooit in uw vader is opgekomen – waarom zou het ook? – dat de kroonprins niet zou gaan regeren. Maar na deze tragedie die ons en u, Hoogheid, gisteravond heeft getroffen, meen ik, met het grootste respect, te weten wat uw vader zou doen als hij met deze situatie zou worden geconfronteerd. We hebben het lang en breed besproken, de hele nacht, en we zijn het er allemaal over eens: de juiste keuze voor de opvolging in dezen bent u.'

Christianna staarde hem aan alsof hij krankzinnig was geworden, en even vroeg ze zich af of zíj het soms was. Misschien droomde ze dit allemaal; waren haar vader en broer helemaal niet dood en zou ze even later wakker worden uit deze verschrikkelijke nachtmerrie.

'Wij stellen voor een nieuwe wet aan te nemen, een noodmaatregel die terstond door de familieraad dient te worden bevestigd en aanvaard, om onze grondwet te wijzigen en aan te passen, waardoor de opvolging voortaan kan worden doorgetrokken naar vrouwen en, in dit geval, specifiek naar u. Daarop voortborduurend hebben we vannacht ook besproken dat u, volgens uw bloedbanden, aan beide zijden van de directe familie van uw moeder, verwant bent aan de koningen van Frankrijk. Mocht u de opvolging in naam van uw vader aanvaarden en regerend prinses van Liechtenstein worden – zoals wij allen hopen, evenals naar ik meen uw volk – achten wij het wenselijk dat u in dit geval, gegeven uw relatie als directe afstammeling van de koningen van Frankrijk, regerend prinses wordt als een Koninklijke in plaats van een Doorluchtige Hoogheid. Ik ben oprecht van mening dat dat ook de goedkeuring van uw vader zou hebben weggedragen, en uiteraard dient dat ook terstond met de familieraad overlegd en bevestigd te worden. We moeten de opvolging zo spoedig mogelijk invullen. We kunnen Liechtenstein niet zonder een leider laten zitten. Hoogheid, ik vraag u namens ons allen, als premier en als uw onderdaan en landgenoot, in naam van uw vader: wilt u het doen?'

Terwijl ze zat te luisteren stroomden Christianna de tranen over de wangen. Ze was een jonge vrouw van vierentwintig aan wie ze zojuist hadden gevraagd om soeverein van haar land te worden en als regerend prinses in de voetstappen van haar vader te treden. Ze was haar hele leven nog nooit zo bang geweest en trilde over haar hele lichaam – van angst, van verdriet en van de schok. Iedereen in het vertrek kon zien hoe vreselijk ze trilde. Ze kon amper praten. Ze was onuitsprekelijk ontroerd, maar ze voelde zich compleet ongeschikt voor de functie. Hoe zou ze ooit aan haar vader kunnen tippen? En een Koninklijke Hoogheid! Ze hadden haar net zo goed kunnen vragen of ze koningin wilde worden. Maar in zekere zin, hadden ze dat zojuist ook gedaan. Het idee dat vrouwen in de lijn van opvolging werden aanvaard beviel haar wel. Ze had altijd gevonden dat het zo hoorde, maar ze had het gevoel dat ze zoveel tekortschoot in de capaciteiten die nodig waren om zo'n gigantische functie op zich te nemen.

'Maar hoe zou ik dat kunnen doen?' Ze huilde zo hard dat ze nauwelijks kon praten.

'Wij menen dat u dat kunt. En ik ben er absoluut van overtuigd dat uw vader er net zo over dacht. Hoogheid, ik vraag u, smeek u, kom uw land vanavond te hulp. We zullen doen wat we kunnen om u te ondersteunen en te helpen. Geen enkele regerende prins heeft ooit gedacht dat hij de functie aankon. Dat is iets wat u leert en waar u in moet groeien. Ik ben oprecht van mening dat u er de capaciteiten voor hebt en dat uw vader zou willen dat u het doet. Wilt u aanvaarden wat we u voorstellen? Zo ja, Hoogheid, dan zou dat niet slechts voor ons allen een zegen zijn, maar ook voor u en zeker voor ons land.'

Ze zat als vastgenageld aan haar stoel, terwijl ze van de een naar de ander keek en in elk paar ogen het antwoord las. Als ze had gezien dat ook maar een van hen onzeker was, in twijfel verkeerde of verontwaardigd was, zou ze zonder één moment te aarzelen nee zeggen. Maar iedereen keek haar verwachtingsvol aan, smekend om te doen wat ze vroegen. Ze smeekten haar, en erger nog: ze kon bijna haar vaders stem horen, die haar verzocht om het te doen. Ze zat hen met een bedroefd gezicht aan te staren, en ze trilde nog steeds. En bijna alsof een kracht, sterker dan zij, haar ertoe dwong en zonder te kunnen geloven wat ze deed, bewoog ze langzaam haar hoofd op en neer. Dit was voor haar hele verdere leven, tot aan haar sterfbed. Nu zou ze dezelfde lasten dragen die hij had getorst. Ze zou voor haar land moeten leven en niet langer voor zichzelf. Plicht zou niet langer slechts een woord voor haar zijn, maar een manier van leven waaraan ze nooit kon ontsnappen. Maar terwijl ze dat bedacht, bokkend als een doodsbang paard voor zijn stal, keek ze de premier recht in de ogen en fluisterde nauwelijks hoorbaar, één enkel woord: 'Ja.'

Zodra ze het woord had uitgesproken, werd er alom geglimlacht en was iedereen zichtbaar opgelucht. Ondanks de verschrikkelijke tragedie die zich had afgespeeld, waren de leden van het parlement verheugd. De premier herinnerde haar eraan dat Elizabeth op haar vijfentwintigste koningin van Engeland was geworden, en dat was een veel groter rijk en een grotere verantwoordelijkheid. Hij, noch iemand anders in het vertrek, twijfelde er ook maar een moment aan dat zij, op haar vierentwintigste, over Liechtenstein zou kunnen regeren, en nog goed ook.

Vervolgens vertelde hij wat er daarna ging gebeuren. 'Ieder van ons zal vier leden van de familieraad opbellen om hun deze twee voorstellen voor te leggen. Dat u de regerende prinses van Liechtenstein zult worden, als de eerste vrouw, dat vrouwen voortaan troonopvolger mogen worden, en dat uw titel van nu af aan Koninklijke Hoogheid zal zijn, vanwege de afkomst van uw moeder. Wij zijn vijfentwintig man sterk, en we zullen vandaag contact opnemen met de voltallige familieraad. Als ze ten gunste van u, en van ons, stemmen, zullen we vanavond een besloten inhuldiging houden, in deze kamer. Het is mijn vurigste hoop dat het zal gebeuren. Liechtenstein kan niet zonder leider, en wij menen oprecht dat u daarvoor de beste persoon bent, de aangewezen persoon en de enige die voor de functie in aanmerking komt.' Toen stond hij op, keek haar aan en liet zijn blik door de kamer gaan, waarna hij eraan toevoegde: 'Moge God met ons zijn, en met u, Hoogheid. Ik zal u vanmiddag de uitslag doorbellen.' En toen, voor ze goed en wel adem had kunnen halen of van gedachten kon veranderen, liepen ze achter elkaar de kamer uit. Toen ze weg waren, bleef ze nog even staan en ze keek naar de portretten die er hingen: van haar overgrootvader, haar grootvader en van haar vader. Ze keek in de ogen van haar vader, op het portret dat hem zo goed typeerde, waarna ze snikkend de kamer verliet.

HOOFDSTUK 20

$\mathcal{D}$rie mannen met een machinegeweer liepen met Christianna mee de trap op naar haar slaapkamer, waar Sylvie op haar zat te wachten. Ze was duidelijk net zo geschokt als iedereen in het paleis. Ze maakte een angstige, uitgeputte en doodongelukkige indruk. Prins Hans Josef was een geweldige man geweest. Maar voor Christianna goed en wel de kamer binnen was, hielp ze haar eraan herinneren dat ze een begrafenis moesten organiseren. Een staatsbegrafenis voor zowel de regerende prins als de kroonprins. Christianna's hoofd stond er totaal niet naar, laat staan dat ze het zou kunnen regelen.

'Zou u, voor we ermee beginnen, niet een paar minuten willen gaan liggen, Hoogheid?' Christianna knikte, terwijl ze bedacht dat de vrouw geen idee had van wat er op til was. Als de familieraad stemde zoals de ministers dat wensten, zou ze die avond regerend prinses zijn. Het was te beangstigend om aan te denken.

Even later ging Sylvie de kamer uit met de woorden dat ze over een halfuur terug zou zijn. De mannen met machinegeweren liepen met haar mee, maar ze bleven vlak voor de deur staan, terwijl Christianna even ging liggen. Er was maar één mens met wie ze nu wilde praten, de enige van wie ze wist dat hij haar zou helpen en steunen. Ze keek niet eens eerst of ze een e-mail van hem had. Ze wist zeker dat hij het inmiddels had gehoord. Hoe klein haar land ook was, ze was ervan overtuigd dat de bom die haar vader en Freddy het leven had gekost een explosie was die over de hele wereld te horen was geweest.

Ze pakte de telefoon die naast haar bed stond en toetste het nummer van Parkers gsm in. Zelfs in haar verwarring en ellende herinnerde ze zich vaag dat het Thanksgiving was en dat hij in San Francisco verbleef.

Hij nam meteen op, want hij had zelf zitten popelen om haar op te bellen. Hij wist dat hij, als hij dat probeerde, geen enkele hoop mocht koesteren om haar te bereiken. Alles wat hij op het journaal had gezien, wees erop dat het ten paleize in Vaduz een chaos was.

'Mijn god... Cricky? Alles goed met je? Ik vind het zo verschrikkelijk... zo verschrikkelijk voor je... Ik hoorde het op het journaal.'

Ze luisterde naar zijn stem, terwijl ze machteloos zat te snikken.

'Lieveling, ik vind het zo verschrikkelijk dat dit is gebeurd. Ik kon mijn ogen niet geloven toen ik het zag.' Het journaal had beelden getoond van een felle brand in de paleistuinen en van militairen en gevechtstroepen die alle kanten op renden. Het leek alsof iedereen het paleis platliep. Tot zijn wanhoop werd er helemaal niets over haar gezegd. Het enige wat hij wist, was dat ze nog leefde.

'Ik ook niet,' zei ze diepbedroefd, terwijl ze haar best deed er niet weer aan te denken... dat afschuwelijke moment waarop de auto veranderde in een vlammende bal die haar vader en Freddy meesleurde. 'Ik stond er vlakbij toen het gebeurde.'

'Goddank dat je niet bij ze in de auto zat.' Daar was hij aanvankelijk namelijk bang voor geweest. En terwijl hij dat zei, bedacht ze ineens dat Freddy haar eerder had gevraagd of ze zin in een ritje had en dat ze zijn aanbod had afgeslagen. Het lot had beschikt. 'Alles goed met jou? Ik wou dat ik daar was om je te helpen. Wat kan ik doen? Ik voel me zo hulpeloos.'

'Je kunt helemaal niets doen. Ik moet zo meteen de begrafenis voorbereiden. Er wordt op me gewacht, maar ik wilde eerst met jou praten. Ik hou van je... Er is nog iets vreselijks gebeurd,' zei ze somber, waardoor Parker zich schrap zette voor nog meer slecht nieuws. Het was bijna onvoorstelbaar dat het allemaal nog erger zou kunnen worden, of bij benadering even erg. 'Er is niemand in de directe lijn van opvolging. Alle neven van mijn vader zijn stokoud... het zijn Oostenrijkers... Parker, ze willen de wet veranderen wat betreft de vrouwelijke opvolging. Ze leggen het vandaag aan de familieraad voor.' Ze verslikte zich in haar zoveelste snik. 'Ze willen me regerend prinses maken... O, mijn god, zou ik dat ooit aankunnen? Ik weet er niets van, ik zou die functie nooit kunnen vervullen... En dan is mijn leven voor altijd geruïneerd. Dan moet ik tot mijn dood het land regeren, of zorgen dat de opvolging op een dag overgaat op een van mijn kinderen...' Ze huilde zo hard dat ze nauwelijks uit haar woorden kwam, maar hij had elk woord dat ze had gezegd verstaan. Mijlenver van haar vandaan keek hij even verbijsterd als zij toen ze ervoor werd gevraagd. Hij kon zich met geen mogelijkheid een voorstelling maken van wat dat betekende.

'En ze willen, vanwege mijn moeder, een Koninklijke Hoogheid van me maken, in plaats van een Doorluchtige.'

'Voor mij ben je altijd een vorstin geweest, Cricky,' zei hij teder, in een poging de klap voor haar te verzachten. Het leek zelfs hem een ontzaglijke verantwoordelijkheid. Maar net als haar ministers twijfelde hij er geen seconde aan dat ze de functie aankon. Hij was ervan overtuigd dat ze het ook nog goed zou doen. Hij had er niet het flauwste benul van wat dat voor hen betekende. Het enige wat hij kon bedenken was dat hij zich vreselijk ongerust over haar maakte. Niet alleen werd ze geconfronteerd met het verlies van haar familie, nu moest ze ook nog de regering over een land overnemen. Het was werkelijk ongelooflijk.

'Parker...' zei ze tussen haar snikken door. 'Ik zal sterven als een oude vrijster.' Ze klonk als een kind, zoals ze jammerde, en het liefst zou hij haar in zijn armen nemen.

'Ik snap niet waarom dat het geval zou zijn. Je vader was getrouwd en hij had kinderen. De koningin van Engeland is getrouwd en heeft vier kinderen, en ik denk niet dat ze veel ouder was dan jij toen ze koningin werd. Ik snap niet waarom het een het ander zou uitsluiten,' zei hij, met de bedoeling haar te kalmeren. Het enige wat hij niet snapte, was hoe hij nu in het plaatje paste. Waarschijnlijk zag het er voor hen nu nog slechter uit. Met haar nieuw verworven koninklijke status was hij waarschijnlijk nog minder geschikt voor haar. Het enige verschil was dat zij nu de regels bepaalde, en onwillekeurig vroeg hij zich af wat dat voor gevolgen zou hebben. Haar vader had de macht gehad om haar toestemming te geven om met een burger te trouwen, maar dat had hij vertikt. Maar Parker had absoluut geen idee of de prins zelf met een burger had kunnen trouwen, maar nu Cricky zo ziek was van verdriet, was hij niet van plan het te vragen. Hij wist dat andere vorsten, met name in Scandinavische landen, met een burger waren getrouwd en hij kon zich vaag herinneren dat ze die een titel hadden gegeven en dat daarmee de kous af was. Voorlopig was 'dokter' voor hem voldoende; over de rest wilde hij zich nog geen zorgen maken. Ze had nu wel genoeg aan haar hoofd. Daar wilde hij niet nog eens zijn belangen bovenop stapelen.

'Koningin Elizabeth was vijfentwintig!' verbeterde Christianna hem met verstikte stem, en ditmaal moest hij lachen. 'Dan denk ik dat je er over een jaar rijp voor zult zijn. Wil je ze soms een jaar laten wachten?' vroeg hij voor de grap. 'Je begrijpt het niet,' zei ze, met een breekbaar stemmetje, waardoor ze heel jong klonk. 'Als de familieraad ermee akkoord gaat, volgt vanavond een installatie in besloten kring... Dan ben ik vanavond regerend prinses... Hoe speel ik dat in godsnaam klaar?' Nu huilde ze alweer harder. Het arme kind had nog maar een paar uur geleden haar vader en haar broer verloren, en nu legden ze ook nog een heel land op haar schouders. Dat zou voor iedereen heel wat zijn om in één klap te verstouwen.

'Cricky, je kunt het. Dat weet ik zeker. En denk je eens in: nu kun jij alle regels vaststellen.'

'Ik wil de regels helemaal niet vaststellen. Ik vond mijn leven hiervoor al vreselijk, nu zal het nog erger worden... en dan zal ik jou nooit meer zien.' Ze kon niet ophouden met huilen, waardoor hij meer dan ooit wilde dat hij zijn armen om haar heen kon slaan om haar te kalmeren. De komende dagen zou ze zoveel te verwerken krijgen.

'Cricky, nu kun je doen wat je wilt. We zullen elkaar weer zien... maak je daar geen zorgen over. Zodra je er de tijd voor hebt, kom ik naar je toe. En als je niet kunt, dan hou ik toch van je.'

'Ik weet niet wat ik kan doen. Ik ben nooit eerder regerend prinses geweest, en ik wil het ook niet zijn.' Maar ze wist dat ze niet kon weigeren. Omdat ze vond dat ze het haar vader verschuldigd was dit op zich te nemen, had ze ermee ingestemd.

Op dat moment stak Sylvie haar hoofd om de deur en ze tikte op haar horloge. Ze moesten aan het werk. Ze moesten maar liefst twee staatsbegrafenissen regelen. Christianna was totaal overstuur. Ze had niet eens de tijd fatsoenlijk om haar vader en haar broer te rouwen en niet de kans te verwerken wat er was gebeurd, en binnen een paar uur moest ze een land regeren en had ze de verantwoordelijkheid voor 33.000 mensen. Dat vooruitzicht was op zichzelf al angstaanjagend, en dat hoorde hij aan haar stem.

'Cricky, probeer nou maar te kalmeren. Ik kan me met geen mogelijkheid voorstellen hoe erg dit moet zijn. Maar je moet je uiterste best doen om erdoorheen te komen. Iets anders kun je je niet veroorloven. Je kunt me te allen tijde opbellen. Ik ben hier, lieveling. Ik hou van je. In mijn hart ben ik bij je. Probeer nu sterk te zijn.'

'Dat zal ik doen... Ik beloof het... Denk je dat het me lukt?'

'Dat weet ik zeker.' Hij klonk liefdevol en rustig.

'En als het me niet lukt?' vroeg ze met trillende stem.

'Dan houd je gewoon een poosje de schijn op, en ondertussen kijk je hoe het allemaal in elkaar zit. Geen mens zal ooit het verschil weten. Jij bent de baas. Het enige wat je hoeft te doen, is je ernaar gedragen... misschien beginnen met een paar onthoofdingen. Van die dingen,' zei hij er voor de grap bij, maar ze lachte niet. Ze was volledig van haar stuk.

'Ik hou van je, Parker... Dank je dat je er voor me bent.'

'Altijd, meisje... Ik ben er altijd.'

'Weet ik.' Ze beloofde hem later terug te bellen en ging toen Sylvie in haar kantoor opzoeken. Die had al stapels paperassen op haar bureau. Christianna moest de beslissingen nemen, en dan zou Sylvie verder alles samen met de assistenten van haar vader uitvoeren. Het enige wat ze op dat moment hoefde te doen, was de begrafenissen regelen. Over de rest zou ze zich later het hoofd breken. En waar ze ook heen ging, overal liepen mannen met een machinegeweer met haar mee. Ze waren nog steeds in opperste staat van paraatheid. Het eerste wat Christianna deed, was een staatsbegrafenis organiseren in Wenen, en ook een in Vaduz. Er waren geen lichamen om op te baren, bedacht ze vol afgrijzen. Dus regelde ze een mis in de Stephansdom in Wenen, en dan zouden ze er de volgende dag nog een houden in de Sankt Florin in Vaduz. Omdat het nu donderdag was, hadden ze de eerste voor de komende maandag gepland. Ze moest de muziek uitkiezen en bepalen wat voor bloemen er moesten zijn. Ze besloten dat er bij de dienst twee lege kisten zouden staan en dat er na afloop een ontvangst op Paleis Liechtenstein zou worden gehouden. De veiligheidsmaatregelen waren, na wat er was gebeurd, gigantisch. En hetzelfde zou gelden voor Vaduz.

Ze was er, samen met Sylvie en de staf van haar vader, de hele dag druk mee bezig en, zonder de voorgaande nacht geslapen te hebben, was ze nog hard aan het werk toen de premier haar opbelde. Sylvie reikte haar de telefoon aan met de woorden dat hij niet wilde zeggen waar het over ging. Christianna wist het natuurlijk, maar ze had het nog aan niemand verteld.

'Ze hebben het goedgekeurd,' zei hij met ernstige stem, en haar mond viel open toen ze het hoorde. Ergens in een klein hoekje van haar hart had ze op het tegendeel gehoopt. Maar ze hadden het dus goedgekeurd. Nu moest ze met de consequenties leven van het feit dat ze die morgen had toegestemd. 'Ze hebben u tevens benoemd tot Koninklijke Hoogheid. We zijn heel trots, Hoogheid. Kunt u hier vanavond om acht uur zijn?' Het was al na zessen. 'Ik dacht dat we het misschien in de kapel zouden kunnen doen. Is er, afgezien van uw ministers, nog iemand die u erbij wilt hebben, Hoogheid?' Ze wilde Parker erbij, maar dat was niet mogelijk. De enige andere mensen van haar keuze waren Sylvie, Sam en Max. Dat waren nu haar beste vrienden, en de enige vorm van familie die ze nog had. Ze had Victoria willen vragen of ze wilde komen, maar daar was geen tijd voor.

'We maken het morgen wel aan de pers bekend, om u een nacht rust te gunnen. Gaat u daarmee akkoord, Hoogheid?' 'Volkomen. Dank u,' zei ze, waarbij ze haar best deed beleefd te klinken in plaats van doodsbenauwd. Ze bedacht dat Parker had gezegd dat ze een tijdje de schijn moest ophouden, en dat geen mens dat zou merken. Nadat ze, na de minister nogmaals te hebben bedankt, had opgehangen, drong het tot haar door dat iedereen haar voortaan zou aanspreken met 'Koninklijke Hoogheid'. In een oogwenk was alles in haar leven veranderd… toen de auto explodeerde. Het was onmogelijk te bevatten wat er allemaal gebeurde. De familieraad had unaniem gestemd om haar te laten regeren. Het enige wat ze nu nog kon doen, was bidden dat ze hen niet zou teleurstellen, en de rest van haar leven zo hard mogelijk werken zodat ze gelijk zouden krijgen. Maar de schoenen van haar vader leken veel te groot voor haar, vooral als je van die kleine voeten had als zij.

'We moeten om acht uur naar de kapel,' zei ze na dat telefoontje tegen Sylvie. 'En ik heb Max en Sam nodig.' 'Is er dan een mis?' Ze keek verward. Zij had dit niet geregeld en ook niemand ingelicht. Christianna was duidelijk uitgeput en in de war.

'Zoiets,' zei ze. 'Alleen voor de leden van het parlement en voor ons.'

Sylvie knikte, waarna ze Sam en Max ging waarschuwen. Tegen de tijd dat ze hen had gevonden, was het zeven uur. Een paar minuten voor acht gingen Christianna en de anderen van het kantoor van haar vader op weg naar de kapel. Onderweg bedacht ze onwillekeurig dat haar vader en haar broer vierentwintig uur geleden nog leefden.

Die middag had Victoria haar opgebeld om te condoleren en gezegd dat Christianna, als het allemaal voorbij was, bij haar in Londen moest komen logeren. Christianna besefte dat ze dergelijke dingen van nu af aan nooit meer zou kunnen doen. Vanaf vandaag heette het, wanneer ze ergens naartoe ging, een staatsbezoek. Haar leven zou nog ingewikkelder zijn dan het al was geweest. En, gegeven de gebeurtenissen, veel meer gevaar lopen.

Toen ze bij de kapel aankwamen, zaten de ministers en de aartsbisschop al op hen te wachten. De ministers trokken een ernstig gezicht en de aartsbisschop kuste haar op beide wangen. Hij zei dat het zowel een verheugende als een droevige gebeurtenis was. Een paar minuten sprak hij over haar vader, en toen Sylvie, Sam en Max doorkregen wat er aan de hand was, barstten ze alle drie in tranen uit. Het was nooit in hen opgekomen dat dit zou kunnen gebeuren.

De premier had de vooruitziende gedachte gehad om de kroon van Christianna's moeder uit de kluis te halen, evenals, met het oog op de inhuldiging, het zwaard van haar vader voor de aartsbisschop. De premier zette voorzichtig de kroon op haar hoofd, waarna ze voor de aartsbisschop neerknielde in het simpele zwarte jurkje dat ze al de hele dag aanhad. Na de traditionele ritus in het Latijn te hebben uitgesproken, beroerde de geestelijke met het zwaard haar beide schouders en, terwijl de tranen over haar gezicht stroomden, riep hij haar uit tot Hare Koninklijke Hoogheid, regerend prinses van Liechtenstein. Afgezien van de kroon van haar moeder, die bezet was met tal van diamanten en die uit de veertiende eeuw dateerde, was het enige sieraad dat ze droeg de smalle ring met de hartvormige smaragdjes die Parker haar in Venetië had gegeven en die sindsdien niet van haar vinger was geweest.

Ze draaide zich, nog steeds huilend, om naar haar ministers en haar drie trouwe medewerkers, waarna de aartsbisschop hun allen de zegen gaf. Toen ze naar haar nieuwe onderdanen keek, leek ze, onder de zware kroon en in haar eenvoudige zwarte jurk die ze die ochtend al aanhad toen ze de begrafenis van haar vader en haar broer regelde, een piepjong meisje. Ze zag eruit als een kind dat met die kroon een verkleedspelletje deed, maar hoe jong of bang ook, ze was nu Hare Koninklijke Hoogheid Christianna, regerend prinses van Liechtenstein.

HOOFDSTUK 21

$\mathcal{D}$e staatsbegrafenis voor haar vader en Freddy in de Stephansdom in Wenen was een plechtigheid vol pracht en praal. De kardinaal van Wenen, twee aartsbisschoppen, vier bisschoppen en een tiental geestelijken stonden bij het altaar. Christianna zat helemaal alleen op de eerste kerkbank, omringd door gewapende veiligheidsbeambten. De bekendmaking van haar inhuldiging had drie dagen eerder plaatsgevonden. Ze had bij het betreden en verlaten van de kathedraal achter de lege doodskisten aan gelopen, op de hielen gevolgd door bewakers met machinegeweren.

De dienst zelf, met zang van de Wiener Sängerknaben, nam twee uur in beslag. Ze had ervoor gezorgd dat er uitsluitend muziek ten gehore werd gebracht waar haar vader graag naar had geluisterd. Het was een sombere, hartverscheurende dienst, en Christianna zat in haar eentje te huilen, zonder iemand om haar te troosten, een arm om haar heen te slaan, of zelfs maar haar hand vast te houden. Vanaf hun staanplaats bij haar in de buurt leefden Max en Sam hevig met haar mee, maar ze konden niets voor haar doen. Als regerend prinses moest ze nu op eigen benen staan, ongeacht hoe zwaar het moment of de taak woog. Haar leven als Koninklijke Hoogheid, regerend prinses van Liechtenstein, was officieel ingegaan.

Onder het zingen van het 'Ave Maria' stroomden de tranen

over haar wangen, terwijl ze met haar ogen dicht opstond, in een zwarte japon met jas en met een grote zwarte hoed met sluier.

En toen het voorbij was, liep ze langzaam achter de twee lege kisten het middenpad van de kathedraal over, met haar gedachten bij haar vader en bij Freddy. Iedereen in de kerk fluisterde hoe mooi ze was, en zo vreselijk jong om zoveel te moeten doormaken.

Er waren tweeduizend gasten, allemaal op uitnodiging. Staatshoofden en koninklijke hoogheden uit heel Europa waren aangetreden. Na afloop werden die allemaal in Paleis Liechtenstein in Wenen ontvangen. Het was de langste dag van haar leven. Victoria was er, maar die zag ze amper. Victoria was nog steeds niet over het verbijsterende feit heen dat haar nichtje nu als prinses over Liechtenstein regeerde. Christianna zelf ook niet. Ze verkeerde nog steeds in shock. Voor en na de rouwdienst sprak ze met Parker, en toen klonk ze werkelijk uitgeput. Die avond om negen uur begon de terugrit uit Wenen, om kort na drie uur 's nachts in Vaduz aan te komen. Er werd in konvooi gereden, met gewapende geleide in auto's voor en achter aan de stoet. Nog steeds had geen enkele groepering de verantwoordelijkheid voor de autobom opgeëist. Maar de beveiliging rond haar persoon was gigantisch. Ze was nu al triest en eenzaam, en ze was nog maar drie dagen regerend prinses. Ze wist dat het nog erger zou worden als ze eenmaal echt aan het werk ging. Ze herinnerde zich nu maar al te goed hoe uitgeput en ontmoedigd haar vader vroeger soms kon worden. Nu was dat háár lot. Sam en Max zaten tijdens de thuisreis bij haar in de auto en diverse keren vroegen ze of ze het allemaal redde. Dan knikte ze. Ze was te moe om te praten.

Toen ze weer in Vaduz waren, ging ze regelrecht naar bed. Ze moest om zeven uur op. De begrafenis in Vaduz zou de volgende morgen om tien uur plaatsvinden. En ditmaal was het nog droeviger, omdat ze wist dat dit het thuishonk was waarvan hij zo had gehouden, waar hij was geboren en waar hij samen met zijn zoon was omgekomen. Christianna had het gevoel alsof ze de hele wereld op haar schouders torste toen ze opnieuw achter de lege lijkkisten over het midden-pad liep. Ook de muziek was nog treuriger dan de dag daar-voor, zo kwam het althans op haar over. En nu die twee er niet meer waren, voelde ze zich ook nog meer alleen, in het huis van haar eigen jeugd.

De begrafenis in Vaduz was toegankelijk voor het publiek, en na afloop werd een vleugel van het paleis opengesteld voor een ontvangst. De bewaking was zo immens dat het er wel een beveiligd kamp leek. Ook waren er journalisten met ca-mera's van over de hele wereld die opnamen van haar maak-ten.

Parker zat er thuis in Boston naar te kijken. Bij hem was het vier uur in de morgen toen hij de beelden op CNN zag. Hij had Christianna nog nooit zo mooi gezien: ontegenzeggelijk vorstelijk, zoals ze met haar hoed met sluier over het mid-denpad schreed. De dag ervoor had hij ook naar de rouw-dienst in Wenen gekeken. Zo goed en zo kwaad hij kon, was hij bij elke stap die ze zette bij haar geweest. En toen ze hem die avond laat opbelde, klonk ze volledig uitgeput. Toen hij tegen haar zei hoe schitterend het allemaal was geweest en dat ze een uitstekende prestatie had geleverd, was ze binnen de kortste keren weer in huilen uitgebarsten. Het was de af-schuwelijkste week van haar leven geweest.

'Cricky, wil je dat ik naar je toe kom?' had hij kalm aange-boden, maar ze wist dat ze hem voorlopig onmogelijk kon ontvangen.

'Dat kan ik niet aan.' De ogen van de wereld waren op haar gericht. Ze wisten allebei dat er nog een hele tijd met ar-gusogen naar haar zou worden gekeken. Dat ze niets kon doen wat naar een schandaal riekte en dat ze haar land op verantwoorde manier moest besturen. Haar leven behoorde nu toe aan haar volk. Ze had gezworen om Eer, Moed en Welzijn hoog te houden, zoals haar vader vóór haar had ge-daan en al degenen die hem waren voorgegaan. Net als zij hadden ze hun leven opgeofferd. Ze moest nu in hun voet-stappen treden, zo goed ze kon. En meer dan ooit had ze geen idee wanneer ze Parker kon terugzien. Geen gestolen weekendjes meer in Parijs of Venetië, waar ze voor een paar dagen zou kunnen verdwijnen. Ze moest leven naar de taak die ze elke minuut en elk uur van de dag op zich had genomen, haar leven lang.

Ze droeg officiële rouwkleding, en de volgende dag nam haar leven als regerend prinses een aanvang. Ze kreeg amper de tijd om te rouwen. Ze vergaderde met ministers, met staatshoofden die hun condoleances kwamen aanbieden, ze vergaderde over economische strategieën en ze moest bezoeken afleggen aan banken in Genève. Ze had briefings, congressen en vergaderingen in alle soorten en maten. Binnen vier weken tolde haar hoofd en had ze het gevoel alsof ze verdronk, maar de premier zei tegen haar dat ze het uitstekend deed. Naar zijn mening had haar vader gelijk gehad. Ze was de beste 'man' voor de functie.

Dat jaar annuleerde ze haar plannen voor Gstaad. Voor haar zou het geen Kerstmis worden. Haar hoofd stond er niet naar en ze was met de ministers overeengekomen dat er, uit respect voor haar vader, gedurende een half jaar geen officiële festiviteiten zouden plaatsvinden. Alle functionarissen met wie ze vergaderde, nodigde ze uit voor de lunch. Ze hadden de officiële rouwperiode al teruggebracht van een jaar naar zes maanden.

Ze had besprekingen met de stichting en intieme diners ten paleize met de premier, die zijn best deed haar alles bij te brengen wat ze voor haar nieuwe functie moest weten. Omdat ze zich alles zo snel mogelijk eigen wilde maken, zoog ze het allemaal op als een spons. Ze had met haar vader tot in de finesses gesproken over zijn strategieën en hoe complex regeren in elkaar stak, dus het was haar niet helemaal onbekend. Maar nu moest zij de functie vervullen en de beslissingen nemen, aan de hand van de ministers natuurlijk.

Sylvie was dag en nacht bij haar. Max en Sam weken niet van haar zijde. De zware beveiliging was nog niet gewijzigd, en toen Victoria opbelde om te zeggen dat het leuk zou zijn als ze haar kwam opzoeken, maakte Christianna haar zonder omwegen duidelijk dat ze niet kon komen. Haar jeugd was nu voorbij; ze moest zich met serieuze zaken bezighouden. Ze begon haar dag om zeven uur in het voormalige kantoor van haar vader en ging, net als hij, tot 's avonds laat aan een stuk door.

Het enige wat er was veranderd, was dat Parker haar nu mocht opbellen. Maar ze kon hem absoluut niet ontmoeten, zelfs niet voor een ongedwongen bezoek tussen twee oude vrienden. Zij was single en een regerend prinses, en ze moest zich zo ver mogelijk houden van alles wat ook maar naar een schandaal zwéémde. Ze zei tegen hem dat hij haar minstens een halfjaar niet kon komen opzoeken, als een oude vriend met wie ze in Afrika had samengewerkt, zelfs niet voor een informeel etentje.

Hij zette haar niet onder druk, maar hij was juist een voortdurende bron van steun voor haar. Ze belde hem elke avond als ze klaar was met haar werk, ook al was het bij haar soms middernacht, terwijl het voor hem pas zes uur 's avonds was. Hij maakte haar soms aan het lachen, maar zij gaf geen staatsgeheimen aan hem prijs. Behalve dat hij de man was van wie ze hield, was hij ook een goede vriend geworden.

Ook de pers was door haar gebiologeerd, zodat er, telkens wanneer ze het paleis verliet, foto's van haar werden genomen. Ze vond het weliswaar vermoeiend, maar ze besefte ook dat zoiets er voortaan nu eenmaal bij hoorde. Alles in haar leven was veranderd. Het enige wat de afgelopen maand hetzelfde was gebleven was de aanwezigheid van haar immer trouwe hond. Charles hoorde nu bij de kantoorinventaris en de staf noemde hem bij wijze van grap de koninklijke hond. Hij was nog net zo stout, onbesuisd en af en toe slecht gemanierd als altijd. Alleen zijn bazin was veranderd. Ze maakte eindeloze uren, miste haar vader voortdurend, en ze had geen tijd om te spelen of zich te ontspannen. Het enige waar ze tegenwoordig aan kon denken was het vertegenwoordigen van haar land en zijn ingezetenen ten overstaan van de wereld. Ze begon steeds meer begrip te krijgen voor de verpletterende plichtsbetrachting van haar vader en elke dag dacht ze met groter respect en nog liefdevoller aan hem. En wanneer ze gedurende de weken na de afschuwelijke dood van haar vader en haar broer geen regeringstaken verrichtte, werd ze geconfronteerd met pijnlijke taken zoals het doornemen van hun persoonlijke eigendommen. De auto's van haar broer werden in stilte verkocht. Alle persoonlijke bezittingen van haar vader werden opgeslagen. Ze vond het vreselijk om langs zijn lege vertrekken te lopen en voelde zich nog altijd een indringer in zijn kantoor, maar ze was zijn staf diep dankbaar voor hun onontbeerlijke steun en hulp.

Twee dagen voor Kerstmis, toen ze met Parker telefoneerde, vond hij dat ze nog nooit zo vermoeid had geklonken.

'Ga je iets doen met de kerst, lieveling? Je mag daar niet helemaal in je eentje zitten.' Hij werd al treurig toen hij de eenzaamheid en uitputting in haar stem hoorde. Ze was veranderd in de eenzame prinses in het paleis in Vaduz. Ze had niemand bij wie ze met Kerstmis terecht kon en er was geen familie meer om haar gezelschap te houden. Toen hij ernaar vroeg, zei ze dat ze alleen van plan was om naar de nachtmis te gaan. Afgezien daarvan zou ze zelfs op eerste kerstdag aan het werk gaan. Ze moest nog zoveel leren, er viel zoveel te doen, er waren zoveel dingen die ze nog onder de knie moest krijgen om nog beter te kunnen functioneren. Ze nam te veel hooi op haar vork, maar behalve elke avond met haar praten, kon hij absoluut niets doen om haar te helpen. De tijd die ze samen in Venetië hadden doorgebracht, leek eeuwen geleden. Het enige aandenken daaraan was de ring met de smaragdjes die ze altijd droeg.

Parker vierde dat jaar kerst bij zijn broer in New York. Hij was te druk bezig met zijn onderzoeksproject om met de feestdagen naar Californië te gaan om zijn vader op te zoeken. En op kerstavond had ze niet eens tijd om met hem te praten. Ze was van plan hem die nacht na de mis op te bellen.

Ze at 's avonds in alle stilte alleen, met de hond naast zich. Toen ze aan haar vader en haar broer dacht en aan de gelukkige tijden die ze samen hadden gehad, was het haar zwaar te moede en voelde ze zich eenzamer dan ooit.

Max en Sam gingen met haar mee naar de mis. Ze waren tegenwoordig altijd bij haar. Ze waren haar persoonlijke lijfwachten geworden. Ze zaten bij haar in de auto toen ze naar de Sankt Florin reden. In Vaduz was het een ijskoude avond dat jaar. Er lag sneeuw, maar het was de hele dag glashelder geweest en toen ze – in een sombere zwarte, dikke jas met capuchon, waar alleen haar mooie gezichtje uit stak – uit de auto stapte en naar de kerk liep, prikte de lucht als naalden in haar longen.

Het was een mooie mis. Het koor zong 'Stille nacht' in het Duits en terwijl ze ernaar luisterde, rolden er langzaam tranen over haar wangen. Het was onmogelijk om niet aan de overweldigende verliezen te denken die ze had moeten doorstaan, en aan de onthutsende veranderingen in haar leven van de afgelopen paar maanden. Zelfs Parker was op dat moment nog maar een verre herinnering, net zo onwerkelijk als zijn bestaan; een stem zonder lichaam aan de telefoon. Nog altijd was hij de man van wie ze hield, maar ze had geen idee wanneer ze elkaar weer zouden zien. Maar als ze in de nacht in bed lag, hunkerde ze nog altijd naar zijn aanraking.

Langzaam liep ze naar de communiebank, achter de inwoners van Vaduz aan, die nu haar onderdanen waren. Als ze op het middenpad langs haar heen liepen, glimlachte ze hen toe, hoe treurig ze die avond ook was gestemd, alsof ze hen bedankte voor het vertrouwen dat ze in haar stelden. Ze waren sinds de dood van haar vader allemaal zo aardig voor haar geweest, zo hartelijk. Ze wilde hun vertrouwen winnen, wat naar haar gevoel nog niet helemaal was gelukt. Eer, Moed en Welzijn. Eindelijk was ze de betekenis van die woorden gaan begrijpen.

Ze had bijna de communiebank bereikt, toen een man in de kerkbank recht voor haar opstond, zich omdraaide, en ze zijn gezicht herkende. Ze bleef stokstijf staan en staarde hem aan. Ze begreep niet wat hij daar deed. Hij had gezegd dat hij in New York zou zijn. Daar stond hij: hij keek haar glimlachend aan en pakte haar uiterst teder bij de hand. Hij drukte iets in haar hand, maar omdat ze geen aandacht wilde trekken, liep ze verder, met gebogen hoofd en een glimlach op haar gezicht. Het was Parker.

Ze ging ter communie, terwijl ze nog altijd het pakje vasthield dat hij in haar hand had gestopt, en zag toen dat Max naar haar keek. Hij had hem ook gezien, en hij glimlachte. Net als Sam. Daarna liep ze terug naar haar eigen kerkbank, waar ze haar hoofd boog en bad, voor haar vader en haar broer, de mensen aan wie ze zoveel te danken had, en tot slot voor Parker. Eindelijk richtte ze haar gezicht op, en met een eeuwenlang opgebouwd verlangen keek ze naar zijn rug, terwijl ze meer van hem hield dan ze ooit had gedaan.

Toen de mis was afgelopen, wachtte ze in haar kerkbank tot hij bijna recht voor haar stond om haar de gelegenheid te geven om de rij uit te stappen. Ze keek naar hem op en bedankte hem, terwijl mensen haar glimlachend aankeken, waarna hij rustig achter haar aan naar buiten liep. Die avond schudde ze voor de kerk tal van haar onderdanen de hand. Parker stond tussen hen in, en toen hij op haar afkwam, keek ze hem met onverbloemde liefde in de ogen.

'Ik kwam je alleen maar vrolijk Kerstmis wensen,' zei hij, terwijl hij haar glimlachend aankeek. 'Ik kon de gedachte niet verdragen dat je alleen was.'

'Ik begrijp het niet helemaal,' zei ze, omdat ze niets wilde prijsgeven.

'Ik logeer in Zürich en ik ga morgen terug om Kerstmis bij mijn broer en zijn kinderen te vieren.'

'Wanneer ben je aangekomen?' Ze keek verward. Was hij hier soms al een paar dagen? Maar toen ze hem de vorige dag sprak, was hij in Boston.

'Vanavond. Ik kwam alleen voor de nachtmis.' Ze was ontroerd toen ze bedacht wat hij had gedaan. Hij had urenlang gereisd, zodat ze zich niet alleen zou voelen. Ze wilde tegen hem zeggen dat ze van hem hield, maar met zoveel mensen om zich heen kon dat niet. Max en Sam kwamen dichterbij om hem te begroeten. Het was duidelijk dat het viertal goed bevriend was. Ze had zijn pakje in haar zak laten glijden en zij had niets om aan hem te geven, behalve haar liefde.

'Ik kan je niet mee naar huis nemen,' fluisterde ze, waarop hij lachte.

'Dat weet ik,' fluisterde hij terug. 'Ik kom wel een andere keer op bezoek. Over een maand of zes. Ik wilde dat alleen maar aan je geven,' en hij wees naar haar jaszak.

Toen ze gezamenlijk bij de kerk vandaan liepen, pakte ze Parkers hand en hield die stevig vast.

Intussen werd ze omringd door mensen die haar wilden zien en aanraken. Ze wenste hun vrolijk kerstfeest en bedankte hen, waarna ze zich met pijn in haar hart tot Parker wendde. 'Hoe kan ik jou bedanken?'

'Daar hebben we het nog wel over. Ik bel je op wanneer ik terug ben in het hotel.' En toen, met een lichte buiging naar haar, net zo'n buiging als al haar onderdanen maakten, keek hij haar glimlachend aan, liep terug naar de auto die hij had gehuurd, keek haar nog eenmaal aan en reed weg. Het was alsof hij in een visioen aan haar was verschenen en in de nacht was opgelost. Zoiets ongelooflijks had niemand ooit gedaan. Toen ze met Sam en Max in de auto stapte, stak ze haar hand in haar zak en voelde het pakje. Parker had het niet beter kunnen doen. Niemand had iets vermoed. Hij was er geweest toen ze hem nodig had, precies zoals altijd, en toen was hij verdwenen. Het had haar niets gekost, en hij had zoveel gegeven.

Ze wachtte tot ze alleen in haar slaapkamer was voor ze het pakje openmaakte. Het voelde aan alsof het in watten was verpakt en het was zo klein dat ze niet kon raden wat erin zat. Ze wilde dat ze hem iets had kunnen teruggeven.

Voorzichtig pakte ze het uit – eerst het papier eraf en vervolgens de watten – en toen ze zag wat het was, viel haar mond open. Het was een prachtige diamanten ring met een antieke zetting – ze wist meteen wat hij ermee bedoelde. Hoe kon ze dit van hem aannemen? Haar vader was er niet meer om tussen hen in te kunnen staan, maar nu moest zij het land regeren en een bevolking vertegenwoordigen. Het was niet minder onmogelijk dan het drie maanden geleden was. Misschien wel nog minder. Het enige verschil was dat ze nu op de troon zat, en dat zij de regels uitvaardigde en de wetsvoorstellen deed. Ze zou zelfs een wet kunnen voorleggen waarin werd goedgekeurd dat ze met een burger trouwde, en dat ze de familieraad om goedkeuring vroeg. Die zou hem waarschijnlijk een titel verlenen, als ze besloten haar verzoek in te willigen. Maar na alles wat ze haar de afgelopen maand al hadden gegeven, was dat wat veel gevraagd. Ze zat naar de ring in haar hand te staren, en met het gevoel dat ze weer een klein meisje was, deed ze hem om. Het diamantje was beeldig en betekende nog meer voor haar dan haar kroon. Ze zat er nog steeds verwonderd naar te kijken, toen hij opbelde.

'Hoe kun je zoiets nou doen?' vroeg ze stomverbaasd.

'Ik zou willen dat ik hem je kon omdoen,' zei hij met een liefdevolle stem. Hij was net terug in het hotel.

'Ik ook.' Maar hij had het niet beter kunnen aanpakken. Hij had haar het pakje zo discreet toegespeeld dat niemand er iets van had kunnen merken.

'Past-ie?' vroeg hij voorzichtig.

'Perfect.'

Hij haalde moeizaam adem, nu zelf bang, voor hij de volgende vraag stelde. 'Welnu, Koninklijke Hoogheid, wat vindt u ervan?' Ze wist precies wat hij bedoelde, maar ze had geen idee wat ze tegen hem moest zeggen. Het antwoord op die vraag was niet langer aan haar.

'Ik heb nog nooit zo'n bijzondere man meegemaakt als jij, en ik hou met heel mijn hart van je.' Hij was nota bene helemaal uit Boston komen vliegen voor één avond, om haar vrolijk kerstfeest te wensen en haar de ring te geven. Als ze hem aannam, was hij de hare, en zij de zijne.

'Nou?' vroeg hij zenuwachtig. 'Is het nee of ja?'

'Dat zou door de familieraad en het parlement moeten worden beslist. En uit respect voor mijn vader vind ik dat ik het hun pas over een jaar kan vragen.'

'Ik kan wachten, Cricky,' zei hij berustend. Ze hadden al gewacht sinds hij eind juli uit Afrika was vertrokken. Het leek een eeuwigheid, maar het was pas vijf maanden geleden.
'Over een halfjaar zou ik een verloving bekend kunnen maken,' zei ze voorzichtig. 'Maar dan zouden we niet voor het eind van het jaar kunnen trouwen.'
'Misschien volgend jaar Kerstmis,' zei hij hoopvol. 'Wat denk je dat de familieraad ervan zou vinden?'
'Ik zou kunnen vragen of ze je tot graaf willen benoemen, of iets wat even geschikt is waardoor je een aanvaardbare partij wordt. Eerlijk gezegd, weet ik niet wat ze zouden zeggen. En je werk dan?' Opeens keek ze zorgelijk. Ze kon niet van hem vragen om alles voor haar op te geven. Dat zou niet eerlijk zijn.
'Tegen die tijd ben ik wel klaar met mijn project.' Daar had hij al maandenlang lang en breed over nagedacht, en ook nog eens tijdens de vlucht naar Zürich. Hij wist het zeker. 'Hier kan ik me ook met aids bezighouden. In Zürich is een uitstekende kliniek waar aidsonderzoek wordt gedaan.' Hij had alles al lang voor die avond overwogen.
'Ik heb geen idee wat ze zouden zeggen. Ik zou het kunnen vragen. Maar als ze nee zeggen...' Bij die gedachte sprongen de tranen in haar ogen. Ze zou hem nu niet kwijt willen raken. Maar evenmin kon ze het volk in de steek laten waaraan ze een maand tevoren nog trouw had gezworen. 'Wanneer vertrek je?' vroeg ze hem ineens. Ze smachtte ernaar hem te zien, maar ze zag er geen enkele mogelijkheid toe. En hij zou haar in geen maanden opnieuw kunnen opzoeken. Maar tegen die tijd moesten ze het goed aanpakken. Ze kon nu onmogelijk stiekem weg. Dan zou hij haar in het paleis moeten bezoeken en om haar hand vragen. Het moest allemaal volkomen recht door zee gebeuren. Ze moest eervol en moedig handelen en andermans welzijn boven zichzelf stellen, ongeacht ten koste waarvan, zelfs ten koste van de liefde.
'Mijn vliegtuig vertrekt morgenochtend om tien uur. Om zeven uur vertrek ik uit het hotel en ik moet om acht uur inchecken.'

'Ik moet wat telefoontjes plegen. Ik hou van je, Parker. Ik zal het je laten weten voor je vertrekt. Bedenk dat ik ontzettend veel van je hou, voor altijd.'

'De ring is van mijn oma geweest,' zei hij, alsof dat enig verschil maakte. Hij had hem op Thanksgiving van zijn vader gekregen. Maar Cricky wilde niet de ring, ze wilde hem.

'Ik ben er ontzaglijk blij mee. Maar veel meer met jou.'

Ze pleegde één enkel telefoontje, maar diegene was niet thuis. Daarna ging ze op haar bed liggen, waar ze de hele nacht aan Parker dacht. Dat ging bij hem, in zijn hotel, niet anders. Maar hij had voor zijn vertrek nog niets van haar gehoord. De moed zonk hem in de schoenen toen hij bij zijn hotel uitcheckte.

De premier belde die morgen om acht uur terug. Ze dwong hem zijn geheimhouding af, maar stelde hem de kardinale vraag. Hij zei dat het in andere landen was gelukt en dat hij niet inzag waarom het bij hen niet zou kunnen, als zij het de juiste beslissing achtte. Ze had nu in wezen het recht om de familieraad en zelfs het parlement te trotseren. Die macht had ze, net als haar vader vroeger, maar hij had er in haar belang geen gebruik van willen maken.

'Ik acht het inderdaad de juiste beslissing,' zei ze, en voor het eerst in maanden klonk ze uitbundig. Het was verschrikkelijk om te zeggen, en dat zou ze tegen hem niet hoeven doen, maar zelfs haar inhuldiging tot regerend prinses had niet zoveel voor haar betekend als dit.

'Het zou de komende vijf of zes maanden geheim moeten blijven. Daarna kunt u iedereen aan het idee laten wennen. Ik zal doen wat ik kan om te helpen,' zei hij, waarbij hij eerder klonk als een goedbedoelende oom dan als een premier. Ze wenste hem vervolgens nog vrolijk kerstfeest voor ze ophing. Ze keek op haar horloge. Het was kwart over acht. En hij had haar niet gebeld voor hij uit het hotel vertrok. Ze had gezegd dat ze hem zou bellen. Ze pakte de telefoon om de beveiliging te bellen en vroeg of ze Max naar haar kamer wilden sturen. Bezorgd informeerden ze of ze een probleem had, waarop ze zei: 'Nee, integendeel.' Ze pakte een vel papier en schreef er een paar woorden op. Max stond binnen vijf minuten voor haar deur.

'Hoe snel kun je in Zürich zijn? Op de luchthaven?' vroeg ze, terwijl ze het vel papier in een envelop liet glijden en die aan hem gaf.

'Over een uur. Misschien iets meer. Heeft het haast?' Hij las in haar ogen hoe belangrijk het was. Hij glimlachte, wetend wie hij te zien zou krijgen. Dat was gemakkelijk te raden.

'Het heeft ongelooflijke haast. Zijn vlucht vertrekt om tien uur naar New York. Parkers vlucht.'

'Jawel, Koninklijke Hoogheid. Ik zal hem vinden.'

'Dank je, Max,' zei ze, terwijl ze met weemoed terugdacht aan de tijd in Senafe, toen hij en Sam haar Cricky noemden. Die tijd was voorgoed voorbij, zoals zoveel dingen in haar leven. Maar daar waren andere voor in de plaats gekomen, en er kwamen er nog meer. Ze hoopte dat Max hem op tijd kon bereiken. Zo niet, dan zou ze hem in New York bellen. Maar ze wilde dat hij het wist voordat hij vertrok. Na alles wat hij had gedaan, was dat wel het minste wat hij verdiende.

Max vlóóg van Vaduz naar het vliegveld van Zürich. Hij had een auto van de paleisbeveiliging genomen en de hele weg hield hij zijn voet op het gaspedaal. Hij bekeek de lijst met vluchten naar New York, vond er de bewuste tussen en ging op weg naar de gate om hem op te wachten. De passagiers waren nog niet aan boord gegaan. En toen, vijf minuten later, zag hij hem: hij zag er moe uit en in gedachten verzonken liep hij langzaam op de gate af. Parker schrok op toen hij Max zag, die hem een brede glimlach schonk en hem vrolijk kerstfeest wenste, waarna hij hem de envelop overhandigde die Christianna hem had meegegeven. Het was een kleine, witte envelop, met haar kroontje en initiaal erop. Een C met een kroontje erboven. Hij zag Parkers handen trillen toen hij hem openmaakte. Aandachtig las hij het briefje, terwijl er een brede glimlach op zijn gezicht verscheen.

Ze had geschreven: 'Ja. Ik hou van je, C.' Hij vouwde het vel papier op en stopte het in zijn zak, waarna hij Max met een enorme grijns een klap op zijn schouder gaf.

'Kan ik met haar praten?' vroeg Parker, terwijl zijn vlucht werd omgeroepen. Hij lachte in zichzelf. Hij had een aanzoek gedaan en ze had het aanvaard, maar ze hadden elkaar niet eens gekust. Maar toch waren ze verloofd. God, wat ging het allemaal anders met een prinses! Hij had haar de ring niet eens omgedaan, maar hij was wel helemaal uit Boston komen vliegen om hem haar te komen brengen en om haar alleen tijdens de nachtmis even te kunnen zien.

Max belde op zijn gsm naar de paleisbeveiliging met het verzoek hem door te verbinden met Koninklijke Hoogheid. Ondertussen keek hij Parker met een glimlach aan. Ze dachten allebei terug aan andere tijden, toen ze weliswaar nog Doorluchtige Hoogheid was, maar in Senafe voor hen alleen Cricky. Twee minuten later kwam ze aan de telefoon, die hij doorgaf aan Parker.

'Heb je mijn briefje gekregen?' Ze klonk nieuwsgierig maar gelukkig.

'Ja.' Hij glunderde. 'Wat is er gebeurd?'

'Ik heb de premier gebeld en hij ziet niet in waarom het niet mogelijk zou zijn. Zoals hij het stelde: ze doen het in andere landen, dus waarom niet bij ons? We worden hier tegenwoordig reuze modern. En eerlijk gezegd zou ik hen sowieso kunnen trotseren, maar we hebben de volledige steun van de premier,' wat het hun gemakkelijker zou kunnen maken. En ze kon de gelofte van haar vader aan haar moeder niet langer gestand doen. Ze glimlachte toen ze naar de ring om haar vinger keek. Ze droeg hem samen met het ringetje met de smaragden.

'Betekent dit dat we verloofd zijn?' vroeg Parker, terwijl hij zich van Max afkeerde en zijn stem dempte.

'Ja.' Nu straalde zij ook. 'Eindelijk,' zei ze triomfantelijk. Ze hadden hier hard voor moeten zwoegen, zij allebei, en ze waren geduldig geweest. Het lot had ingegrepen, hardhandig, maar uiteindelijk sleepten ze de prijs in de wacht waar ze zo op hadden gehoopt. 'Hij zei dat we het nog vijf of zes maanden stil moeten houden. En daar ben ik het mee eens. Ik wil me niet respectloos gedragen tegenover mijn vader of Freddy.'

'Mij best.' Nog nooit van zijn leven was hij zo gelukkig geweest.

Voor de laatste keer werd zijn vlucht omgeroepen, en Max tikte hem op zijn schouder, waarop Parker verwoed naar hem knikte.

'Ik moet rennen. Anders mis ik mijn vlucht. Ik zal je uit New York opbellen.'

'Ik hou van je... Dankjewel voor de ring... Dank je dat je bent gekomen... Dank je, dank je,' zei ze, gehaast om het allemaal over te brengen voor hij ophing.

'Dank u, Koninklijke Hoogheid,' zei hij, waarna hij de gsm dichtklapte en die met een glimlach aan Max teruggaf.

'Goede vlucht,' zei Max, terwijl hij hem de hand schudde. 'Zien we u spoedig terug, *sir*?' vroeg hij met een wrange grijns.

'Je moet me geen sir noemen, en reken maar dat je me terugziet... In juni, en daarna tot vervelens toe... Vrolijk kerstfeest!' Hij wuifde, terwijl hij naar zijn vliegtuig rende. Hij kwam als laatste binnen en onmiddellijk viel de deur achter hem dicht.

Hij vond zijn stoel en ging zitten, waarna hij zonder iets te zien glimlachend uit het raam staarde en aan haar dacht. Ze had er de vorige avond toen hij haar in de kerk zag beeldschoon uitgezien. Terwijl het vliegtuig boven de luchthaven cirkelde en op weg ging naar New York, overdacht hij wat er in een paar uur allemaal was gebeurd. Niet lang daarna vlogen ze over Vaduz, waarbij de gezagvoerder op het kasteel wees en vertelde dat daar een levensechte prinses woonde. Terwijl de man dat zei, glimlachte Parker in zichzelf. Het was nauwelijks te geloven. Het leek hem nog steeds een sprookje. Hij was in Afrika verliefd geworden op een meisje met vlechten en met wandelschoenen aan. Ze bleek een prinses te zijn die in een kasteel woonde, en nu was de prinses van hem, en dat zou ze altijd blijven. Het verhaal had zelfs een sprookjesachtig slot. *En ze leefden nog lang en gelukkig*, dacht hij bij zichzelf, en grinnikte. En in het kasteel had de prinses ook een glimlach op haar gezicht.